表　18　象

Hyosho: Journal of the Association for Studies of Culture and Representation

表象 18

目次

巻頭言 ドトールでモダン・ジャズが流れること、あるいは浅田彰がＢＴＳについて語ることをめぐって―門林岳史 006
FOREWORD On Modern Jazz Played in DOUTOR Café, or Asada Akira Talking about BTS | Kadobayashi Takeshi

特集 | Special Feature

皮膚感覚と情動――表象から現前のテクノロジーへ
Sens of Touch and Affect: From Representations to the Technology of Being-There

緒言―難波阿丹 014
Introduction | Namba Anni

共同討議―皮膚感覚と情動――メディア研究の最前線
飯田麻結＋平芳裕子＋渡邊恵太＋水野勝仁＋高村峰生［コメンテイター］＋難波阿丹［司会］ 016
Panel Discussion | Sens of Touch and Affect: On the Frontier of Media Studies
Panelists: Iida Mayu, Hirayoshi Yuko, Watanabe Keita, Mizuno Masanori; Discussant: Takamura Mineo; Moderator: Namba Anni

『とても近くに』――書くことによる接触―サラ・ジャクソン―高村峰生訳・解題 049
So Close: Writing that Touches | Sarah Jackson | Translated and commented by Takamura Mineo

芸術メディウムと感覚モダリティ：触図｜ドミニク・マカイヴァー・ロペス｜銭清弘訳・解題＋村山正碩訳 069
Art Media and the Sense Modalities: Tactile Pictures | Dominic M. M. Lopes | Translated by Sen Kiyohiro and Murayama Masahiro; Commented by Sen Kiyohiro

歴史と感性——三つの系譜｜ジョルジュ・ディディ＝ユベルマン｜橋本一径訳・解題 088
Histoire et sensibilité: trois généalogies | Georges Didi-Huberman | traduit et commenté par Hashimoto Kazumichi

「皮膚感覚と情動——表象から現前のテクノロジーへ」ブックガイド 103
Book Guide on Sens of Touch and Affect: From Representations to the Technology of Being-There

論文｜Articles

二重化された予示——日本キャラクター論から見た「ハッピー・フーリガン」｜鶴田裕貴 108
The Two Phases of Happy Hooligan as Seen Through Japanese Character Studies | Tsuruta Yuki

エリック・ロメール映画における恋のキューピッド、あるいは〈天佑の友〉の声——画面外の声の「存在感ある」使用をめぐって｜正清健介 123
Cupid's Voices: Presences of the Off-Screen Voice in Eric Rohmer's Films | Masakiyo Kensuke

他性的知覚と誤認の能力——映画の分析（不）可能性をめぐって｜三浦光彦 141
Othered Perceptions and the Power of Misrecognition: The (Un)analyzability of Cinema | Miura Mitsuhiko

書評｜Reviews

高松次郎作品／研究のダイナミクス――大澤慶久『高松次郎――リアリティ／アクチュアリティの美学』書評｜野田吉郎 158
Takamatsu Jiro Works / Research Dynamics, A Review of *Jiro Takamatsu: Aesthetics of Reality and Actuality* by Osawa Yoshihisa｜Noda Yoshiro

自らの足元を見るために――印牧岳彦『ＳＳＡ――緊急事態下の建築ユートピア』書評｜天内大樹 162
To See Our Own Foothold, A Review of *SSA: Architectural Utopia under the Emergency* by Kanemaki Takahiko｜Amanai Daiki

三人の女たちの一人による別の話――菊間晴子『犠牲の森で――大江健三郎の死生観』書評｜番場俊 167
Another Story by One of Three Women, A Review of *In the Forest of Sacrifice: Ōe Kenzaburō's View of Life and Death*
by Kikuma Haruko｜Bamba Satoshi

黄金期香港映画研究の最前線――雑賀広海『混乱と遊戯の香港映画――作家性、産業、境界線』書評｜三澤真美恵 172
Frontiers in Research on the Golden Age of Hong Kong Cinema, A Review of *Disorder and Play in Hong Kong Cinema: Authorship, Industry, Borderline* by Saika Hiromi｜Misawa Mamie

「日琉同祖論」という謎との格闘へ――崎濱紗奈『伊波普猷の政治と哲学　日琉同祖論再読』書評｜新城郁夫 176
Tackling the Conundrum of the Japanese-Ryukyuan Common Ancestry Theory, A Review of *Politics and Philosophy of Ifa Fuyū*
by Sakihama Sana｜Shinjo Ikuo

「〈抽象的な音〉の冒険」の中に描き出される作曲家の音楽的思考の軌跡
――高橋智子『モートン・フェルドマン――〈抽象的な音〉の冒険』書評｜向井大策 181
The Trajectory of the Composer's Thinking as an Abstract Sonic Adventure, A Review of *Morton Feldman: An Abstract Sonic Adventure*
by Takahashi Tomoko｜Mukai Daisaku

隠れ家としての書物の「その後の生」
――田邉恵子『一冊の、ささやかな、本　ヴァルター・ベンヤミン『一九〇〇年ごろのベルリンの幼年時代』研究』書評｜海老根剛 186
A book as a Refuge and Its Afterlife, A Review of *"a tiny book in fact". On Walter Benjamin's Berlin Childhood around 1900*
by Tanabe Keiko｜Ebine Takeshi

洲浜から日本の文化を捉え直す――原瑠璃彦『洲浜論』書評｜島村幸忠 191
Reconsidering Japanese Culture Focusing on *Suhama*, A Review of *On Suhama* by Hara Rurihiko｜Shimamura Yukitada

「差異の多様性」と「混淆」を手に、デジタル一元化に抗うこと
——福島可奈子『混淆する戦前の映像文化　幻燈・玩具映画・小型映画』書評｜常石史子 195
Resisting Digital Homogenization, Armed with Diversity and Unorganization, A Review of *Unorganized Visual Cultures before World War II; Magic Lantern, Toy Film, Cine Film* by Fukushima Kanako | Tsuneishi Fumiko

それが「真」になる前の「写真」について
——槙野佳奈子『科学普及活動家ルイ・フィギエ——万人のための科学、夢想としての科学』書評｜田中祐理子 199
Photography Before It Became *the "Truth,"* A Review of *Louis Figuier, Science Popularizer: Science for All, Science as Dreams* by Makino Kanako | Tanaka Yuriko

中上健次と（再）開発——渡邊英理『中上健次論』書評｜髙村峰生 204
Nakagami Kenji and (Re)development, A Review of *Against (Re)development—Kenji Nakagami's Vision of Literature* by Watanabe Eri | Takamura Mineo

第14回表象文化論学会賞 210
『表象』19号投稿論文応募要項 211
執筆者紹介／編集後記 212
投稿論文英語要旨｜English Abstracts of Articles 214

ドトールでモダン・ジャズが流れること、あるいは浅田彰がＢＴＳについて語ることをめぐって

門林岳史
Kadobayashi Takeshi

On Modern Jazz Played in DOUTOR Café, or Asada Akira Talking about BTS

中上健次が、現代小説のキー・ポイントは音楽だって、最近よく言ってるんだけどさ、小説だけじゃなくて、現在を分かろうとしたら、キー・ポイントは音楽じゃないかなって、どうしても思えるんだ。音楽が分からないやつは現代がとらえられないんじゃないかと思うね。

——坂本龍一

研究室に長時間こもるのが苦手なので、集中して作業するときには喫茶店に行くことが多い。そういうときには、とっておきのコーヒーを煎れてくれたりするような個人経営のカフェよりも、なるべく没個性的な店のほうが好ましい。例えばドトールやカフェ・ヴェローチェのようなセルフサービスのフランチャイズ店のことである。自分自身、誰でもない一来客として匿名的な空間のなかに身体を埋没させることを求めて喫茶店に行くからだ。そういった店では決まって、来客の感情をどの方向にも強く揺さぶることのない、当たり障りのないＢＧＭが流れているものである。ボサノバなどのブラジル音楽、ＡＯＲ、ジャズなどが定番であろう。ジャズの場合でも様々なスタイルがありうるが、そのなかでビバップからモダン・ジャズの流れに属する楽曲もしばしば流される。もちろん、あまりに演奏家の個性が際立ちすぎるような演奏は避けられる傾向があるが、ときにはモダン・ジャズのなかでも後期のほとんどフリー・ジャズに足を踏み入れているようなインプロヴィゼーションが聞こえてきて驚かされることがある。

ここでの驚きは二重のものである。まず第一に、かつては前衛の最先端を走っていたような音楽のスタイルが、喫茶店の

当たり障りのないＢＧＭのレパートリーに含まれていることに驚かされる。だが、それと同時に、そしてそれ以上に、そうした演奏を自分が――そして、おそらくは喫茶店の他の来客たちも――易々とＢＧＭとして消費していることに驚かされるのである。いわば私たちの耳は知らず知らずのうちに鍛えあげられていて、集中した聴取を要求するはずの難解な演奏を難なく享受できるばかりか、それになんら情動を揺るがされることなく無感動なまま聞き流せてしまえるようになっているらしいのである。歴史上のある地点に出現した（ように思われる）この特異な聴取の様態は、どのようにして可能になったのだろうか。

ひとつの補助線を引いておくならば、このような聴取のあり方を、ポストモダンな文化の様態の延長上で理解することが可能である。よく知られるようにフレドリック・ジェイムソンは、ポストモダンないしポストモダニズムについて論じた一連の論考のなかで、ポストモダニズムを以下のように定義した。すなわちそれは、新しいスタイルの創出がもはや不可能になった時代における芸術表現の様態であり、様々な芸術ジャンルにおいてユニークなスタイルを発明してきた先行するハイ・モダニズムに対する反抗ないし敵意として出現した。したがって、ポストモダニズムの芸術には固有のスタイルは存在せず、むしろ様々なスタイルの寄せ集め（パスティーシュ）をそのひとつの特徴とする。そして、ポストモダニズムのこの特徴は、もう二つの特徴である高尚な芸術と大衆文化の区分の溶解、および歴史感覚の消滅と関連している。すなわち、ハイ・モダニズムが産み落とした鬼子としてのポストモダンな芸術が、高級文化のみならず大衆文化のスタイルも旺盛に自らのうちに取り込むだけでなく、かつての高尚な芸術が生み出したユニークなスタイルもまた、すっかり広告や商業的な文化のレパートリーとなってしまった。そして、もはや新たなスタイルがあり得ないという状況は、前衛が存在しないという認識、すなわち歴史感覚の消滅に結びつく。そして、これらすべてのポストモダニズムの特徴を、ジェイムソンはグローバル資本主義、消費社会、情報化社会といった一連の社会的状況と密接に連関するものとして把握していたのであった［1］。

とするならば、喫茶店の匿名的な空間でなんら情動を生じさせることなく聞き流されるモダン・ジャズのインプロヴィゼーションを、ジェイムソンが定式化したこのようなポストモダンな感性がさらに深化したものと捉えることができるだろう。かつては時代の最先端を行く高度な芸術的表現だったものも、いまやポストモダンな引用の織物の一部、ジェイムソンが言う「空虚なパロディ」［2］としてのパスティーシュとして消費可能になっている、というわけである。だが、ここにはそれだけでは説明が行き届いていない要素もあるように感じられる。まずもって、右に概略を述べたポストモダンな認識は、それ自体とりたてて目新しいものではない。ジェイムソンはそれを「後期資本主義の文化論理」として一九八〇年代頃に定式化し、その萌芽を一九六〇年代頃の社会と文化に認めたのであった。一九八〇年代には最先端を行くファッショナブルな理論だったポストモダニズムも、いまや陳腐な認識に過ぎない。それこそが、ポストモダンな感性が社会に飽和しきった現状に対応している、と述べることもできるだろうが、それでは言葉が足りない感覚を覚えてしまうのである。そこで、私にとってはドトールでモダン・ジャズが流れることと照応していると思われるもうひとつの現代的な事例を召喚してみたい。

二〇二一年十一月七日、坂本龍一がナビゲーターを務めるラジオ番組『RADIO SAKAMOTO』で、浅田彰が療養中の坂本の代役を務め、Ｋ‐ＰＯＰグループＢＴＳについての講義を披露した[3]。話題を呼んだこの講義を、難解な思想や高尚な芸術についてもっぱら論じてきたあのハイブラウな批評家が流行のＫ‐ＰＯＰアイドル・グループについて語るなんて、という驚きとともに聴講した者は多いはずである。私もそのひとりだ。そして、ここでの驚きもまた二重のもの、いや、それ以上に重層的なものである。

第一に、ＢＴＳをはじめとするＫ‐ＰＯＰグループがグローバルなスターにまで登りつめた背景に韓国の近代史とそこにおける格差社会を読み解き、ＢＴＳ（防弾少年団）の活動をそれに対するある種の闘争として位置づける見事な手さばきに感服する。しかし、それだけではない。というよりは、浅田ほどの知性であれば、Ｋ‐ＰＯＰのグローバルな躍進とそのなかでのＢＴＳの位置づけといった文化事象を的確に把握し分析することは、造作もないこととも言えるだろう。私もそのこと自体に心から驚いたわけでは必ずしもない。けれども、ＢＴＳのメンバーたちについて語る浅田の口調は、知的に興味深い現代の文化事象を見つけたから暇つぶしに分析してみた、というようなものではなかったように感じられる。有り体に言えば、彼は実際にＢＴＳにかなり熱を上げて入れ込んでいるようなのである。それもまた驚きの理由のひとつである。

けれども、私にとっての驚きの核心はそれとも違う位相にあるように思われる。すなわち、浅田彰がＢＴＳについて語るという事態が行為遂行的《パフォーマティヴ》に意味していることに対する驚きである。ここでの私とは、思想や芸術に憧れていた若い頃に、人文学者として研鑽を積むこととは難解な哲学書を読み解き、諸ジャンルの高度な芸術表現に親しむことだと信じて疑わなかった、そのような世代に属する人文研究者のことである。そろそろ五〇代に差しかかろうとしている私が学生時代を過ごした一九九〇年代頃には、まだニュー・アカデミズムの空気感がゆるやかに残っていた。そして、先鋭的な思想や芸術に通じており、なおかつそれらを明晰に言語化することができる浅田彰は、例えば柄谷行人や蓮實重彦などとならんで、自分が志すべき知識人のロール・モデルを与えてくれていたのである。それは私と同世代の人文研究者の多くが共有している感覚のはずだ。そして、ハイブラウな文化へのそのような憧れが、通俗的な文化に対する蔑視を少なくともいくぶんかは伴うことは、認めないわけにはいかないだろう。浅田彰がK-POPのアイドル・グループについて語ることが、それ自体として行為遂行的《パフォーマティヴ》な意味作用を帯びるのはそのような文脈においてのことである。

二つの受け止め方があるように思う。第一に、浅田がBTSについて語るということは、もはや前衛などあり得ないことの証左である、という認識である。しかし他方で、浅田ですらBTSについて語るのだから、いまやBTSこそが前衛なのだ、というように捉える可能性もある。この両者は結局のところ、似通った見解の裏返しの表現なのかもしれない。すなわち、もはや前衛などあり得ないのだから、BTSこそが前衛である、といういくぶんかアイロニーのこもった見解である。

それでは、現代文化においてBTSが前衛だとしたら、それはどのような意味においてだろうか。その音楽においてではないだろう。BTSの音楽性をどれだけ高く評価するとしても、その音楽スタイルは他のK-POPグループと同じく、ヒップポップやR&Bなど、主に米国のポピュラー・ミュージックの既存のジャンルの混成体であり、それ自体目新しいものではない。韓国語独特のリズム感や響きに新鮮さを感じることはあっても、いままで聞いたことのないような斬新な音楽性を備えているとは言えないだろう。ステージ・パフォーマンスなど音楽以外の要素においても同様で、相対的に有能で洗練されていることは疑いようがないが、時代の最先端を突っ走るとまで評するのは難しいように思われる。というよりは、そのような意味での前衛がもはやありえない時代に私たちは生きているのだと理解するのが穏当なところと思われる。

にもかかわらず、BTSやその他のK-POPグループこそが前衛なのだ、すなわち、現代社会の最先端で起こっている文化事象の範例をなしているのだ、という感覚を実は私も持っている。これは巨大な私立大学の人文系のコースで教鞭を執る大学教員の職業病のようなところもあるかもしれない。各学生の関心に応じて毎年それなりの数の卒業論文を指導する私にとって、流行りのアニメやゲーム、あるいはネット動画やソーシャル・メディアに一定の関心を持ち、オタク文化論の新しい動向に目を配り、アイドルのファンダム研究の方法論を学ぶ、といったことは、ほとんど職業的な要件である。人文研究者としての素養が、難解な思想や芸術に通暁していることだけではない、ということは、私にとってはあまりに自明なことになってしまった。そのような時代の人文研究者にとって、幼い頃からダンスやヴォーカルの厳しい修練を積み、自らの容姿に磨きをかけることを怠らず、所属事務所内の――あるいはオーディション形式のリアリティ番組の――競争を勝ち抜いてデビューしたK-POPのアイドルたち、世界中のファンに応えて当たり前のように数カ国語をあやつる彼女たち、彼らこそが、苛烈なグローバル資本主義が席巻する現代社会の文化的状況を映す鏡のように思われるのである。

冒頭に掲げた坂本龍一の発言は、坂本と村上龍による鼎談集『EV. Café ——超進化論』からのものである。浅田彰をはじめ様々な批評家ないし思想家を迎えて現代社会や思想、芸術について語る本書は、高校時代の愛読書のひとつだった（ちょうどその頃文庫化された）。坂本の発言には、次の村上の発言が続く。

音楽が分からないやつは、現代だろうが、一九世紀だろうが、たぶん何もできないと思うよ。だって気持ちいいというのが絶対のジャンルなんだから、その気持ち良さが分からないやつに何の感受性もあるわけないじゃない。その時代ですごい音楽ってほんとに気持ちいいもんなんだね、だから、それが分かんないやつは何も書けないよ。[4]

坂本と村上が主張するように音楽の快楽こそが時代の感性をもっとも鋭敏に照らし出しているのだとすれば、喫茶店でモダン・ジャズを聞き流し、K－POPに相対的な優秀さを認めつつも乗り切れない——私の個人的な感覚にすぎないかもしれないが——、そのような音楽に対する感受性、というよりは感受性の欠如をどのように理解すればよいだろうか。

先に述べたようにポストモダニズムの理論が現代においても有効であるかどうかは留保したいものの、ここでもジェイムソンの議論は参考になるように思われる（留保をつけたい主要な理由は、ポストモダンな認識がいかにハイ・カルチャーとポピュラー・カルチャーの境界の融解を唱えるといっても、その認識自体はあくまでハイブラウな文脈の内側にあるからだ）。彼は高名な論考「ポストモダニズム、あるいは後期資本主義の文化的論理」において、ポストモダニズムの特徴として、これまでに言及したものに加えて「情動の減退（waning of affect）」を挙げていた[5]。アンディ・ウォーホル《ダイアモンド・ダスト・シューズ》をフィンセント・ファン・ゴッホ《靴》と比較しながら析出されるこの徴候について、ジェイムソン自身は実はあまり入念に分節化していない。あえて言うならば、彼の議論のなかで「情動の減退」は、「主体の死」——さらにもうひとつのポストモダニズム（あるいはこの場合はポスト構造主義）の特徴——と対をなしているのだが、それと同時に、もはや偉大なスタイルの新たな創出などありえない時代における歴史感覚の消滅とも関連しているように思われる（坂本龍一も、そして磯崎新も世を去ったいま、そのことを痛感している）。

ジェイムソンは「ポストモダニズム、あるいは後期資本主義の文化的論理」の別ヴァージョンと言ってもよい論考「ポストモダニズムと消費社会」を以下のように締めくくっていた。

私たちが見てきたことは、ポストモダニズムが消費者資本主義の論理を模写し再生産し――補強する――ことであった。より重要な問いは、ポストモダニズムにこのような論理に抵抗する方途があるか否かである。しかし、それは保留すべき疑問である。［6］

偉大な才能による抵抗がますます困難になっているように思われる現代において、このジェイムソンが保留した問いはより切迫したものとして立ち現れてきている。入念な論証なしに結論めいたことを述べるならば、ジェイムソンが述べる「情動の減退」が意味しているものは、私にとってはこの無力感に他ならないように思われるのだ。

［1］以上の紹介はおおむねフレドリック・ジェイムソン『カルチュラル・ターン』（合庭惇・河野真太郎・秦邦生訳、作品社、二〇〇六年）所収の「ポストモダニズムと消費社会」（十一—三六頁）に依拠した。同書所収の他の論考および Fredric Jameson, *Postmodernism, or, the Cultural Logic of Late Capitalism* (Durham: Duke UP, 1991) も参照。

［2］ジェイムソン「ポストモダニズムと消費社会」十六—十七頁。

［3］J-WAVEウェブサイト内の以下のページに文字起こしがアーカイヴされている（最終確認日二〇二四年四月八日）。https://www.j-wave.co.jp/original/radiosakamoto/program/211107.htm

［4］坂本龍一・村上龍『EV. Café ――超進化論』講談社文庫、一九八九年（初版一九八五年）、四一頁。

［5］Fredric Jameson, "Postmodernism, Or, The Cultural Logic of Late Capitalism," *New Left Review*, no. 146 (1984): 61–62. 後に刊行された同名の著作にもほぼ同様の記述がある。なお、ジェイムソンの「情動の減退」概念をめぐって、とりわけイヴ・セジウィックやブライアン・マッスミなどのいわゆる「情動論的展開」の論客の情動概念との対比については、Fredric Jameson, *The Ancients and the Postmoderns* (Verso, 2015) の書評として書かれた以下の論考が参考になる。M. W. Larson, "Jameson's Affective Turn: Bodily States, Temporality, and Aesthetics after Modernity," *Poetics Today* 38: 4 (2017): 749–759.

［6］ジェイムソン「ポストモダニズムと消費社会」三五頁。

特集

皮膚感覚と情動

緒言

難波阿丹
Introduction　Namba Anni

本特集は、皮膚感覚（触感／「自己帰属感」）をうみだすテクノロジーと、それにともなう「情動」のコミュニケーションを、新しくとらえなおすことを目的としている。従来の超越論的美学は、視覚と聴覚を特権的な感覚として重視してきた。ジョナサン・クレーリーが『観察者の系譜』で論じたように、「近代的主体」は視覚の受肉というかたちで想定される。そして、主客を分離し、対象を記述する距離のテクノロジーである視覚によって、「触覚」は近位感覚として把握されてきた。近位感覚に重きをおく非‐二元論的哲学やミメーシス論は、触覚的近接性および準‐近接性に特徴づけられる視覚的「触覚」を皮膚感覚が本来ない場所に想像し、イメージと対象とが似通っているという視覚的な相似性や対象との心理的距離の近さを「触覚」的と読みかえてきた経緯がある。

しかしながら、一九八〇年代以降、このように距離の遠近という「視覚」的観点から解釈される「他人ごと」のスクリーンではなく、交替するウィンドウに置かれたカーソルの動きと連動して「自己帰属感」（渡邊恵太）をもたらし、スクリーンをユーザー自身の皮膚に見立て、視覚的に操作するVisual Hapticsの技術が洗練されてきた。例えば、二〇一七年に登場したiPhone Xのフルイッド・インターフェイスは、タッチ操作を前提に、ポインタがスクリーン上のオブジェクトの形に合わせて変形し、パララックス（視差効果）によって、平面においてもオブジェクトのヴァーチャルな皮膚感覚を演出する視覚表現が考案されつつある。

スクリーンを布に見立てた場合、その平面の自己帰属性、すなわち着心地を重視する傾向は、視覚的要素が優位であるファッション分野でも顕著にみられる。例を挙げるなら、製品開発において着心地を追求しながらも、自己と他者を差異化する視覚的価値も持つという両立をグローバルに目指すユニクロ等のアパレル企業が台頭している。

また、スクリーンがユーザー自身の皮膚として視覚的に操作可能になることで、「触発《アフェクト》」し触発《アフェクト》されるという、情動／感染的なコミュニケーションも優勢となっていく。じっさい、二〇〇七年四月にアップル社が発表したiPhoneは、キーボードの代替としてのタッチスクリーンを備え、ユーザーは地続きの「世界の皮膚(World Skin)」(Mark B. N. Hansen (2006))から他のユーザーに過剰に接続される即時応答のインターネット空間へと開かれた。コロナ禍によって接触が忌避されるなか、SNS上に拡張される情動のコミュニケーションは、非－二元論的な語り、感染的な語りの可能性を押し広げている。

いまや運動の力と質が、圧覚、痛覚、温覚、冷覚等の複合的な体性感覚においてインタラクティブに流通する皮膚の平面こそが、情動を瞬時に、しかも大規模に感染させうる今日的なメディアプラットフォームや、デバイスのスクリーンのモデルと考えられるだろう。

本特集では、鑑賞者が自己を消去して没入する「視覚」(遠近法的)的スクリーンから、ユーザーに「自己帰属感」をもたらし、操作可能な皮膚的スクリーンへの移行を「デジタル・シフト」と考え、多彩な学問領域から第一線の研究者をお呼びして、皮膚感覚に照準した視覚的技術や、触覚／視覚の相克、そして感染していく情動について、さまざまに触知してみたい。

共同討議

皮膚感覚と情動——メディア研究の最前線

飯田麻結＋平芳裕子＋渡邊恵太＋水野勝仁＋髙村峰生［コメンテイター］＋難波阿丹［司会］

Panel Discussion Sens of Touch and Affect: On the Frontier of Media Studies

Iida Mayu, Hirayoshi Hiroko, Watanabe Keita, Mizuno Masanori, Takamura Mineo [Discussant], Namba Anni [Moderator]

二〇二三年十一月十一日（Zoomウェビナーにより開催された表象文化論学会オンライン研究フォーラム二〇二三シンポジウムを元に加筆）　構成協力＝野上貴裕＋福井有人

難波阿丹　みなさま、表象文化論学会オンライン研究フォーラムのシンポジウム「皮膚感覚と情動——メディア研究の最前線」にお越しくださいまして、誠にありがとうございます。司会者で企画の難波と申します。よろしくお願いいたします。今日は多彩な学問の領域から素晴らしいゲストをお呼びして、皮膚、そして触覚という沈黙のメディウム、あまり光の当たってこなかった沈黙の感覚について、さまざまな視角から考えてみたいと思います。今日のシンポジウムでは私がシンポジウムの簡単な趣旨説明をさせていただいた後に、飯田先生、平芳先生、渡邊先生、水野先生にご講演をいただきます。そして、髙村峰生先生にコメントをいただいて、そのコメントに応答するような形で登壇者で討議をいたします。その後で会場に開きまして、質疑応答の時間も設けております。

このシンポジウムのコンセプトは、触覚論、皮膚感覚論です。私はTwitterで二〇〇〇年代以降のメディア論とか触覚論の書籍を紹介していたんですけれども、二〇〇〇年代—二〇一〇年代以降、皮膚感覚、つまり思考や感情も媒介的に他者と共有する主客融合的な感覚が、さまざまなメディアデバイス上で重要となりつつあると思われます。デバイスというとやはりスクリーンなど、視覚的なメディアという認識やマインドセットがあるかと思うんです。もちろん、昨今のデバイスやメディアプラットフォームでは視覚もひじょうに重要なんですけれども、視覚以外の、体性感覚とか身体感覚というものがかなり前景化してきているという印象がございます。表象というのはやはり主体客体という図式に基づいた概念で、表象文化論は、主客の、距離のモデル、視覚的なモデルから立ち上がってきている学問領域だとは思うんですけれども、そうした視覚的なモデルではなくて、触覚的なモデルから、さまざまな学問領域をまなざしてみたい、触知してみたいということが、このシンポジウムの趣旨となります。

私は今、スクリーン論を書いてるんですけれども、一九八〇年代に決定的なデジタルシフトがあったという認識を持っております。どういうことか簡単に申し上げますと、遠近法的なモデルから皮膚感覚、積層する平面が後退していくという、デバイスあるいはスクリーンのモデルチェンジがあったと考えているんですね。それが一九八五年のWindows 1.0だったと考えています。最近は触覚研究もかなり蓄積がなされてきまして、視覚とは異なるさまざまな評価指標が作動している複合領域だということがわかってきています。触覚・皮膚感覚と一口に言いましても、たとえば伊藤亜紗先生が『手の倫理』（二〇二〇年）において、「ふれる」と「さわる」という、関係性によって手の触覚も違った意味合いを持ってくるんだということを述べていらっしゃいますし、リネット・ジョーンズも、ハプティクスというのはタッチとキネステジア（運動感覚）の融合領域であって、特にタクティルというのは受動的な接触であって、ハプティックとは手の能動的な感覚であるというふうに分類もしています（Lynette Jones, *Haptics*, The MIT Press, 2018）。

感覚器官と感覚は必ずしも一対一対応はしていないかもしれませんが、それぞれの感覚の持っている能力が違うという知見も積み重なっているかと思います。そういうふうに考えますと、情報伝達速度においては触覚が一番速いということで、今、とくにメディアプラットフォームとかSNS上で前景化しているコミュニケーションは触覚的なコミュニケーションであって、やはり主体と客体の距離の関係に拘束されたインデックス的なコミュニケーションというよりは、むしろ感染していくコミュニケーションであると言えるかと思います。ところが、メディア研究書などを見てみますと、やはり視覚的な語りというものが王道であるということが言えます。たとえばマノヴィッチは、『ニューメディアの言語』（二〇〇一）のなかで情報文化というのは視覚文化であると明確に言っておりますし、クレーリーも、常時覚醒する（without sleep）ということを言っていて、覚醒とか眠りというのは視覚的なメタファーなわけです。ですので、このような視覚的なメタファーで、我々の今生きているこの触覚的なコミュニケーションを捉えられるのかという問題が考えられるかと思います。

最近ではカーム・テクノロジーというものが考案されている状況です。視覚は認知に関わる部分なのに対して、認知ではない、意識の周縁部にある感覚を利用したテクノロジーです。このようなセカンダリあるいはターシャリと言われる、聴覚的・触覚的な部分に照準を当てたテクノロジー、アンビエント・アウェアネスというものが考案されてきているという状況があります。

最後に、触発し触発されるコミュニケーションを情動という観点から触知しようと考えて作った論集『「情動」論への招待』が二〇二四年一月に刊行されますので、ぜひお手に取っていただければと思います。今日ご講演をお願いしている飯田麻結先生も執筆者のお一人ですが、本日はほかの先生方のご講演ともなぞらえながら、現代のメディアプラットフォームで前景化しているコミュニケーションについて、ぜひ考えていければと思います。私からの手短な趣旨説明は以上となります。

まず、飯田麻結先生にご講演をお願いしたく思います。飯田先生は、『フェミニスト・キルジョイ』（原著二〇一七年）というサラ・アーメッドの書籍を翻訳されています。それから『現代思想』（二〇二〇年三月臨時増刊号）の特集「フェミニズムの現在」や『メディア論の冒険者たち』（二〇二三年）にもひじょうに精緻なご論考を発表されています。では、よろしくお願いいたします。

飯田麻結「あまりにも日常的な——透過性の皮膚と情動、あるいは不可能なインベントリー」

飯田麻結　ご紹介ありがとうございました。発表のタイトルは、「あまりにも日常的な——透過性の皮膚と情動、あるいは不可能なインベントリー」ということで、情動と触覚（タッチ）の関係性について見ていきたいと思います。

ただその前に、最初に、それぞれ五秒くらいずつ、三枚ほど画像をお見せしたいと思います。今回の発表は、難波先生も参加されていた二〇二〇年の表象文化論学会での情動をめぐるワークショップにおける「情動論的展開の再考と情動の感染をめぐるポリティクス」という発表の、いわば続編のようなものとして考えています。とくに二〇二〇年当時、私はロックダウン下のロンドンにいたので、情動理論の視点からCOVID-19によるパンデミックを考えるというお話をしました。感染するものとして捉えられる情動であったり、情動の感染性、あるいは感染をめぐるメタファー、またはメタファーそのものの感染性について考察をするという内容でした。今回は考えの流れが逆で、むしろCOVID-19によるパンデミックと、それに伴う触覚（タッチ）の問題から、情動研究へどのようなフィードバックがあって、情動概念の探求にどう影響を与えたのか、というところからお話をしたいと思います。『「情動」論への招待』の私の論考は、今回も含めて二つの発表の間を繋げたり繋がなかったりするような内容になっているはずです。

それでは、一つ目の画像を見ていきたいと思います。これは、おそらく似たような画像をご覧になったことがあると思うんですが、コペンハーゲンのメディカル・ミュージアムにこの夏行った時に私がとってきた写真です（図版1）。廊下を使った、かなり突貫工事で作ったであろう展示スペースがありまして、「コロナはいつか歴史になるだろう（Corona will also be history one day）」というタイトルで行われていたエキシビションの一部の写真となっています。これはもちろん、聖セバスティアヌスの殉教を描いた作品なんですけれども、なぜCOVID-19をめぐる展示のなかに、この木造の作品があったのかと考えると、まず想像がつくのが、聖セバスティアヌスは黒死病（ペスト）からの守護者として崇拝の対象であったという歴史的背景があるからだ、ということです。また、聖セバスティアヌスは、自己犠牲の象徴でもあります。同時に、三島由紀夫やテネシー・ウィリアムズなど、さまざまな文学作品に引用されているわけですが、そのなかではホモエロティックなイメージや法悦の表現

図版1

が着目される傾向にもありました。

ただ、なぜこの像がここに置かれるにいたったか。この聖セバスティアヌスに刺さっている矢は疫病のシンボルとして理解されてきたのですが、実はこれはワクチンの矢なのではないか、ワクチンの針なのではないか、という解説が、この像につけられたキャプションに書かれていました。針先の小さな痛みで、身体は自ら抗体を生み出すことができる。このようなイメージの置き換え、読み替えが、パンデミック下において可能ではないか、というような解説が書かれていたわけですね。身体は攻撃や侵入を受けることで完全な存在、免疫を持った存在となるというような含意が込められていたわけです。

また、二番目の写真（図版2）。これも実はパンデミックと関係していて、Facebook上に追加されたケアボタンというボタンなんですけど、これは二〇二〇年に、多くの国がロックダウンをおこなっていたときに導入されたものです。日本語では「大切だね」ボタンという名称で呼ばれているものです。このようなボタンが特定の時代的な背景において生み出されるということは何を意味するのか、ということに関して、スザンナ・パーソネンは次のように書いています。「感情を表明し、演じ、そして情動的な連帯を生み出すために用いられるという点で、リアクションボタンは絵文字と似通っている」。ここでおそらく結びつけて考えられるのが、ウェンディ・H・K・チュンによるメディアにおける「ホモフィリー」概念であるような気がします。メディアにおけるホモフィリー概念とは何かというと、同質性や同一性への愛です。つまり、同質の感情を持つことが予め想定されて、曖昧さが特定の対象に還元・包摂されることです。この場合であれば、誰かを心配するとか、誰かを大切に思うとか、そういった情動的な動きが、この一つのボタンに含意されることになっている。そういったことを想定して、Facebookはこの記号を導入したということですね。ただ、その一方で、最初にこのボタンが出てきたときに、これは心臓を捧げているのではないかとか、かなりアイロニカルな意味付けもなされてきました。いずれにしても、コロナ禍における身体的な近接性の代償として、このようなハートを抱きしめている、接触している、特定の身体器官に触れているようなイメージが用いられたのではないかということが見て取れます。

図版2

近年のSNS上での情動分析は、こういった絵文字やアイコンの分析と、それを表わす「大切だね」とか「ケア」とか、そういった言葉と結び付けたものがひじょうに多い。なぜかというと、一つの側面として、クラスター分析が容易になったというのもあるんですけども、その記号の循環が何かしら情動的な循環を表わすのではないかという前提があって、そのような分析の形式が最近とくに増えてきているなという印象があります。ただ、注意しなければいけないのは、いわゆるデータキャピタリズムとの関連性であったり、このような記号が意味しうるものの文脈化の重要性だということもできます。

そして、三番目の画像（図版3）はかなりあからさまで、これはウイルスそのものなんですけれども、実は、いわゆる第一波のときに私の知人が感染しまして、ホテルに隔離されたんですね。そのときにメディアで、このトゲトゲしたイメージ、スパイクタンパク質のイメージを見て、これが刺さってるから喉が痛いんだと思った、という経験を聞きました。もちろん、刺さっている痛みではないはずなんですよね。ただ、こういった視覚化されたイメージとリニアに繋がるような身体的な徴候が、とくにこのパンデミック下では前景化されたのではないかと考えられます。第一波のときに感染した知人の話に戻ると、この知人は、ホテルから帰ってくるときにタクシーに乗るのがすごく怖かったと語っていたんですけれど、それはなぜかというと、自分自身がウイルスになったから、自分が他人と接触したら、それ自体で感染させてしまうかもしれない。もちろん、空気感染だったり、表面に付着したウイルスからの感染というのが主な感染経路であるけれども、むしろ私がウイルスなのではないかという風に感じたとのことでした。ある種の視覚・触覚の混乱に伴ってそのような感覚を抱いたという経験だと思うのですが、これは他のケースでも、たとえば感染が広まった初期にアジア人差別があって、私もロンドンにいたんですけど、知人のアジア系の人が物を投げ付けられたりといった経験をすることがあった。ここでサラ・アーメッドの言葉を借りて言えば、特定の身体性に付着するような、結びつく、くっつく、というようなある種の情動が喚起されるような効果を持っていたのではないか。そこでは、他者から距離を取るという形ではなく、むしろ暴力を持って接近するという形で、他者とされた人々とかかわるという形式がしばしば見受けられた。また、このウイルスのイメージから考えると、特定の身体との近接性が脅威として認識された。同時に、私たちを取り巻く空気、それこそairだったり、atmosphereと言われるような雰囲気こそが身体を脅かす、というような、私たちを取り巻く曖昧な状況というものに対する恐怖があったと考えられます。

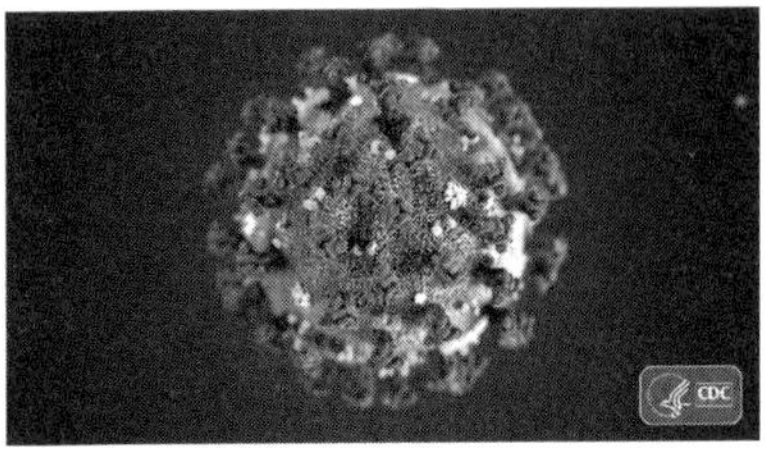

図版3

　補足なんですけど、たとえばベン・アンダーソンという研究者が情動を雰囲気と対比して語っている文献もありますが［1］、ある種、雰囲気という言葉は、こういう感覚とか、空気を読む読まないの雰囲気だったりとか、それこそ気象学的にも理解できる。アンダーソンは、元々、マルクスが革命的な空気・雰囲気を感じ取ったと書いていた文献からこの言葉を借用してくるんですけど、こういった言葉は、情動そのものと同じく不安定であり、人や物や空間の間を、あるいはそれらの境界区分を横断するような形で私たちは理解している。そこでは、もちろん想定もしていなかった、あるいは望まなかったような親密性が突然浮かび上がってくることがあります。そこで私は、その距離と親密性の撹乱から、情動概念とCOVID-19によるパンデミックを捉え直すということをしてみたいと思います。

　感染という言葉そのものも、たとえば先ほど挙げたような空気とか雰囲気と同じく、それを取り巻く意味そのものが曖昧に形を変えていくと考えられます。ここでは、デジタルメディアをめぐる環境やパンデミックを論じたサンプソンとパリッカの共著の論文から、引用を一つ挙げたいと思います[2]。COVID-19に代表されるように、ウイルスによる感染性というのは、ある意味で普遍的な感染性というものを浮かび上がらせる。それは何かというと、「親密性と距離、アクシデントと安全、コミュニケーションとコミュニケーションの崩壊に関する技術-社会的な条件となって、市場原理を統べると考えられているものとは異なる、経験に対する肉体的な認識と結びついた情動的な反応と模倣的な行動を自動的に生み出す」ものだと述べています。

その一方で、新型コロナウイルスが倫理的な病として、私たちと私たちの間の繋がりというものを強制的に想起させるような、ある意味で究極の連続体というものを思い知らせるようなウイルスだという指摘が、ウエストミンスター大学の工学者による二〇二〇年の記事でなされています[3]。要するに、「情動が私たちと他者とのあいだを循環するという意識の地図に個の身体を位置づける」。そして、「どんな瞬間も、私たちは自分の生と死を引き連れ、他の人間と非-人間の身体と混ざり合い、一時的な、あるいはより長期的な集合体を形成する」。新型コロナウイルスのパンデミックはそのような経験を生んだのだと書いています。集合性から距離を置くソーシャル・ディスタンスの実践に代表されるようなことが、異なる意味での親密性や近接性(proximity)を生み出す。それは親密だけれども、地理的に離れている他者との繋がりであったりするので、ようやく繋がりを理解する契機が来たのだというふうに、この記事は指摘しています。

感覚のなかでも、特に触覚(タッチ)というものが、パンデミック下ではひじょうに重要なものとして捉えられてきた。感染対策においては、接触――これは触るだけではなくて、誰かとコンタクトを取るということ自体――が制限されたわけですよね。タッチの制限、触覚の制限を通じて感染対策がおこなわれてきたということに、ちょっと目を向けてみたいと思います。たとえばアリストテレスは、根元的な感覚として触覚を挙げています。それは一番優位に立つようなうな、研ぎ澄まされた感覚として視覚があるからなんですけども、一方で、あらゆる感覚、味覚、視覚、聴覚、嗅覚を含む感覚は接触を伴っているともいいます。それは音が振動を通じて捉えられるからで、視覚そのものも、何らかの形で網膜が刺激を受けることによって生じる。嗅覚はもちろん、味覚も味蕾とその他のものとの接触によって生じる。けれども触覚というのは、必ずしも知覚的あるいは意識的な接触ではないという点で、切り離されて語られる傾向がある。

同時にもう一つ重要なのは、触覚というものが持つ意味に関して、合意があるかというと必ずしもそうではなくて、むしろ触覚はかなりジェンダー化された感覚として認識されてきたという歴史があります。これは、敏感さや感情性、感受性や親密性、ケアといったものが女性性と結びつけられてきた一方で、客観的で距離に基づく視覚は男性性と結び付けて考えられてきたということと関係しています。同時に、このパンデミック下における接触の統制というのが、人種、階級、ジェンダー、健常主義などに基づく既存の特権を強化するというような機能を持ちました。そこでどのように触覚(タッチ)が意識的な領域に引きずり出されるかということが、ひじょうに重要なのではないでしょうか。

パターソンによる *The Senses of Touch: Haptics, Affects and Technologies* という、情動と触覚にかんするひじょうに重要な著作があります［4］。そこでは触覚はしばしば、それ自体が意味を持つのではなく、むしろ意味生産をするためのある種の媒介という側面があると言われています。またイヴ・セジウィックの『タッチング・フィーリング』によれば［5］、触覚（タッチ）が持つ主客融合の力というのは、「触れること（touching）」という言葉が「感動的な」という形容詞にもなる、そして feeling という言葉のなかにもある種の二重性があり、「感じること」と「触ってみること」という意味が重複している、という側面があります。

バトラーは最近出た *What World Is This?: A Pandemic Phenomenology* という本のなかで、現象学的な視点からパンデミックを捉えるというような実践をおこなっています［6］。この中でバトラーが提起しているのは、情動を論じるときに私たちが言及しがちな、「影響すること、影響されること」というのは、「感染させること、感染すること」と同義ではないか、という問いです。主客の二分法の解体と横断であったりとか、触れるということを通じて遡及的に感覚器官を認識することであったりとか、また接触や呼吸という生存のために必要不可欠な要素の価値が変容することであったりとかによって、私たちが望んでもいなかったような相互作用、相互依存性、共有された脆弱性への気づきがもたらされたのではないか、またそれは単数形の世界と複数形の世界の間の揺らぎをもたらしたのではないか、というふうにバトラーは論じています。

The Affect Theory Reader の第一巻は二〇一〇年に出ているのですが［7］、複数の世界の形成へと向かっていくような着眼点が取られていました。つまり触覚的なものが前景化し、複数の感覚をまたいで共感覚的なものとするような、ある種の身体の生成過程が語られていました。ところが二〇二三年に出た第二巻は第一巻と比べるとかなりトーンダウンしていて［8］、前著においては情動理論とはいわゆる言説的なものではないという考え方を称揚していたような人もいましたが、それがパフォーマティヴな自己矛盾に陥ってしまったということだと思います。

ローレン・バーラントが言うには、日常性というのは実際には危機によって形作られています。つまり日常性のなかに危機が埋め込まれている。それは親密性の制限や阻害の経験を通じて私たちが経験していることそのものであり、このことはひとつのウイルスによってのみ引きずり出されたものではありません。バーラントが亡くなる直前にパンデミック下で書いたエッセイにおいて述べているのは、危機というのは原因を求めれば求めるほど、ある種のストーリーテリングに回収されてしまう、ということです［9］。パンデミックがエンデミックになりつつある状況下で、情動と接触についてどのように理解すればいいのか。日常の意味の変容性であったり、希望と脅威を同時に形作るような身体的なアタッチメントの形式と、その揺れ動くものとしての情動というものを考えるときに、冒頭で紹介した展覧会のタイトルである「コロナはいつか歴史になるだろう」というときの「歴史」が、忘却されるものになるだろうという意味ではけっしてないという点は押さえておくべきだと思います。私の発表は以上になります。

難波　飯田先生、たいへん密度の濃い発表をありがとうございました。パンデミックが明らかにしたはずの親密圏であるとか、複数の感覚をまたいでいく触覚の含意についてもひじょうに示唆的なお話をいただけたかと思います。では、続けて平芳先生にお願いしたいと思います。平芳先生はご存知のようにファッション研究においてひじょうに素晴らしい著作を残されておられます。『まなざしの装置——ファッションと近代アメリカ』は、視覚的なファッション研究の王道というような印象があるんですけれども、『現代の皮膚感覚をさぐる』というご著書では、シームレスの美学ということで、皮膚感覚と衣服の関係性についても考察を深めておられます。では、平芳先生お願いいたします。

平芳裕子「衣服は第二の皮膚なのか？」

平芳裕子　神戸大学の平芳です。どうぞよろしくお願いいたします。皮膚感覚と情動をテーマにお話しさせていただきますが、実のところファッション研究では、「ファッションと皮膚」あるいは「ファッションと身体」というテーマは、必ずしも新しいものではありません。なぜなら、ファッションは身体がまとうものであって、皮膚を覆うものであって、その関係はあまりにも近くて、結びつきは当然のものとも思えるからです。多くの研究者が衣服の第一の機能として身体の保護を挙げています。「衣服は第二の皮膚である」と言われてきた所以です。マクルーハンのメディア論は、しばしば第二の皮膚としての衣服の論拠になっていますが、それは、彼がその著書『メディア論』で、「衣服は皮膚の拡張である」と述べたからです。また、精神分析学者のE・ルモワーヌ＝ルッチオーニは、人間の誕生の場面に注目をして、胎盤が取り除かれてしまったために、人間は服を身に着けて、その上に表面を作ろうとすると述べました。そこでは、衣服は母の皮膚の代わりとしての役目を負っています。

いずれにしても、ファッションは身体や皮膚と密接な関係を持ちますが、実のところ、人々が身に着ける衣服をどう感じているのか、皮膚における感覚はそれほど重視されてきたわけではありません。西洋のファッションの歴史を遡るならば、むしろ、皮膚感覚とは遠いところにファッションが存在していたとすら言えます。西洋のファッションは、流行のスタイルを形づくるところに特徴があります。たとえば、絵画に描かれたファッションを例に挙げてみましょう。一九世紀の新古典主義の画家ドミニク・アングルは、上流階級や新興階級の女性たちの肖像を数多く描きました。絵の中の女性たちは、豪華なドレスを着用しています。どの女性の体型も、バストとヒップはふくよかですが、ウエストは細くすぼまっています。流行のドレスを身につけるために、女性たちは上半身にコルセット、下半身にはクリノリンという下着を身につけました。下着で体型を整え、土台を作った後にドレスを上から被せていたのです。つまり、ファッションは下着によって身体を拘束し、スタイルを造形するものでした。このとき、着飾る本人が感じる身体の痛み、あるいは不快感は置き去りにされて、ファッショナブルに装うことが重視されていました。コルセットによる健康被害は、医者や有識者からたびたび警告されていましたが、気絶しようとも肋骨が折れようともコルセットを手放す女性はなかなかいなかったのです。それはコルセットを身につけていない女性が不道徳であるという社会通念が浸透していたからです。もちろん、高級な布地への憧れや愛着は存在していました。滑らかな光沢のシルク、透けるようなモスリン、その手触りが感じられるような精緻な描写が、当時の絵画や小説においても数多く見られます。しかし、布地への愛好はしばしばフェティッシュな個人的嗜好であって、特殊なケースと見なされる傾向にありました。そして、このような造形的な服作りは、高度な裁断と縫製の技術によって実現されたのです。

西洋の服作りは、身体の形に合わせて服を作ることを基本としています。そのため、身体を採寸して身体のカーブに合わせて布を裁ちます。このとき布地は平面ですが、身体は立体的なものですので、頭部、胴体、四肢などの部分に分けて、それぞれを覆うように布地を細かく曲線的に裁断し、縫製します。体に直線的な部分はありませんから、裁断も曲線的にしていくわけですね。その際、身体の動作領域を考えて適度にゆとりを持たせる、それでありながら、いかに体にぴったりとフィットした服を作ることができるかが、仕立屋の腕の見せ所でした。それに対して、日本の着物は布地の形に合わせて裁断します。型紙が直線的に裁断され、布地を畳んだり、折ったり、結んだりして身体に合わせます。私たちがふだん着ているファッションは西洋の衣服の形式を取り入れた「洋服」ですので、その特殊性を意識することは日常的にはあまりありません。しかし、西洋のファッションは、その制作過程において身体を分節化し、裁断と縫製によってふたたび身体を統合する、このプロセスを大きな特徴としています。身体にぴったりと合う服を作るために、それゆえ西洋では、身体を計測するための道具、つまりメジャー、製図器具、型紙などが非常に発展しました。たとえば、テープ状の目盛付きメジャーは簡便ですが、手間がかかるために、重要な箇所をまとめて測定できる立体的な測定器具が考案されました。また、身体の寸法を測った上で流行のスタイルに合わせて型紙のサイズを調整する特殊な定規も発明されました。一九世紀後半のアメリカでは、服の形状に基づいた複雑な可動式定規が発明され、ドレスメーカーや仕立屋が利用しました。顧客それぞれの体型やサイズに合わせて定規を調整できるため、型紙を取ったり、布地を裁断したりする作業が容易になりました。また、型紙は、大きな薄紙に図が印刷されたものが一般的でした。紙に印刷された多数の線は、布地を裁断するための線であると同時に、切り分けた布を縫製するための線でもあります。ここで、衣服の縫い目は極力目立たないように、滑らかに身体を覆うように縫われました。人間の皮膚に縫い目がないように、衣服の縫い目も隠されてきたのです。

ところが、二〇世紀末から二一世紀にかけて、服の形よりも布地そのものへの着目が顕著となっていきます。衣服の素材である布によって、どのように身体を覆うのか、形としての身体というよりも、面としての皮膚の広がりが注目されるようになります。そしてその傾向は、主に三つの観点にまとめられるように思います。それが「皮膚に広がるファッション」、「皮膚と感応するファッション」、「快感を引き起こすファッション」です。

まずは「皮膚に広がるファッション」から見ていきましょう。皮膚に広がるとは、すなわち体にフィットするファッションです。今まで見てきたように、体型に即した服作りが西洋の服作りの特徴でした。しかし、従来の身体の分節化、そしてそのための裁断と縫製という技法に拠らない服作りの革新が生まれます。この服作りの技術として注目したいのは「編む」ことです。二〇世紀に入ると、糸を編むニットの服、特にジャージーが注目されるようになります。それまで下着や労働着の素材であったジャージーをおしゃれなファッションとして提案したのがガブリエル・シャネルでした。ニットは身体の動作に合わせて伸び縮みをするため、活動的なファッションに向いています。とはいえ、シャネルはジャージーを用いてはいますけれども、布地を裁断・縫製して服を作っているという点では、従来の服作りと変わりありません。そこで、編みの技法を用いながら、従来の服作りの技法を転換させたファッション、それが三宅一生が藤原大と共にデザインしたA‐POC（A Piece of Cloth）です。これは生地を裁断縫製するのではなくて、一本の糸で編んでいく服です。コンピューターにプログラミングして、一体成型で服を編み込んでいく技術で作られています。ハサミで切ったり針で縫うことなくして、個別の身体にぴったり合う服が出来上がります。また、近年ではソマルタ（SOMARTA）のスキン・シリーズも挙げられます。こちらもデジタルプログラミングを用いて、三六〇度継ぎ目なく編む技術を用いています。皮膚に継ぎ目がないように、シームレスにぴったりと身体を覆い尽くすことで、皮膚になるかのような衣服です。このような衣服は、ミケランジェロがシスティーナ礼拝堂の祭壇画として描いた《最後の審判》を思い起こさせます。この作品のなかには、皮を剝がれて殉教したとされる聖バルトロメオが自身の皮とナイフを手にしている姿が描かれています。また、一六世紀のファン・ワルエルダ・デ・アムスコによる人体解剖図も思い出されるかもしれません。筋肉と血管をあらわにした人体がひと続きの薄皮を手にしています。これらの人体像が自らの皮膚を手にしているように、もし皮膚を脱ぎ着することができたなら、人間に衣服は要らなかったのかもしれません。理想の皮膚を求めて、布を切り刻む代わりに、糸を編んで滑らかな表面を手に入れようとするのです。

一方、ニット、「編み」とは違う方法でフィットした服作りの可能性を押し広げているのが、近年の３Ｄプリント技術です。３Ｄプリントでは複雑で立体的な事物を造形することができます。それゆえ、イリス・ヴァン・ヘルペンのように、生き物の骨格の構造をミックスさせた斬新な造形のファッションを提案するデザイナーもいます。しかし、ここで注目したいのは、形を作るというよりも、３Ｄプリンタで平面的な素材を積み上げていく、要するに積層するという新しいアプローチです。たとえば、スポーツ用のシューズでは、スポーツ選手のために特別仕様のシューズが３Ｄプリントの技術を用いて作られるようになりました。３Ｄプリントをアッパーの部分に用いたナイキ（Nike）のシューズ、糸の向きを一本単位で調整したアディダス（adidas）のシューズなどがあります。これらのシューズには、滑らかにフィットして軽い履き心地を実現し、アスリートの能力を最大限に引き出す技術が用いられています。先ほど、シャネルについて触れましたが、近年の「シャネルスーツ」には３Ｄプリントを活用したデザインがあります。ポリアミドの間にクリスタルが縫い込まれた非常に手の込んだデザインで、オートクチュールで発表されたものです。将来的には、３Ｄプリントの技術はより広く衣服の設計に応用されるようになり、自分にぴったり合うファッションが手軽に入手できる時代がやってくるかもしれません。

次に注目したいのが、「皮膚と感応する衣服」です。ここでは身近なブランドを取り上げてみたいと思います。今や国民的人気ブランドとなったユニクロ（UNIQLO）は、大衆的なカジュアルファッションを得意としています。その技術革新には目を見張るものがあります。たとえば、繊維メーカーの東レと共同開発したヒートテックと呼ばれる商品。持っている方も多いのではないでしょうか。ヒートテックは、暖かい素材を用いた衣服であるというよりも、皮膚とのインタラクションによって効果を発揮する衣服です。つまり、吸湿性の高い繊維が、身体から発散される水蒸気を吸着して、エネルギーを熱に転換して生地自体が発熱する、という仕組みになっています。分厚い毛織物を着なくても、薄いヒートテックで暖かい。薄さと暖かさとフィット感、すべてを兼ね備えた衣類ということですね。着ることで機能が発揮される。皮膚とその感覚に直接訴えかける技術となっていて、その効果を実感している方も多いかと思います。

また、エアリズムも注目すべき商品です。こちらは主に夏用の商品になりますが、身体から発する水蒸気を繊維が吸収し放出して、汗による湿気を拡散するという仕組みになっています。暑い夏には、重ねる衣類の枚数をなるべく少なくしますよね。しかし、ユニクロの提案は、一枚重ねることでより涼しい、ということです。着ているのに着ていないかのような感覚をもたらす衣類ということで、ヒートテックもエアリズムも、広告にはさまざまな文言が並んでいます。たとえばヒートテックの広告には、「寒がりなので、体にフィットして暖かく着れるヒートテックは重宝しています。」「薄くて、軽くて、暖かい。重ね着してもすっきり着こなせる。」などといった宣伝文句が並んでいます。エアリズムの広告を見てみると、「着ていることを忘れてしまうような、軽くてなめらかな肌触り、涼しさ、速乾性。」などとあります。面白いのは、「着心地ゼロ」と謳われたキャッチコピーです。着ていることを意識させない。まるで身体と一体化するような衣服という、そういった着心地が、この「着心地ゼロ」という言葉に表現されているわけですね。

従来、化学繊維、通称「化繊」と呼ばれる衣服は、肌触りや機能性において天然繊維に劣ると見なされがちでした。しかし、これらの商品は服を着ている身体はどう感じるのか、皮膚にどのような感覚がもたらされるのかに焦点を当てることで、化繊のイメージを塗り替えました。それと共に天然繊維への注目も高まりました。たとえば、無印良品は天然繊維や天然素材をよく扱っていますけれども、最近では大型スーパーのイオンでもオーガニックコットンが用いられています。また、服を縫製するときに、服の端を折り畳んで強度を高めることがよく行われますが、そういった縫い目がもたらす「チクチク」や「ピリピリ」した刺激を軽減するシームレスの下着の需要が高まっています。こちらはユニクロだけではなくて、下着メーカーのグンゼ（GUNZE）でも採用されています。皮膚と下着の段差を解消して、両者を一体化させることで、ボディラインを美しく演出する、そういった効果も謳われています。

このように、皮膚に触れて心地よい衣服の傾向は、ファッションに新たな傾向をもたらしました。三つ目に注目したいのは、究極の快楽、「快感を引き起こすファッション」です。触り心地に特化したファッションの人気が顕著となっています。その代表的なブランドがジェラートピケ（gelato pique）です。ブランドによると、「ジェラートピケ」は「アイスの生地」を意味する名称であり、アイスのようにとろける「スムーズィー」が主力の商品となっています。スムーズィーとは一般的に、シャーベット状の飲み物のことを指しますが、淡い色をした果物のとろけるような食感をイメージさせます。ジェラートピケはルームウェアに特化した商品展開に特徴がありますが、たとえば身体を保温する調節機能を持つ「調温スムーズィー」や、夏用の「極薄スムーズィー」と呼ばれるウェアなどがあります。または、さまざまな植物を利用して生地の風合いと触感を工夫したもの、たとえば「ドライタッチなバンブー繊維をミックス」したもの、「アロエ加工を施し、柔らかな風合いに仕上げ」たものを打ち出しています。すべてが滑らかでさらさら、ふわふわ、もこもこ、すべすべの触り心地を強調しています。ブランドの公式ページでも、「触りたくなる」「触れたくなる」、こういった文字が並んでいます。

このような皮膚感覚を重視したデザインを打ち出すジェラートピケの人気とともに、肌触りを重視した商品が、衣服を超えて多数出現してきています。モフモフレンズ（mofmofriends）のぬいぐるみには、「マイクロファイバー生地を使用したふわふわのタオルシリーズ」と、「スパンデックス素材を使用したもちもちの触り心地の癒し系」、二種類のぬいぐるみがあります。また、ドイツのぬいぐるみメーカーのニキ（NICI）は、動物の背中に取り付けたファスナーからペンを出し入れするポーチで人気です。それは、「上質素材で作られたふわふわの触り心地」と商品ページで謳われています。このように、ぬいぐるみから文房具まで、皮膚感覚を刺激して触って気持ちいい商品が多数デザインされているのです。

その背景には、化学繊維の普及により、素材としての価値向上が図られていることがあります。天然繊維に比べると、触り心地やアレルギーの問題を引き起こしやすい従来の化学繊維の常識を覆し、化繊であることの価値が積極的に作り出されているのです。また、コロナ禍により、ファッション産業が停滞したことも影響しています。外出着ではなくルームウェアの人気が高まり、人に見せるためではなくて、自分がリラックスできるファッションの需要が高まりました。しかし、コロナ禍は、二〇世紀末からファッション界に起こっていた変化を加速させただけにすぎないとも言えます。インターネットの普及によって、リアルに服を着て、布に触れる機会はますます減っています。デジタル化の影響は加速し、決定的なものとなりました。エレクトリック・コマースが発展して、人々は実店舗ではなく、ネット上で買い物をするようになりました。ファッション雑誌は衰退して、ＳＮＳで流行が発信されるようになりました。動画やゲームなど、ヴァーチャルな世界でアバターが着るファッションが注目されるようになります。メタバース上で人々が交流するのに、私たちは、必ずしも人の形をかたどって服を着ている必要はありません。しかし、アバターは服を必要としているようです。ヴァーチャルな世界における私たち自身の一番外側、アバターの外見を、ファッションと呼ぶのではなくて「スキン（skin）」と呼ぶのは、なんとも皮肉ではないでしょうか。

そして、デジタルファッションが注目されるにつれ、唯一性を持たせたＮＦＴへ参入するファッションブランドも増えつつあります。若い世代にはコーディネートアプリのWEARが人気です。スマホ上で試着が体験できるアプリも登場しました。ファッションの展示会にはメタバースのエリアが登場して、ヴァーチャルフィッティングやＡＩによる骨格診断を取り入れ、似合う服装を提案するサービスも人気を博しています。

ヴァーチャルな技術の活用が進み、便利になる反面、本来服を着るはずの身体、私たちのリアルな皮膚感覚は取り残されています。しかし、この服はちくちくするのか、ごわごわするのか、さらさらするのか、ふわふわなのか、それを感じることができるのは、私たち自身の皮膚でしかありません。急速なデジタル化に伴って、私たちはリアルな皮膚感覚を求めています。身体と衣服がアフェクトしアフェクトされ、衣服と身体のインタラクティブな関係によって引き起こされる情動的なファッションのコミュニケーション。このような皮膚感覚を求める欲望がファッションの世界に兆候的に現れています。このような皮膚感覚を求める欲望が、皮膚に広がるファッション、皮膚と感応するファッション、快楽を引き起こすファッション、つまりは「気持ちいいファッション」と言えるのではないでしょうか。私からの報告は以上となります。

難波　すばらしいご講演ありがとうございました。形としての身体から面としての皮膚の広がりということで、皮膚と感応するファッション、快楽・快感を引き起こすファッションということで、技術と身体のかかわりについて、ひじょうに示唆的なさまざまなケースをご紹介いただけたと思います。ありがとうございました。

続いて、渡邊先生のご紹介をしたいと存じます。渡邊恵太先生は明治大学の工学研究者の方でいらっしゃいます。『融けるデザイン――ハード×ソフト×ネット時代の新たな設計論』というご著書は、インターフェースの設計者のバイブルといわれているような書籍です。ほかにも、水野先生とともに、『UI GRAPHICS』に寄稿されており、UIの研究などをされています。今日は自己帰属ということがテーマになってくるかと思います。よろしくお願いいたします。

渡邊恵太　「自己帰属感・インターフェース・体験」

渡邊恵太　はい、ありがとうございます。よろしくお願いします。私は今まで、表象文化論学会とはなかなか繋がりがなくて、このシンポジウムで知った学会にはなるんですけども、今日参加される皆様とは少し分野が違うのかもしれません。今日は、「自己帰属感・インターフェース・体験」というタイトルでお話しさせていただきたいと思います。

先ほど難波先生より紹介いただきました、『融けるデザイン――ハード×ソフト×ネット時代の新たな設計論』という本を二〇一五年の一月に出版しました。融けるデザインという分野があるという話ではないんですけれども、身体とか環境とかに溶け込むインターフェース、溶け込むテクノロジーとはどういうふうにあるべきかということを、私の研究をベースに論考した内容になっています。今回のタイトルにもあります、自己帰属感が大きなテーマとなっておりまして、自己帰属感というキーワードを中心に、優れた心地良いインターフェースというものは何たるかということを論考したものになります。他にもインターフェースとインタラクションデザインということを全般としたお話が書いてある本なんですけれども、一番のキーワードとしているのは自己帰属感になります。この学会の文脈で、インターフェース、インタラクションデザインと言われても一体何を意味しているのか、そのうちどのようなことを話しているのか、なかなか伝わらない可能性もあるんですけれども、この本で扱っているのは、シンプルに言いますと、iPhoneはなぜ気持ちがいいのか、というお話です。

iPhoneが二〇〇八〜二〇〇九年頃に広がり始めて、インターフェース業界、研究者にしても産業にしても、従来のスマートフォン・携帯電話とは大きく異なる操作感や感覚で、革新的であり話題になったという認識です。一方で、なぜiPhoneが心地よいのかということは、なかなか説明ができなかった、というところがあります。多くの企業も、こういったiPhoneのようなものを作りたいと考えて、プリンタやデジタルカメラの画面においてもきれいなアイコンを並べたりとか、アニメーションが重要なのではないかということで、いろいろなアニメーションを画面内に取り込んでは、優れた心地よいユーザーインターフェースをいろいろ検討していた時期がありました。iPhoneが出た頃に、SHARPさんの携帯電話みたいなものは、いわゆるガラケーと呼ばれるものですけれども、もちろんこういったものも全部タッチスクリーンになっているのですが、折りたたみでキーボードはまた別にあり、画面操作はタッチパネルなんですけれども、処理は遅めです。一応アニメーション的なことはしたり、いろいろな工夫が各所にあるんですけれども、アイコンが横から出てきたりとか、今見ると懐かしいなと思う人もいれば、こんな携帯を触ったことがないという人も、もしかしたらいるかもしれません。

では二〇〇八年、あるいはそれ以前、iPhoneが出る以前のインターフェースの理論としてはどういうものがあったかというと、サクサク感が心地よさとして議論されていました。SONYにおいても、サクサクエクスペリエンスみたいなことを言って、それを商標にとって、プレイステーションの操作画面は、クロスメディアバーといって、滑らかに動くユーザーインターフェースがひじょうに好評だったんですけれども、それはiPhoneが出る前ですね。ユーザーインターフェースが重要だということを各メーカーは認識していたんですけれども、ただ、ほとんどの場合、アニメーションを付けることが望ましいユーザーインターフェース、心地良さにつながっていくのではないか、という議論が中心でした。中には、ディズニー・アニメーションの原理を利用することによって、ユーザー体験がよりよくなるんじゃないかという議論もありました。今でも、ディズニー・アニメーションのような原理を応用することがユーザーインターフェースにおいても重要だという議論はありますし、実際、そういった原理を取り込んでいるメーカーやゲームソフトはいろいろあると思います。一方、こういったアニメーションも少なからず重要なんですけれども、心地よさということを考えると、必ずしもアニメーションを入れることが心地よさというわけではないということに注意が必要です。

ここでいったん、ヒューマンインタフェース、ユーザーインターフェースの理想は何であるか、歴史的な経緯を振り返ります。インターフェースが昨今重要になってきているのは、道具の発生から遡ることができます。石器時代の道具は、棍棒や石から始まります。この時代の道具は直接手に持って使いますので、手に持って獲物を殴ると動物が死ぬといったように、原因と結果が直接的でありました。道具がさらに発展してくると、栓抜きのような、てこの原理を使い、人間の素手では得られないような力が得られる道具がだんだん発達してきて、使い方を考えないと使えない道具になっていきます。産業革命が起きますと、いよいよエンジンで動くとか、ボタンであったりとか、レバーを操作することで歯車がかみ合ったりなど、原因と結果のつながりがやや間接的になってきます。この頃から徐々に、使いにくい、分かりにくいみたいなことが起きるんですけれども、やはりこの時代は、テクノロジーで得られる力の方が魅力的であったので、使いにくさというよりは、人間がそれに合わせていく時代がしばらく続いたのだと思います。

ただ、電気や情報技術が入ってくると、あらゆる機器が、原因と結果の間のより自由な関係、どこのボタンを押すと何が起きるかは自由に設計できるようになった。ですので、大学やビルの壁にある照明のスイッチも、どこを押すと何がつくのかというのは自由ですよね。家庭ですと、シーリングランプなどは紐で引っ張ればつくというのは直接的ですけど、どこかに電源スイッチが集約されて、それを操作することになってくる。それがいろいろなことに起きますと、どこを押すと何が起きるのかという関係が自由に設計できるがゆえに、その使いやすさは設計者に依存してくるわけです。昨今はAIなども入ってきますから、このボタンを押すと何が起きるのかっていうことは、よりいっそう自由になってしまって、分からなくなります。ゆえにですね、何をすると何が起きるのかという、原因と結果の関係が自由になってきたことによって、力は得られるんですけれども、操作の方法が設計者依存で自由になるので、ユーザーとしては分かりにくい、分からないということが多発するようになった。これじゃだめだよね、ということになって、使いやすいユーザーインターフェースとは何だろうか、心地よいユーザーインターフェースとは何だろうかということを考えるようになった。

まとめると、道具の発展で大きな力を得られるんですけれども、そのために原因と結果が間接的になっていった。これが複雑さ、分かりにくさを生んでいる。では、ヒューマンインタフェースやユーザーインターフェースが理想とするものは何かというと、実は、石器時代のように原因と結果が直接的なもので、はさみやペンはそれを使っているときに人は無意識といいますか、ペンを意識しながら問題を解くことはおそらくしないと思います。名前を書いてくださいと言われたら、「ああ、このペン使いやすいな、質感がいいな」ということはあまり意識に上らず、透明になっているというような状態です。そういった道具の透明性みたいな話とか、身体の延長になっているという状態、そういったものが哲学などの領域で議論されていますが、そういった状態がインターフェースとしてもよい状態だろうというふうに、理想として議論されてきました。一方で、そういった理想のお話は、理想論としてはあるんですけど、そういった身体の延長になるようなインターフェースは本当に作れるんだろうかとか、そういったことがよく分かっていなかったというのがしばらく続いていましたし、今も続いているとも言えます。

二〇〇二年頃、私が学生の頃になるんですけれども、Visual-Hapticsという、画面上で、通常のマウスを使うんですけれども、カーソルを上下にぷるぷる震えさせたり遅延を与えることによって、ざらざら感やでこぼこ感など、疑似的に触感・感触を与えるシステムを作りました。これは別にマウスが振動しているわけではなく、視覚的な効果です。視覚だけにもかかわらず、何か触感的なもの・感触を感じるということで、それが面白い。いろいろな学会でデモンストレーションしてみると、たしかにおもしろいと感じる。中にはマウスの裏側を見る人もいたぐらい、これは不思議な感覚ですね、というようなものとなりました。そういった疑似触覚という分野が生まれているんですけれども、他にも、「味ペン」(二〇〇七)というのは、筆の書き味のようなものを応用した、いっさい物理的な触覚フィードバックがあるわけではなく、筆先の仕組みに注目した疑似的・視覚的な触覚のようなものをうまく活用した書き味、筆のような書き味を再現するシステムです。

こういったシステムを作ってきたんですけれども、一方で、こういった感触がなぜ生まれるのか。普通のマウスやタッチパッドを使っているにもかかわらず、何か触覚のような感触が生まれる。当時、私は、マウスのカーソルであっても、それが身体の延長であるから、その身体の延長に対して何らかのフィードバックや遅延を与えると、感触が生まれるのではないかという議論をしておりました。ただ一方で、道具は身体の延長というふうに言うので、カーソルも身体の延長と言いたいところなんですけれども、一般的な道具は身体の延長だと言ったときに、手もラケットも、目的のボールもすべて物理的な状態なわけです。いろいろインターフェースとなる境界はあるんですけれども、すべて物理世界のお話です。一方で、マウスとカーソルの場合は、身体となる手とマウスは物理的な存在ではあるんですけれども、マウスとグラフィックカーソルとの境界の先は画面のなかに入ってしまう。そうすると、それが非物理的な存在であるので、カーソルまでが身体の延長というふうにメタファーとして言うにしても、本当にそう言えるのかどうかちょっと怪しいとずっと思っておりました。

そこから時間は経つんですけれども、VisualHapticsから十年後の二〇一二年に、自己帰属感というキーワードに出会います。これはギャラガーら、あるいは私が出会ったのは河野哲也さんの『〈心〉はからだの外にある』という書籍からなんですけれども、人間の自己感覚には、自己帰属感あるいは身体所有感と運動主体感という二つに分けて考えていくことができると。この自己帰属感というものは、この手は他人の手ではなく自分の手であるという所有の感覚です。あるいは、自分が見ている風景は、なぜ自分が見ていると感じられるのかという、風景に対する帰属みたいなものを自己帰属感といいます。運動主体感というのは、この身体を動かしたのはまさに自分であるという感覚で、何かにぶつかって身体が動いたときには感じないというもので、このように自己感覚は自己帰属感と運動主体感に分けられる。

そのようなキーワードに出会いまして、カーソルは身体の延長かということを考えるときに、このキーワードが何かヒントになるんじゃないかということで、いろいろ考えていたときに、ダミーカーソル実験というものを思いつくに至ります。これは何かというと、自分が動かしているカーソル以外にダミーのカーソルを画面にたくさん生成して、それがランダムに自由に動く。そのなかから自分のカーソルを探してもらうという実験です。そうすると、動きの連動が重要だろうと分かっていたので、その仮説から、色や形を同じにして、そのなかから自分の動きに連動するカーソルが見つけられるのであれば、動きの連動が「私が」という感覚であるということになるだろう思い、こういった実験を構成しました。実際に、ダミーカーソル数を変えて実験をしましたそうすると、十個や二十個のときとか条件は変えるんですけれども、見つかるんですね。これ私ですねと。五十個ぐらいになると探すのに少し戸惑うんですけども、見つかると。こういった実験をやると、多くの人が見つけることができます。だいたい二〜三秒で見つけることができるということも分かりました。今皆さん見ていて、気づいたかもしれませんけれども、これをやった実験によって、じつは、横で見ている人はこの操作者のカーソルをまったく当てることができないということにも気付きました。

じつは、この原理を先に利用して、何か応用しようということで、パスワードを覗き見されると一般的にはばれてしまいます。ダミーカーソルを発生させることによって、操作者は自分のカーソルを発見できる一方で、横で見ている人は分からないという原理を利用して、パスワードの入力の隠蔽ということを少し実験的にやっていました。

このようなことをいろいろやっていたのですが、まとめになりますが、このダミーカーソル実験によって、他のどれでもなくそれが自分なんだと判別が付くということが分かりました。これは、画面のなかに自己帰属感が生まれると言えるのではないでしょうか。ここで最初の、iPhone のユーザーインターフェースはなぜ気持ちがいいのかということに戻ってきます。先ほどカーソルの話をしましたが、iPhone にはカーソルがないわけです。指がカーソルだと考えたいところですが、重要なことは、カーソル並に動きが連動しているものは何かということです。ダミーカーソル実験からは、動きの連動が自己帰属感を生み出すことが分かりますので、iPhone の場合、画面そのものの動きが指と連動してくるわけです。これは自己帰属してくると言えるのではないでしょうか。つまり、身体の延長として、これが自分の操作しているスマートフォンである、スマートフォンの画面のユーザーインターフェースであるという、そういった感覚になると自己帰属が発生するので、iPhone の気持ちよさが生まれる。自分の一部になるということで、操作する気持ちよさにつながっているんではないかと。

つまり、iPhone は道具としてひじょうによくできていて、道具的であって機械的ではない。これは今までのアニメーションの議論とはだいぶ異なるものです。アニメーションとして設計してしまいますと、単純に応答性をよくしたり、フレームレートを上げてより滑らかな描画ということになるんですけれども、そうしてしまうと、何かクリックしたりタップした瞬間にアニメーションがぐにゃっと起きるとか、画面がくるっと回るような動きをするとか、そういったものになってしまいがちです。ですが、アニメーションを入れてしまうと、指の動きの連動性とは無関係な表現を入れることもどんどん可能というか、望ましいことになってしまいますから、そうすると、あまりよい体験にならなくなってしまうどころか、むしろ自分の待ち時間になってしまい、動きの連動性と無関係になってしまう。なので、道具どころの話ではなく、道具的な存在ではなくなってしまいます。

そのようなことをやって議論していた、『融けるデザイン』から三年後なんですけれども、Designing Fluid Interfaces という Apple の開発者会議があるんですけれども、そこで Apple のインターフェースの思想を紹介している場面があります。少しだけ紹介します。

（以下の動画の冒頭部分を視聴）

https://developer.apple.com/videos/play/wwdc2018/803/

渡邊　この講演があったときに、『融けるデザイン』と続くような世界観だということも、やはり他の人からも言われました。こう考えていくと、身体性とか身体とは何かということを考えたときに、もちろん物理的なことは身体ということで、一つの定義としてもちろんあるんですけれども、動きの連動が身体ということになるんじゃないか。自分の動きと連動してるものを見ると、「これは私である」という感覚が生まれる。なので、物理的なこと＝身体なのかというと、物理的だとたまたま動きが連動するがゆえに、それを自分の身体として感じると言えるのではないか。そんなことを考えるわけです。

さらに、先ほどの、横で見ている人は分からないということもまた面白い現象です。同じ画面を見ていても、操作している人と横で見ている人では分からないという非対称の関係があります。ちなみに、このダミーカーソル実験に、動きを少し乱すような遅延を与えるとどうなるかというと、最初にご紹介したVisualHapticsのような、触感や重さ、もっさり感みたいなものが生まれてきていて、ポジティブにいえば触感なんですけど、ランダムにやるとストレスになるという感触が生まれます。さらに遅延を与えていくとどうなるかというと、たとえば遅延を三〜四秒ぐらい与えると、もはや操作者も、自分の体験ではなくなるんですね。横にいる人と同じような状況になります。

自己帰属感ということをまとめますと、動きの連動性が高いときには、これは自分であるという感覚があります。ある程度ルールを持って遅延を与えている分には、ポジティブな質感があり、ざらざらしているなどと感じるんですけれども、だんだんネットワーク遅延の上に、ＣＰＵの消費量が高いときにマウスカーソルの動きにくさがランダムになったりすると、気持ち悪いというか不快になる。もはや連動性を持たず自分と関係なく動いているものたちを見ると、場合によってはアニメーションだったり、アニミズムだったり、他の生命性みたいなものを感じたりする。その究極形は他人で、これは私ではなく誰かが操作しているものだというようなことになる。このように、動きの連動性から自己と他者を分けられるんじゃないかという考察ができます。

アイトラッカーでダミーカーソル実験をやると、自分のカーソルを見つけるときに中心視野を使っておらず、周辺視野を使ってどうにか発見しているということが分かりました。そんなわけで、自己帰属感から最近考えることは、「私の」とか「私が」という感覚、自己帰属感を動きの連動性が左右してしまう、ということです。これは体験の根幹を左右するわけです。これは物質においても情報技術系の設計でも起こりうる設計かと思います。あとは、ＶＲやメタバース、ユーザーインターフェースや自動車などの乗り物の設計にも通じると思います。これまでもそうなんですけれど、ユーザーインターフェースにおいてさまざまな五感を投入していこうというアプローチはたくさんあったんですけれども、場合によっては、本当に五感が必要なのかということはちゃんと検討しなきゃいけなくて、我々が望んでいたのは、むしろ自己帰属感をきちんと設計してあげることであったのではないかと。昔、ファミコンでドット画のような粗いものであっても楽しさや心地よさがあったのは、自己帰属感の設計や動きの連動性を確実にしてきたからではないかとも考えられます。ゲーム機のコントローラーに触覚の機能とかがありますけれども、それが本当にリアリティーの向上なのかということは考えなくてはいけないのではないかと思います。

次で最後になりますが、自己帰属感を導入して今私が何を目指しているのかということなんですけれども、簡単にいうと、物質・物理じゃなきゃだめだというのをやめる、ということです。タッチパネルでも、あるいはヴァーチャルの画面であっても、自己帰属感をうまく設計すれば物質みたいな感覚を超えられるんじゃないかと。物質を超えられると、コンピューターならではの、物質にはない変えやすさみたいなものを手に入れられるので、ひじょうに欲望に柔軟であるわけです。そこに対して、体験としては物質かそれ以上のものが得られるのであれば、そこに我々は新しい楽しみだったり、体験だったり、文化だったりを築いていけるんじゃないかと考えられます。もちろん、デジタルUIでも自己帰属感を前提に設計されていなければユーザーは離れるし、デジタル化はよい体験ともならないと思います。物理がいいよねっていうのは、ユーザーインターフェース的には、UIとかインタラクション設計をデジタルでやることからの逃避になってないかっていうことを、よくメーカーの人とか、いろいろな人と一緒に議論しております。こちらで終わりたいと思います。

難波　ありがとうございました。先端的なインターフェースの設計技術についてご解説いただいたと思います。動きの連動が自己帰属感を生み出していくこと、そして自己帰属感の設計こそがiPhoneのフルイド・インターフェースのような心につながる道具の設計へ通じていくんだということがひじょうによく分かりました。

それでは、次のご講演者であられます、水野先生のご紹介をしたいと思います。水野先生は甲南女子大学でインターフェースの研究をされています。最近でも、『クリティカル・ワード　メディア論　理論と歴史から〈いま〉が学べる』では触覚メディアについて項目を執筆されており、また渡邊先生と同じく、『UI GRAPHICS』に寄稿されています。他にも『EKRITS』でも連載をされているということで、愛読されている方も多いのではないかと思います。それでは、水野先生よろしくお願いいたします。

水野勝仁「カーソル・ラバーハンド錯覚・スワイプ」

水野勝仁　よろしくお願いします。先ほど渡邊さんの発表でもずっと出ていたホーム画面のスワイプですが、私は最初にやったときに「自分は何をしているのだろう?」と全然意味がわからなくて衝撃を受けました。今では、スワイプをみんな当たり前に受け入れてるけど、実はすごく面白いものなんじゃないかと私は思っています。

今回、難波さんから声をかけていただき、皮膚というテーマであれば、今までずっと謎に思っていた「スワイプ」がまさに指の皮膚で起こる行為・出来事であるので考えてみようと思いました。先ほど難波さんに紹介いただいたんですが、私は『クリティカルワード　メディア論』という本の中で「触覚メディア」について、タッチパネルとはデータに触れる感触を醸成していく触覚メディアなのではないか、というテキストを書きました。でも「データに触れる」というのは「物質に触れる」とは異なり、錯覚でしかない訳です。しかし、その錯覚体験からインターフェースを考えると、何かヒントが得られるのではないかと、最近の私は真剣に考えています。「錯覚」に関していうと、認知科学研究者の小鷹研理さんが『からだ錯覚』という本を出されていて、以前から彼の作品や研究に興味をもっていました。今回は小鷹さんの錯覚に関する研究を参照しながら、渡邊さんの『融けるデザイン』におけるカーソルの体験、自己帰属感から考え始めて、ラバーハンド錯覚を経由してスワイプについて考えていこうと思います。渡邊さんの発表と被る部分もあり、やりにくいのですが、渡邊さんの研究を受けて私が考えたことについてお話できればと思っています。

渡邊さんがカーソルに自己が帰属するというインターフェースの設計基準を出したというのは、『融けるデザイン』という本にとって物凄く重要だったなと思います。そこで私が興味深いと思ったのは、渡邊さんは自己帰属感に「それがまさに私である」と、つまりセンス・オブ・オーナーシップ（sense of ownership）を当てていて、一方で小鷹さんは『からだの錯覚』で「私たちの日常は、自分の身体が思い通りに動くという鋼の囲いの中に、深刻なまでに閉じ込められているのです」[10]と書いていることです。小鷹さんは続いて、思い通り動かすことを「自己主体感」、あるいは「自己帰属感センス・オブ・エージェンシー（sense of agency）」と言っています。「自己帰属感」の使い方の違いは、錯覚からインターフェースを考える上で重要だと思います。渡邊さんが「センス・オブ・オーナーシップ」の方に「自己帰属感」を当ててインターフェース、特にカーソルを考えているということが、インターフェース研究と錯覚を結び付けるヒントになるのではないでしょうか。一方で小鷹さんは、自分の身体が思い通りに動くというポジティブのように見えることを「鋼の囲い」というネガティブな仕方で言っている。自在に動くということは実は制限されていることなんだと。これは錯覚の中でも重要だし、渡邊さんのカーソルの研究の一つである「VisualHaptics」にも応用して考えられるのではないかという話をしていきます。

『からだの錯覚』で「センス・オブ・オーナーシップ」が何に当てられているかというと、「からだ」という語で、主観的にアクセス可能な自己所有の意識のことになります。これは先ほど、渡邊さんがマルチダミーカーソル実験で示した非対称性だと思うんですけど、まさに「からだ」は自分しか分からないものです。インターフェースデザインにおけるカーソルとマウスとの連動は、人とコンピューターとの連動を「自分の身体が思いに動く」という鋼の囲いのなかに閉じ込めるものだったと言えます。カーソルとマウスとの組み合わせはそれほど思い通りに連動する存在だったわけです。だから渡邊さんも、人の身体がラケットなどの物理的道具を思い通りに動かすような、運動主体感を情報的に拡張して適応させるというモデルではないものとしてカーソルを考えたのではないでしょうか。マウスと連動するカーソルはとにかく思い通りに動くから、渡邊さんは情報空間を自由に移動・運動できる自己という意味で、自己帰属感・所有感を考えていて、『融けるデザイン』には、「自己が画面の中にまで入り込んでいる」[11]とか、「カーソルまでが自己の一部となる」と書かれています。そして、これと対応するのが、スポーツ新聞に載っていたインタビューで小鷹さんが「自分の手ではないものを自分の手として錯覚してても、それがすごく自然だったら気持ち悪さも何もない、完全な錯覚があったら面白くないはずなんです」[12]と言っているところです。カーソルは「完全な錯覚」の状態にあるのではないかなと思います。

先ほど渡邊さんが見せてくれたマルチダミーカーソルに関する実験の中では、カーソルを見つけると「「あー！いたいた！」という感じ」があります。以前、渡邊研究室のイベントで体験させてもらったんですけど、まさにこういう感じです。自分と連動しているカーソルが分かったら、そのカーソルはもう自分でしかなくて、それまで何で気付かなかったんだろうっていう。自分とカーソルとが連動したらもう離れようがない。ではこの私とカーソルとの関係はどのようなものなのかと考えると、それは哲学者のショーン・ギャラガーの言う「ミニマルセルフ」を人とカーソルとの間で作ってしまっていると考えられるわけです。「私が「動きの連動」を認知すると「あー！ いたいた！」と情報空間の「私」とのあいだに即座にミニマルセルフが成立」してしまう。この私とカーソルとの連動というのがまさに「思い通りに動く」というレベルで起こるから、それを動かしている私の主観的な体は現れてこないで、意識にも上がらないのです。だとすると、カーソルはミニマルセルフの情報的現れとしてディスプレイに出てるけど、そこに私が持つ主観的な身体イメージである「からだ」はリンクしていない。それはすごく自由な、あるいは奇妙な存在ではないでしょうか。カーソルは自己に帰属してるれけどもそこに身体はない、という奇妙な存在として画面を思い通りに移動している。これがカーソルの一つのあり方なのではないか。こうしたことを『からだの錯覚』と『融けるデザイン』における「自己帰属感」の違いから考えました。

今度はカーソルをラバーハンド錯覚という有名な錯覚からインターフェースを考えてみると、面白いことが分かります。ラバーハンド錯覚とは、衝立で被験者の手が見え状態にした上で、被験者から見える位置にラバーハンド、つまり偽の手を置く。そして両方に同じ触覚の刺激を与えると、偽のラバーハンドが自分の手のように感じられてしまうというものです。ラバーハンド錯覚は一九九八年の『ネイチャー』に発表されました。このようなシンプルな錯覚がどうして一九九八年まで発表も紹介もされず、その後十年あまり注目されもしなかったのは、コンピューターの普及と関係しているんじゃないかと小鷹さんは書いています。私は彼の指摘を読んだときに、ラバーハンド錯覚の発見・普及とパソコンやスマートフォンの普及とをパラレルな事象と見做してみると、インターフェースは身体における「複数の感覚信号の組み合わせによる一種の情報的な効果を試す場」として考えられるのではないかと思いました。つまり、インターフェースは「物質としての身体」とは異なる「情報としての身体」をさまざまに変形させる場として考えられるんじゃないかということです。

では、ラバーバンド錯覚はどのように起こるのでしょうか。その原理は以下のようなものです。手や腕の位置は目を瞑っていてもだいたい自分でわかるわけですが、それは固有感覚と呼ばれているもので、脳にだいたいの腕の位置の情報が送られています。ラバーハンド錯覚ではここに自分の手があると感覚しつつ、視覚で偽の手を見ている。ここで重要になってくるのは、固有感覚はけっこう曖昧で、視覚の感覚、視覚の位置情報は絶対的なものということです。なので視覚の絶対的な位置情報に、手の曖昧な固有感覚がドリフトする、移動することによって、偽のラバーハンドを自分の手だと思ってしまうということが起こるのです。この現象に対しては、「固有感覚のドリフト」という言葉が認知科学では与えられています。ラバーハンド錯覚が生み出される前から、「固有感覚のドリフト」のような現象が人間に備わっていたから、状況を設定してあげればそれが現れてくるわけですね。そしてマウスとカーソル、あるいはトラックパッドとカーソルでも、周辺視によってある程度見えなくなっている手の動きとディスプレイのカーソルは常に連動していて、手の感覚がカーソルの示す画面上の位置にドリフトしていくと考えられるわけです。

錯覚を経由してインターフェースデザインを考えると次のようなことが言えると思います。ラバーハンド錯覚が示す「情報としての身体」の変容可能性を身体がもともと持っていたから、それを活かすようなマウスとカーソルの組み合わせによる操作方法は、あっという間に世界に広まっていった。同時に、今度はコンピューターでマウスとカーソルとの連動を人が使い続けることによって、そういった感覚の組み合わせに人が慣れていった。そうして、多くの人がラバーハンド錯覚によって発生する身体の情報的な効果に敏感になっていった結果、二〇〇〇年代にラバーハンド錯覚のバリエーションが多く生まれたんじゃないかと考えてみたいわけです。

ラバーハンド錯覚の第二段階として、情報的に変容した身体に対しての体験が設計されるようになり、身体の更なる変容可能性を探る試みがなされたのです。それが「軟体生物ハンド」や「マーブルハンド錯覚」と呼ばれる多くのラバーハンドのバリエーションになります。これらは、ラバーハンド錯覚のように偽の手を自分の手と感じるだけではなくて、皮膚の質感が変わってしまうような錯覚が生み出されます。「軟体生物ハンド」は小鷹研究室が発見した錯覚の一つで、自分の手をなぞるのと同時に、シリコンの手を鍵で一緒になぞってあげると、自分の手がシリコンの手のような質感になるというものです。鍵でシリコンの手をえぐると、自分の手の皮膚が本当に底突きするような感覚まで味わえてしまいます。小鷹さんはこの錯覚を受けて、『からだの錯覚』のなかで「触覚から得られる皮膚の素材に関する情報は、身体にとっての本来的にヴァーチャルな視聴覚の情報によって書き換えられてしまう程度に、微々たるものでしか無かったのです」[13]と言っています。ここから考えられるのは、皮膚が情報を単調化してしまうフィルターとして機能しているということです。皮膚からの感覚情報が単調化されて、入っては来るけども重要じゃないものとして処理されていることは、マウスとカーソルとの連動でも重要な役割を果たしていると考えられます。つまり、マウスを握る手の皮膚からの情報が単調化されているために、手からの情報とカーソルという視覚情報と組み合わせることが容易になっているのではないかということです。先ほど渡邊さんの見せてくれた「VisualHaptics」も単調化した皮膚情報と視覚情報との組み合わせとして考えることができるのではないでしょうか。「VisualHaptics」を実際にやってみましょう。画面上にガムテープが表示されていて、テープの粘着面にいくとカーソルの動きが遅くなるのは、皆さんも見れると思います。でも、皆さんは見ているだけなので、何が起こってるんだって感じだと思います。皆さんと違って、私の主観では粘着面のところにカーソルを持っていくと、「ギュっ」と右手がすごく重くなるという感じがあるんです。これは体験してもらわないとわからないのですが、とにかく、私の右手は「重さ」を感じているのです。「VisualHaptics」を最初に体験した時から十年ぐらい経ってますけど、何度やっても右手全体が重くなるという感触が出てくるのが、とても不思議な感じです。

情報空間の自己においては、私とカーソルとの連動の帰属がずれて特殊な感じが生まれてくるんです。その特殊さというのは、渡邊さんは「べたべた感」など物理的現実世界の感触を書いてくれてますけど、私にはそれともちょっと違う感覚があります。物理世界では感じたことがないような「重さ」「鈍さ」という感じです。これらを感じているときは、カーソルと自分の身体が、それまでは思い通りに連動していたのに、思い通り動いてくれなくなったときになります。私がカーソルとの連動において、自分の身体が思い通りに動くという「鋼の囲い」の外に出された結果、今まで何も感じなかったカーソルに「感触」というものが生じたのではないかと考えられます。

渡邊さんが「VisualHaptics」を発表して十年後に「自己帰属感」で、「VisualHaptics」を改めて考察した際にも似たようなことが書かれています。「VisualHaptics」では、マウスとカーソルが完全に連動しているときの自己帰属感を一〇〇だとすると、それを八〇とかに落とすと感触が発生するのではないかということです。渡邊さんはこの考察を次のように続けます。「より具体的には、感触の発生とは、その帰属が環境側に持っていかれることが、その環境の感触を生み出しているると考えられるのではないだろうか。すなわち自己帰属感の配分が、インタラクション時の気持ち良さ／悪さ、また感触や質感の多寡になっているのではないだろうか」[14]。とても面白いなと思います。物理世界だと自己帰属感の配分を変更するのは難しいですが、インタラクションデザインではコンピューター環境側のデザインができるので、自己帰属感の割合を自在に変えることができてしまう。「VisualHaptics」で生じる自己帰属感の割合の変化は、小鷹さんが『からだの錯覚』で「滅多に体験しない「自分の身体であるにもかかわらず、自分の思い通りに動いてくれない状況」」と書いていることにつながると思います。この状況は誰もが体験している例を出すと、腕がしびれた時みたいな感じで、身体であるけどの自分の重い通りに動かない感じです。それは主体感が奪われるんじゃなくて、身体の自分が所有している割合が落ちている、所有感が剝がれていくという事態になります。これはまさに「VisualHaptics」で起こっていることそのものではないでしょうか。自己帰属感・所有感が私からは剝がれていって、剝がれた部分はコンピューターシステム側に帰属している。そのとき皮膚がほとんど寄与していないので、触覚的に引っ張られた独自の感触が生じると考えられます。

その独自の感触について、私は「重い」「鈍い」という感じで、少しネガティブに捉えて、「異物」という言葉を使いましたでも、渡邊さんが「VisualHaptics」を発見した時には「光学的身体」という言葉を使っています。渡邊さんは「光学的身体」に「身体」という部分が残っていて、結局「身体」とは何かということが残るから使わなくなったと本に書いています。しかし、私は「VisualHaptics」を考えるときには「身体」が重要だと思っています。小鷹さんの言う主観的な「からだ」の自己帰属感が自分から剝がれていくことによって、「光学的身体」という別の「身体」がニョキニョキと現れてきてしまう。ラバーハンド錯覚で偽の手がない状態でも、同じ刷毛で手の甲をさすっていると、こちら側には何もなくても自分の手があるかのように感じてしまう「インビジブルハンド」という錯覚があります。それは、小鷹さんが言うには「体験者の無意識の中に眠る「からだ」を物理空間に無理やり引っ張り出して」[15]きてしまうもので、「視覚的な水準では、物質的な実体を必要としないということ」[16]があるとされています。「VisualHaptics」でも同じようなことが起こっていると思います。私とカーソルとの連動がズレることで、自己帰属感が剝がれ落ちて、思い通りの連動がなくなったときに、自分の主観の中に「光学的身体」という別の「からだ」が引っ張り出されてきて、それが実際にはそこにはない物理的な感触みたいなものを情報的な連動の中に重ねてしまうことによって、物理的ではなく情報的な「重さ」とか「鈍さ」という感触を作っているということです。

そのとき、カーソルの形が重要になってきます。カーソルは「↖」という抽象的な形で、私と連動しているときでも、手そのものとは全く思えません。小鷹さんが書いている通り、カーソルの本質は「各人の身体に固有の生々しさを排除し、華麗にディスプレイ空間を駆け廻る〝匿名性〟にあった」と言うことになります。この言葉は、小鷹研究室の石原由貴による「rubber hand pointer」という生々しい「からだ」そのものをカーソルに与えようとする研究の結果から書かれたものです。「rubber hand pointer」はトラックパッドを使って、ゴムように伸びる五本指の手の形を模したポインタの可能性を試したものになります。しかし、これは全くうまく機能しませんでした。それで、小鷹研はそもそも機能性を重視しないからこの実験はやめたと、小鷹さんは書いています。カーソルの形に関する別の例としては、アーティストの谷口暁彦さんのホームページへ行くと、カーソルが何かを指差すときに人差し指を立てた状態の手の画像に置き換えられます。この体験では、手とカーソルとの連動はそのままだけども、画像が示す手の生々しさがでて、普段の自己帰属感とは異なる感覚を体験できます。「↖」という抽象的な形のカーソルに手そのものという物質的なイメージが入ると体験が全く異なるものになってしまうのです。ここから言えるのは、カーソルで身体拡張するというときに重要なのは、私たちの身体的なイメージを示す「からだ」というものは身体に閉じ込めておくほうがいいだろうということです。だから、手の画像とかの具体的なイメージは必要ないのです。ただ私とカーソルとの連動性だけ確保しておけばいい。その連動性の中で少し自己帰属感をいじると、画面上のデジタルオブジェクトに対する独特の感触が生まれることになるのです。

ここまで錯覚研究を参照しながらカーソルについて考えてきましたが、iPhone になるとカーソルが消えるわけですね。渡邊さんは『融けるデザイン』で iPhone では、画面全体がカーソルの代わりにヒトに連動すると指摘しています。この指摘はとても興味深いです。ただカーソルと iPhone の画面との違いとしては、画面は手に対してカーソルのような思い通りの連動は示さないことが挙げられます。この発表準備をしているときに、iPhone を使っている自分の手と画面との連動を改めて観察してみたのですが、スマートフォンを使う手は思い通り動くけど、画面はその自在な動きの全てに連動するわけではないなと感じました。上下左右に手元のスマートフォンの画面をスワイプしてもらうと、右左には動き、上から下も動くけど、下から上だと何も動かない。カーソルのように、手を動かせばその分だけカーソルが動くという自在な連動性はないわけです。スワイプの位置と方向で、画面上で何が起こるのかが変わってくるのです。何度かスワイプすれば画面で何が起こるか把握できるのですが、カーソルのような連動のシンプルさはスワイプにはないと思います。だから、同じジェスチャーが異なる状況を引き起こすことがたびたび起こります。ジェスチャーに対する連動の決定権は、実はコンピューター側にあるかのようです。同時に、画面上は何をスワイプしても、大きいものでも小さいものでも、ほとんど行為の感触が変わりません。渡邊さんが「情報的に拡張する方が質量を伴わない」ので身体拡張がしやすいと書いていますが、スワイプではまさにその質量を伴わない情報的な身体拡張が起こっていると言えます。その時、これは蛇足かもしれませんけども、自分の身体の指も物理空間で必ずある影を画面からの放射される光を受けて失っています。

私がスワイプに最初不安を感じた理由も、画面全体という大きなものを指一本で動かしても何も感じないということにあると思います。小鷹さんも私のこの不安の言葉を受けて、iPadのマップでフリックしたときに「質量ゼロの超弩級の球体を指一本で転がしてる体験」があったとツイートしていました。では、このような奇妙な感覚を示すスワイプなのに、世界中で日常的に使われているのはなぜかと考えたときに、小鷹研が発見した「スライムハンド錯覚」を参照するといいのかなと思いました。小鷹さんは「スライムハンド錯覚」を次のように説明しています。

> スライムハンド錯覚は、一般的なラバーハンド錯覚と同様に、机に向かい合って座る（実験者と体験者の）二人一組で体験することができます。体験者の前に置かれた鏡の手前側にスライムを、鏡の奥側に体験者の一方の手を添え、体験者は鏡に映るスライムを、ちょうど自分の奥側の手と重なるようにして直視します。この状態で、対面する実験者が、スライムと体験者の手の甲を同時に摘んだり引っ張ったりすると、体験者自身の手の素材感がまるでスライムのような伸縮性のある質感に劇的に変化します。スライムハンド錯覚は、なんといっても、筆者の経験した錯覚の中で最大級に衝撃的な体感を与えるものです。[17]

小鷹さんは「スライムハンド錯覚」の「最大級に衝撃的な体感」を考えるために「皮膚としての身体」と「骨格としての身体」というものを出してきています。骨格は固有感覚ですが、その骨の上にある皮膚はまた別なんじゃないかということですね。ここから考えると、マウスとカーソルは「骨格としての身体」が示す固有感覚の曖昧な位置情報と画面上のカーソルが示す正確な位置情報とが重なり合うものと考えることができます。そして、タッチパネルとスワイプなどのジェスチャーでは、「骨格としての身体」は全て目の前で重なって見えているので、「骨格としての身体」と画面上のデジタルオブジェクトの間に「皮膚としての身体」が重なっていると考えられるでしょう。さらに小鷹さんの、皮膚というのは半ば「モノ」であり、「半自己」である曖昧な存在であるという考えを使うと、皮膚が視覚情報と固有感覚からの情報とデジタルオブジェクトと位置情報を不安定で曖昧な状態にした結果、質料ゼロという感触が生じるのではないかと考えられます。この「質量ゼロ」というのは、「VisualHaptics」が「骨格としての身体」で私が感じる「重さ」とか「鈍さ」という感触を作り出すのとはすごく対照的だと思います。また、皮膚が触れている対象物に対しても、つまり皮膚と連動する存在が自己なのかどうかという審査が、ギリギリのところで免責されているという小鷹さんの考えも、タッチパネルを考えるうえで重要になってくると思います。つまり、スワイプで生じる指と画面との連動は自分に帰属しているのか、それともコンピューターに帰属しているのかということです。

これに関連すると私が考えるのは、渡邊さんが『融けるデザイン』のなかで「ヌルヌル動く」ということを書いていて、それは自分で操作しているのとは若干違うけども、すごく気持ちよく動くと表現しているところです。ここには「ヌルヌル」という「からだ」が元々持っていた感触と、「皮膚としての身体」を利用して、コンピューターが勝手に情報処理して補正してしまう感触があるんじゃないかと思います。渡邊さんによれば、「ヌルヌル」は「自己帰属感はあるのだけれど、自分が動かす以上に、より素晴らしく補正されたかのように動いてくれる感触表現」[18]です。自分の動かした以上の何かがそこで起こるというのは、あまり体験しないものです。しかし、インターフェースでは、それが起こっていて、しかも気持ちいいと感じてしまう。そこに自己帰属感が本当にあるのかなと考えると、実はないんじゃないかなと、私は考えたわけです。画面がヌルヌルと動くからスワイプを余計速くしてしまったり、何を意図することもなく何回もしてしまったりするというのは、スワイプという行為が私にではなく、コンピューターが自在に動かす画面の方に帰属しているから起こるのではないでしょうか。私という自己の意思ではなく、画面、つまり、コンピューターの「意思」のような自在な画面描写があるから、私たちは次々にスワイプなどのジェスチャーをしてしまう。それは言い過ぎかもしれないけれど、自己帰属感なのか、画面帰属感なのかという状態は、曖昧な皮膚が介在してるから起こると言えないでしょうか。曖昧な皮膚を介して、私が行為を起こすから画面が変化するのではなく、画面が変化するから行為が起こるということです。

最後にまとめると、「ヌルヌル」を感じているのはヒトとコンピューターを構成要素とするミニマルセルフで、思い通りに動く影なきヒトの指と画面との間に生じる同時多発的な連動が、コンピューターが自在に変容させる画面に帰属する「気持ちわるさ」や「気持ちよさ」を持ったミニマルセルフを作っているのではないか。この曖昧な状態をつくる皮膚は面白いなという発表でした。

難波　ありがとうございました。皮膚について非常に面白い示唆をいただきました。皮膚は「半自己」という、非常に曖昧な立ち位置にあり、それが自分に帰属しているのかコンピューターに帰属しているのかが分からない。しかし、その皮膚がデジタルオブジェクトや視覚を調整することによって、例えば質量ゼロという新しい体験が生まれてくる、そのようなことを学びました。

ここで全員の登壇者のご講演が終わりましたので、髙村先生にコメントをいただければと思います。まずは髙村先生のご紹介をさせていただきます。髙村先生は小説もお書きになりますけれども、関西学院大学でご教授されております。『触れることのモダニティ』というご著書がありまして、モダニズムにおける触覚表現を歴史的な文脈から捉えていこうという非常に野心的な著作です。昨今でも『接続された身体のメランコリー』などの著書を刊行されています。では髙村先生、コメントの方をよろしくお願いいたします。

髙村峰生　全体へのコメント

髙村峰生　刺激的なご発表をありがとうございました。大変勉強になりました。今ご紹介いただいたように、過去に触覚がどのような形で表象されたかという、人文学的な研究を行っていたので、今発表されたことは専門的にはほとんど何も知らないという立場です。ですので、どのぐらい適切にコメントできるか分からないのですが、各々の先生のご発表について簡単に感想や質問を述べさせていただきたいと思います。

まず、飯田先生のご発表は、コロナおける触覚的な感性の影響について三枚の画像から説き起こして発表されていて、一見すると何の共通項もなかったものに我々が共通項を感じることようになるというところが面白かったですね。二番目の画像はＳＮＳ上での「いいね」ボタンのイラストですよね。三番目がスパイクタンパクの模造なんですけど、確かに少し似ている。絵によるコミュニケーションが、ある程度共有されたというか、社会的文化的背景があって、そういうコミュニケーションがとられるようになったと。ある意味で我々の感情の向かい方が自動化した、単純化したという面があるんじゃないかと思うわけですね。実際にCOVID-19のウイルスに赤い色は付いてないと思うんですけれども、それが毒々しさを感じさせるわけですし、ご友人の喉の痛みの感覚とそれを結びつけて感じるという例もありました。つまりファクトは重要ではなく、その絵自体がある種の共有された知となって、絵とコロナの毒性とが我々の頭の中で結びつけて感じられるようになったと。そういうアイコン的なレベルでのファクトが、やはりインターネットの時代において非常に強く存在している。このことが、人々がコロナ禍においてばらばらに暮らしていく中でも逆に強く共有されるということがあったのだろうと思います。後半の方の、最近の情動理論を中心として、触覚的なものがどのように論じられているかという点も非常に面白く聞きました。コロナ禍において触覚的なものがさまざまな形で「置き換えられた」ということがあると思うんですけど、それは触れることへの怖れみたいなものが元々あって、そういうものが後押しした面もあるでしょうし、ＩＴを主として色んなものが代替可能になっていった面もあると思います。また、ジェンダー化する触覚や階級、職種の問題は重要だと思いました。つまり、女性と「触れること」は強く結びつけられていて、ケアにおいて男女に役割の差が存在する。男性は非触覚的な仕事を割り振られる傾向があるということですね。コロナ禍おいてはみんな距離を置いて生活したいんだけど、当然誰かが触れなきゃいけないという状況が生まれていて、そこでの分断が可視化されたのだろうと思います。

しかし、後半がかなり駆け足になっていて、*The Affect Theory Reader 2* のあとになると、少し追いつけなかった部分がありました。トーンダウンしているとお話しされていた部分があったと思いますが、どのようにトーンダウンしているのかという点をお聞きしたい。言説的なものではない、ある種の本質主義的なものの回帰、あるいは物理的世界との接合性みたいなものが図られているのかどうかという点についてお伺いしたいと思いました。

平芳さんのご発表ですが、非常に分かりやすい構図でお話しされていて、よく理解できました。前半においては、伝統的な意味でのファッションと皮膚の関係についてお話しされていて、そこでは視覚的なものが重視され、身体的な機能性は二の次にされていたと。そこでは裁断や縫製などの技術が重要なものとして扱われていたが、現代においては心地さ――「縫い目のなさ」とか「シームレス」という言葉をおっしゃっていましたが――の方向に重点が移っていったということですね。その構図は非常によく分かります。もちろんAからBにというように完全に全部がシフトしたわけではないにせよ、やはり着心地を人々が求めるようになったと。結論部では、そこにはやはりデジタル化やコロナの影響もあるのではないかとおっしゃっていました。人々の生活のアトム化、つまりそれぞれがばらばらに生活することが増えていったことと関係すると思うんですけど、社会的な場で人に見せるということが以前と比べたら重要じゃなくなっていった。それと同時に、カッコつけるとか格好いいことの多様化も起きているのかなという気もします。デジタルファッションの流行についても、自分の生の身体に着けるものじゃなくてもいい、おしゃれはその対象が自分の身体じゃなくてもいいという風潮が広がっているということも、その答えの一つなのかなと思います。ファッションにおける格好いい、かわいいの重要性やその変遷についてお聞きしたいと思いました。

平芳先生、渡邉先生、水野先生が実は繋がっているなと思ったのは、現代の状況についての部分です。平芳先生は「着心地ゼロ」とおっしゃっていた部分が、渡邉先生の道具を使うさいの直感性、感覚がゼロになる、つまり物理的抵抗感が減っていくことと非常に似ている。そこがすごく面白い。自分の身体に着ける下着と、カーソル問題とが連携しているとしたら、それは何を意味するのか。自分の身体もある種の道具的なものになってきているのではないかと思いました。

今の話の延長で渡邉先生の方につなげていきたいと思います。自己帰属感というのは納得のいく言葉でした。触覚的なものがコンピューター理論において延長性を持っていて、その連携度合いが次第に発見され開発され、水野先生の言葉を使えば「慣れて」いった。だから自己の領域が世界の領域と繋がっているということが起きているのかなと。もちろんその世界の方も変容している。平芳先生にもアバターの話がありましたが、ここでもやはり代理や代替みたいなものが問題となっている。ビジュアルハプティクスの例を通して、物理的に触っているわけではないものの、間接的に画面を通じて触覚を得られるという代替。この話はアップル製品とか我々が普段使っているものと結び付いているので分かりやすかったですし、誰にも身に覚えのあるところだと思うので、我々の日常と連動しているなと思いました。スマートフォンがないと、日々の仕事に支障が起きるだけじゃなくて、日常の身体的動作にまで支障が起きる。例えば万歩計として使ったり、マップを使ったり、色んな用途で使っているので、まさに身体と絡み合った関係性になっているなと。これは個人的なことですけど、最後の方でおっしゃっていたように、ファミコンの時点ですでに同時性、自己帰属感が非常に重要な問題であったというのは、私自身がファミコン世代ですので、とても納得のいくものでした。つまり、ゲームがリアリスティックになればいいという問題ではないという話で、例えばスーパーマリオブラザーズでも、マリオが全然自分に似ていなくても自分のように感じると。更にコメントを挟むと、最近僕の周りではあまり聞かないんですが、VR的なものが数年前にブームになって、これも自己帰属感とか没入感みたいなことが言われてたと思うんですけど、VRとマリオのゲームでの自己帰属感は違うのかなという気がするんですよね。個人的にはVRゴーグルの世界って飽きてしまう。つまりテレビゲームほどには没入していないわけなんです。このまま水野先生の方に移らせていただきますが、リアリスティックに世界を再現することが触覚的な経験においては重要ではないと、錯覚をキーにして言われていたと思います。渡邉先生のお話の応用編のように感じました。渡邉先生は、アップル製品がどのようにして自然な自己帰属感を開発していたかという点についてお話しされていました。その一方で、水野先生はそれへの抵抗といいますか、自己帰属感の仕組みとしての錯覚や、自己の拡張に人間が慣れるという問題、そして自己帰属感を一〇〇じゃなくて、八〇とか七〇に落とすことの体験性についてお話しされていて、それが面白かった。一番面白かったのはその延長のお話で、カーソルを指の形にすると、見た目上は自分の手に似ているからその方が延長としていいかのように感じるんだけれども、実際はそうでなくて、白い矢印とかの方に自己帰属感をより強く感じるのだとすれば、我々の持っている自己延長性みたいなものに何か抽象的な機能があるからだという感じがするんですね。身体的な運動能力には何か根本的な抽象性みたいなものがあるのではないかと。

以上で私の方のコメントを終わらせていただきたいと思います。

難波　ありがとうございました。各ご登壇者の先生方に、髙村先生のコメントへの応答をいただいて、その後会場にも開いて自由な質疑応答の時間をとりたいと思います。飯田先生からお願いできますでしょうか。

飯田　髙村先生のおっしゃる通り、最初にお見せした三つの画像にはそういった繋がりがあります。特に二つ目と三つ目についてですが、SNSやメディアによるイメージや絵によるコミュニケーションなどが社会的・文化的背景を前提に拡散されて、感情の向かい方が何らかの形で単純化されたというのはまさにその通りです。ファクトが重要ではないという状況が特に陰謀論の拡散と併せて語られるべきだと思います。ただ同時に、それとは異なった二極化するような動き、例えばエビデンスベースでワクチン接種を促すような情報がSNSでも広がりを得たという状況がありました。正確には二極化というより、特に技術社会的な物質性に気付かせる、それを引きずり出す契機としてのパンデミックという側面がある。例えば、触覚のコントロールが近接性や距離のコントロールやマネジメントに関係するとすれば、ここでは心理的な近接性・距離と物理的な近接性・距離とが二重性を帯びているものの、それらは必ずしも対立するようなものではないという状況があるのではないか。

The Affect Theory Reader というのは、情動について語る人たちが参考にしていた。二〇一〇年に出た本です。ここでタイトルのネタ明かしをしますと、一巻での著者によるイントロが「An Inventory of Shimmers（様々なゆらぎの目録）」というタイトルで、二巻が「A Shimmer of Inventories（様々な目録のゆらぎ）」というタイトルになっていて、逆転しているんですね。これはやはりインベントリーとか目録とかカタログとか在庫表みたいなものを一つ作るのって無理だよね、ということを示している。また、情動論的転回と言われているものも実は転回ではないのではないかという指摘をしている。情動を用いた分析の可能性を新しいものとして提示することにはやはり危険性があるんだという議論がされる。そして、これはバーランドの最後の話に繋がる箇所ですが、「日常性 ordinary」とか、それにエクストラを付けた「非日常 extraordinary」の創出が、私達が日常として触知しているものの外部にある訳ではなく、関係性の間での予想できない邂逅として生じるものだという議論がなされている。そういった方向性の転換が見受けられる。非日常の創出にはさまざまな社会的状況が貢献していると書かれていますが、その中にパンデミックと触覚がどのように位置づけられるかという点が非常に面白いところだなと思っています。以上です。

平芳　視覚的なものから皮膚感覚的なものが重視されるようになるなかで、現代のファッションは視覚的なものと皮膚感覚的なものに二極化しているように思います。発表の最後の部分で言いましたように、この傾向にはやはりデジタルメディアの影響が大きく関わっています。SNS、特にインスタの流行と共に、動画や写真の中でおしゃれな姿で存在している私が「そうであるはずの私」であって、リアルな自分はそれほど重要じゃないというような、そんな感覚が広まっています。そのため、現実のファッションの重要性は、残念ながら、今の社会では相対的に低下してきています。SNSの中に理想的な自分がいるのだから、服を着ている自分の身体はもういらないんじゃないか、そんなふうにさえ思えてしまいます。しかし、現実の世界には自分の身体があって、リアルな皮膚感覚、ちょっとした服のザラつきなんかを感じることがある。あるいはSNSに存在している理想的な自分と、現実にはそのような私になりきれないことへの不安感みたいなものもある。そのなかで、見られなくてもいい自分のために、最後の砦のようなものとして服を希求するような気持ちが高まってきていて、それが「快楽を呼び起こすファッン」として、一部で兆候的に現われてきているのではないかと思います。ファッションは二〇世紀末には「カッコいい」ものだったと思うんですけれど、今ファッションは着飾る自分を表現するというよりは、服を着る自分が社会とどう関わるかというような、より倫理的なものになっていると私は考えます。

渡邉　平芳先生の「着心地ゼロ」のお話と近いものがあるのではないかというご指摘をいただいたと思うんですけど、私も聞いていてその部分が非常に興味深く感じていました。感覚ゼロ、だけど自分がいるみたいな状態がデジタルになってできるようになったので、これからの設計にもそこがヒントになる。サクサク感みたいなことも、結局なるべく軽いような状態、重力というか身体から解き放たれた何かになり、だけど自分がいる、みたいな状態。そこにヒントがあるのかなと思っていました。

水野　自己の延長は抽象化しているのではないかというのも自分の考えではありません。小鷹研究室がキュービック体操という、人の運動を抽象化するVRを作っているのを思い出しました。これをやったときに私は「これぞ!」という感覚をまだ得てはいないけれど、体の錯覚をメインにしている認知科学研究室が体を抽象化していくVRを試みているということは、身体には自らを抽象化する能力があると思います。私たちはどうしても見えている身体の方に引っ張られるけど、骨格的な身体ではない、何か別のシンプルなシェイプになれるんじゃないかな、ということをコメントから考えました。

質疑応答

質問者1　飯田先生へのコメントです。何度も想起したのはエイズのことです。エイズのパニックが一九八〇年代にアメリカから始まって、皮膚を用いた究極の接触と言ってもいいようなセックスにおいてソドミーとしてのアナルセックスが排除された、あるいは注射針の共有によって血に衛生の観念が賦与されたということがありました。コロナのことも考えると、コロナにおいても日本では性産業に対する給付金の制限とか、性産業に対する差別もありました。エイズは一九九〇年代のクイア理論の実践的な先駆けとしてあった訳ですが、コロナをきっかけに情動論がますます盛り上がりを見せる中で、現代において改めてエイズを再考するムーブメントも、もしかしたら考えられるのかなと思いました。

飯田　もちろん、八七年のエイズ危機に対する陰謀論もそうなんですけど、特定の人種や特定のセクシャリティを持つ人々、特定の職業に就いている人たちに対する差別というのは、似たような形で繰り返されていると言うことができると思います。それに対して、エイズ危機から学んだ教訓が、コロナの初期段階でどのようにして偏見を取り払うかということに用いられた点もあった一方で、例えばセックスワーカーに対する差別の場合では、コロナが必ずしも性的接触で感染するわけではないにもかかわらず、社会の中に既に存在している差別構造をなぞるような形で差別が生じてしまった。それがエイズ危機と同じ形かどうかという点は注視していきたいと思います。グローバルな感染症という文脈においては、繋がりの形式がデジタルの領域で広がっているので、コミュニティー単位での声の上げ方の方法などはやはり変わってきていると思います。また、感染経路に関しても、空気感染と体液感染、気体と液体では含まれるニュアンスもまた若干違うものがあるのではないか。私が前回メタファーと感染の話をした時にエイズ危機について触れることがあったんですけども、元々のバックグラウンドが人文系でも文学ですので、注視していくべき問題だと思います。それを単に感覚の中でもタッチに還元できるのかという点は、自分でも問い直していきたいところです。ご質問ありがとうございました。

質問者2　難波先生が冒頭で、視覚的なものから触覚的なものへのパラダイムシフトというお話をされていましたが、お話を聞いていると、飯田先生のCOVID-19のウイルスのイメージや平芳先生のアバターの衣装とか、あるいは渡邉先生や水野先生のお話だとビジュアルなハプティックとか、むしろ視覚的なものが触覚を呑み込んでいる、実際に触っているわけではないけれども触覚的だ、みたいなものの領域が広がっているのかなという印象を受けたんです。ただ、視覚と触覚の二項対立自体があまり生産的ではないのかなという気もして、触ってないんだけども触覚は感じる、みたいな、接触なき触覚みたいなものを考えることがポイントになるのではないかと。ですので、触らないでも感じられる触覚を触覚と区別するべきなのか、だとしたらそれは視覚とも違うものなのか、そういったことについて先生方にお聞きしたいと思います。

水野　僕が小鷹研で錯覚を体験した時に「質量ゼロのガムテープを転がす」というものがあって、ガムテープには触れてないんですけど、手にあるとしか思えない。錯覚がある程度の強度を超えて、もちろん視覚に引っ張られてはいるんですが、自分があると思ってしまったら、質量ゼロのガムテームは私の意識には「ある」んですよね。とすれば、「触れていない触覚」というのもあると思います。「ある」というか、触れていないのを知っていながら自分が触覚的感覚をリアルに感じたら、それは触覚なんだろうと「思う」ことにして研究を進めるようになりました。これは自分のスタンスの問題ですが、そういう錯覚の体験、触れていないものに触れるということがありうるんだという強い体験があって、それに基づいて研究していますね。

難波　すごく難しい問題だと思います。そもそも視覚と触覚を分離できるかという問題もあると思うんですね。それが総合的に働くということもある。特にVisualHapticsは超近接視の視覚表現の話で、それが感触を生み出すということだと思うんですけれども、遠隔視の視覚表現と近接視の視覚表現では視覚の種類が違う。その中でも、触覚的な視覚とか、あるいは飯田先生のおっしゃったような「力」、循環するマイクロ・パーセプションなどの、視覚とは質の違う知覚が前景化している。また、そういったことを視覚的な世界観で捉えられるものなのかという問題提起をしたいと思いました。

高村　iPhoneとかが特徴的ですけど、やはり触覚的な運動がメディアの道具の一つになってしまっていることで、日々の我々の触覚的経験の多様性が減ってきていると考えることもできると思うんですよね。その反動として、身体的なヨガとかマッサージ、そういったものを求める需要も高まっているのではないかと常々考えています。

難波　本日は長時間ありがとうございました。

註

［1］ Ben Anderson, "Affective Atmospheres," *Emotion, Space and Society* 2, no. 2 (2009): 77–81.

［2］ T. Sampson and J. Parikka, "The New Logics of Viral Media," *boundary2*, April 10, 2020.

［3］ Michela Cozza, Augusto Cusinato, and Andreas Philippopoulos-Mihalopoulos, "Atmosphere in Participatory Design," *Science as Culture* 29, n. 2 (2020): 269–92.

［4］ Mark Paterson, *The Senses of Touch: Haptics, Affects and Technologies* (London: Routledge, 2007).

［5］ イヴ・コソフスキー・セジウィック『タッチング・フィーリング　情動・教育学・パフォーマティヴィティ』岸まどか訳、小鳥遊書房、二〇二二年。

［6］ Judith Butler, *What World Is This?: A Pandemic Phenomenology* (New York: Columbia University Press, 2022).

［7］ Melissa Gregg, Gregory J. Seigworth, eds., The Affect Theory Reader (Durham, NC: Duke University Press, 2010).

［8］ Gregory J. Seigworth and Carolyn Pedwell, eds., *The Affect Theory Reader 2* (Durham, NC: Duke University Press, 2023).

［9］ Lauren Berlant, *On the inconvenience of other people* (Durham, NC: Duke University Press,

2022).

[10] 小鷹研理『からだの錯覚　脳と感覚が作り出す不思議な世界』、講談社ブルーバックス、Kindle版、一八五―一八六頁。

[11] 渡邊恵太『融けるデザイン　ハード×ソフト×ネット時代の新たな設計論』ビー・エヌ・エヌ新社、二〇一五年、一〇八―一〇九頁。

[12] https://hochi.news/articles/20231105-OHT1T51086.html?page=1

[13] 小鷹、前掲書、Kindle版、六九頁。

[14] 渡邊、前掲書、一一九―一二〇頁。

[15] 小鷹、前掲書、Kindle版、七六頁。

[16] 同上、七四頁。

[17] 同上、二〇七頁。

[18] 渡邊、前掲書、一二一頁。

特集：皮膚感覚と情動——表象から現前のテクノロジーへ

『とても近くに』——書くことによる接触

サラ・ジャクソン　訳＝髙村峰生

So Close: Writing that Touches

Sarah Jackson Trans. Takamura Mineo

私が価値の疑わしい「心に触れる文学」を称賛しているわけではないのは、言うまでもないだろう。エクリチュールとバラの香水のような代物との区別はつく。とはいえ、**触れないようなエクリチュールを私は知らない**。触れないようなものはエクリチュールではなく、言ってみれば報告書や説明文のたぐいである。書くことは、本質的に身体に触れることなのだ。[1]

書かれたものは触れるだろうか？　ジャン＝リュック・ナンシーは言う、「触れること、それは書くことのなかでいつも起きている」と[2]。触れることと感じることとの関係の輪郭をたどりながら、本章はエレーヌ・シクスーの『とても近くに』の触覚的特性を検討する。文学的テクストのうちを循環する情動についての議論を通じて、彼女の著述が作り出す新しい感情のテクスチャーの諸相を検討したい。エレーヌ・シクスー、ジャック・デリダ、ジャン＝リュック・ナンシー、レヌ・ボラの多くの作品を擦り合わせながら、本章はテクスト同士が互いを改変することなく触れ合う可能性も検討する。『とても近くに』におけるシクスーの詩学を、それへのアプローチに気を配りつつ読むことを通じて、触れ返されることに近づきたい。

感じることについて

『触れること——皮膚の人間的重要性』において、アシュレイ・モンタギューは書いている。

おもしろいことに、単語の色々な意味を知るため辞書を引いてみると、「接触《タッチ》」の項の記載はもっとも広範なものに数えられるようである。大きなオックスフォード英語辞典では断然いちばん長い記載——十四段——になっている。このことはそれだけで手や指の触覚的経験が、われわれの表現や会話の上にいかに影響を与えているかという証拠の一つとなって

いる。［3］

接触《タッチ》とはかくも捉えづらい言葉であり、触れることと感じることの親密なつながりは私たちが日常使う言葉において明白である。モンタギューが書いているように、「深く感じ取られた経験が「タッチング［触れること・感動的］」なのだ［4］。「触れることそれ自体は感情ではないが、その感覚的要素は神経や、腺や筋肉、心の変化を引き起こし、それらが組み合わさったものを我々は感情と呼んでいる」とモンタギューは論じている［5］。「ゆえに、触れることとは、」と彼は説明する。「単に身体的な状況、つまり感覚としてではなく、情動に訴えかける形で感情的に経験されるのである」［6］。言い換えれば、私たちは感情を通じて触れることを経験するのである。このことは、イヴ・コゾフスキー・セジウィックが指摘するように「情動について話すことですら、事実上皮膚的な接触に匹敵する」ことを暗に示す「「ベタベタした［touchy-feely］」という変わった言い回し」に見ることのできるものだ［7］。「ベタベタした」といった表現には、学問的な言説においてはしばしば疑いのまなざしが向けられる。心地の良い距離よりは近いこの感覚は、「騙されやすい人［soft touch］」といった表現と同じく、女性性を帯びている。サラ・アーメッドは「感情は女性と結びつけられている。女性は自然に『近く』、飢えに支配され、思考や意思、判断力によって身体を乗り越えることが不得手な存在として表象されている」と書いている［8］。このように、感情——とりわけ、抑えのきかない気分——は、理性や認識を重視する中で見過ごされるのである。そのうえ、感情について語るときには、身体と精神の関係、主体とそれを取り巻く環境の関係、感じ、感じられるあり方の関係といったものの受け取り方が個々人によって異なるということも含め、根本的な緊張と向き合うことになる［9］。とはいえ、私たちが「ベタベタした」ものすべてに対して疑問を持っていようとも、一方で触れることなく他方で感じることはできない。

ディディエ・アンジューは、言語と情動の関係に再度触れながら精神分析的な文脈で触れることと感じることの関係について述べている。ギルバート・タラップとの医療実践についての議論の中で、彼は次のように言っている。「日常的な言葉においても、私たちは『誰かとコンタクトを取る』とか『誰それとはいつでも連絡が取れる［in good contact］』などと言います。このことは、もともと触覚的だったコンタクトが、比喩的に他の器官や他の感覚部位に移行して言うようになったことをよく示しているのです」［10］。言語とコンタクトのつながりを確立しつつ、彼は議論する。「日常的な言葉はじっさいそれをよく言い当てています。私たちの患者は『おっしゃることに心を**動かされ**（*touched*）ました』といった具合に表現するのです。事実、体に触れなくても心に触れることはできます」［11］。アンジューは、これを「象徴的な接触」の一形式であるとしている［12］。言葉には私たちに触れる力があると彼は言う。それは、象徴的な接触経験として機能しうるのだ。アンジューは精神分析における話し言葉と触れることの役割について述べているが、彼の主張は口語的、あるいはセラピー的な出会い以外の場においても有効である。どのような形で文学は私たちに触れうるのか？　そしてそれは私たちにどのような感覚を抱かせるのか？　本章ではこうした問いについて考えてみたい。

シクスーについて

触れることについて書くことの可能性と限界は、エレーヌ・シクスーの豊かで複雑な作品によく現れている。シクスーとのインタヴューにおいて、ミレイユ・カル＝グリュベールは、「私が触れるのは作家としてのあなた。私がタッチダウンするのは。」と言う[13]。カル＝グリュベールは、シクスーの著作を満たしているのは接触へのこだわりであると指摘する。初期作品においても、彼女の著作は接触への呼びかけとなっている。たとえば「メデューサの笑い」には、「もしあなたが望むのならば、私に触れ、私を愛撫してください。名前のない生きた女性であるあなた、私が自己自身となるように私に私の自己を与えてください」と書かれている[14]。ヴェレーナ・アンダーマット・コンリーは、「過去半世紀にわたってフランスの批評理論における視覚への批判は、触覚への新たな注目を作り出してきた」と述べる[15]。コンリーによれば、触覚は「身体や、無意識により近い著述への回帰と結びついている」[16]。そして、「書くためには、私たちは目を閉じて触覚に集中しないといけない」[17]。このことは「盲目で書く――ロバとの会話」において、もっとも明白である［訳註：シクスーは講演をもとにしたこのテクストにおいて創世記を参照し、アブラハムが息子イサクをささげにモリヤに向かうときに同行するロバに注目している］。シクスーはこのテクストにおいて主張している。「私は自分自身が見ているのを感じる。目はもっとも繊細かつもっとも強力な手であり、計測できない形でそこにあるものに触れる。私は、そこから自己が自分のもとへと帰ってくるのを感じる」[18]。「盲目で書く」にはまた、次のようなシクスーの回想もある。「エールフランス航空の従業員が電話越しに私に告げる――あなたの本が好き。私に触れるから」[19]。もちろん、書かれたものが「斧の一振りで私を動かし、私に触れ、私を打つ」力を持つことをよく自覚しているシクスーは、実際に限界に触れるために書くと主張する。「私はとどめるために書くことはない。感じるために書くのだ。言葉の先端部によってその瞬間の身体に触れるために書くのだ」[20]。彼女は再述する。「私の仕事は私たちの感情を書かれたものに翻訳することだ。はじめに私たちは感じ、それから私は書く」[21]。したがってシクスーにとって、触覚を書くということは切り離しがたく感情と結びついている。彼女の作品は接触と情動の新しい通路を創造しているのだ。

シクスーの著作の触覚性は、『とても近くに』において特にはっきりしている。この著作は接触する欲望を示しているだけではなく、距離の遠近関係を攪乱している。この自伝的な作品は、その著作名にもかかわらず、触れるためには必ずしも近くにいる必要はないということを示している。二〇〇七年にフランス語によって最初に出版された、深く織り込まれた書物『とても近くに』

は、三〇年以上訪れていなかったアルジェリアへの語り手の帰郷についてのものである。これは始まりと終わりの両者への旅である。彼女が子供時代を過ごした場所は、糸杉の下に彼女の父の墓がある場所でもあるのだから[22]。テクストの冒頭、Hとして知られる語り手はフランスにいて、母の水着を眺めている。「マカロンという言葉の持つ陰鬱な秘密」の発見の後で、彼女は帰郷を宣言する。「その時、私はたぶんアルジェに行くことになるんだわ、と言ったのだった」(pp. 5–6)。彼女は母親のリアクション、「なにこれ[what-is-this]?」を反復し、すべての音節を一つのしわがれ声の頓呼法にくっつける戦闘的なやり方」を描き出す(p. 30)。感覚的・触覚的な言葉の存在に注意を払うことで『とても近くに』は粘つく音節を塊にし、彼女の母の言葉にねばねばしたゴムのような感じを与える。言葉は「奇妙なシニフィアン」に、触知可能なものになるのだ(p. 30)。続いて、押す、引く、叩く、蹴るといった言葉が現れるが、キッチンのテーブルを叩くスプーンを別にすれば何か物理的な接触が起きるわけではない。彼女の母の激怒は「暴力的な裸体性」を持っている(p. 31)。言葉は「鋭く研がれ」(p. 32)、「会心の一打」を加え(p. 34)、「突き刺す」(p. 59)。彼女は「忘れちゃないよ[I'venotfgotten]という言葉を打ち抜く。私の眼前に動詞として忘れちゃないよ[I'venotfgotten]を投げつける」。

彼女は私をさらに強く叩く方法を探し、見つける。私にとっては、クソみたいな[affucking]ことなど何もありはしない。彼女は唇のまわりにfuckという言葉を感じることに小さな満足感を得ながら、FFFuckingを叩きつける。今までこんなことはなかった。彼女はそれまで生きてきた中で一度もそんな言葉を噴出させたことはなかった。(p. 32)

言葉はHの身体にその刻印を残す。「私は自分の腕が引き剝がされるがままに任せたかのように、大切なのに決して抱擁したことのない身体が私の腕から剝がされるままに任せたように震えた」(p. 33)。言葉は明らかに注目すべき身体的な力を持っている。「私たちは剝がしあう、お互いに。私たちは年齢を考えれば恐るべき力を備えた裸体の皮膚のうちにいた」(p. 34)。このような言語による乱闘のただ中で、シクスーは身体、感情、言語、家について書くことの感情的、触覚的な共鳴、そうしたことの相互的な結びつきを活写しているのだ。

言語の触覚的な性質は、アリス・フルトンの『外国語のように感じること――詩のいい意味での奇妙さ』の主題である。ここで、読者は「本の紙葉性、剝がすことが読むことであり、剝がすことが書くことであるということを考える」べきだと主張する[23]。「最終的には、私が剝離するように感じるのだ」と彼女は言う[24]。フルトンにとって、言葉とは「無視することのできない物質性を持っている。言葉の意味だけではなく、その官能的で、特に触覚的な実在が私の注意をひくのだ」[25]。『とても近くに』における言語の官能性や触覚的な実在を考えるとき、彼女の母親との会話の物理的な力にもかかわらず、この小説が限りない注意を払って言葉を扱っていることが明確になる。動くイメージや柔らかな感情がテクストの中を循環しているのだ。シクスーは書く。「私は文章が、動くスピードによって絶えず消去されながら、その尖った先端で雲に浮かび上がることを夢想していた」と(p. 59)。そしてついに彼女の父親の「アドレスのない墓」を見つける(p. 149)。彼女は書く。「私はあなたを抱擁した。私はあなたの上に横たわった。私は力いっぱい自分を墓に結び付けた。それがいかに生きたものであるかを感じた。その硬さは私の呼びかけに応じて柔らかくなったのだった[…]」(p. 154)。彼女は彼に呼びかける。「私の声によって、私は私の内なる石を空洞化し、地面を掘り起こし、自分の体であなたの体全体を見た[…]」(p. 155)。そして、ついに彼女は「非常に大きなやさしさにつかまれる」のだ(p. 156)。

> 私は呼びかけの血が流れ出すのを感じた。私は彼を私の子と呼んだ。わが子よ、あなたはわが子よ。知っている?——知っている、知っている、知っているよ。
> **知っている**[know, 仏語原文ではsais]という言葉を聞いて、私は彼を降ろした。(p. 156)

「知っている」という言葉の物質性に注意を促しながら、シクスーは彼女の言葉によって私たちに触れ、私たちを動かし、私たちに感じさせる力を示している。デリダが彼女のエッセイ「知ること」に言及しながら指摘しているように、彼女の作品は「触れることの詩」として読むことができる。それは「引き綱のように摑み、触れ、引き、また皮膚に作用し、ときには引き裂く」[26]。作品本体がそれ自身の触覚性を発揮し、奇妙で、ときに驚くべき方法によって接触するのである。

音楽について

『ルーツのプリント』において、「私を震えさせ、笑わせるほどに私に最も強く触れるテクストは、音楽的な構造を抑圧していないものである」とシクスーは主張している[27]。彼女は「書くこととは世界の音楽、身体の音楽、時間の音楽を書き留めることである」と論じるのだ[28]。『とても近くに』で、母親の声が上がったり下がったりすることに特に注意しつつ、彼女は言う。「音楽を考えてみてほしい。驚きの声が時間の奥底から上がってきて、不信感と共に高い音に達する。休止があり、声は再び坂を降りていく」(p. 30)。ここでも、シクスーは音楽、言語、身体のつながりを示しているが、そのことは「あなたは、ことばの一つの側面についてなるべく音楽的に書こうとしますね」というコンリーの考察でも明らかだった[29]。もし、モンタギューの言うように、「多くの音楽にはひろく触覚的な性質が認められる」のであれば、触れることについて書くことは、テクストの音楽性へと私たちの目を向けさせる[30]。

　音楽と触覚の関係性については、ライアン・ビショップの論文「ノイズの力、あるいは音楽に触れる」においても検証されている。「音楽的な触覚性」に言及しながら、ビショップは「音はまたすでに触れることである」と指摘している[31]。彼の説明によれば、「音自体、物理的にかつ不可視的に私たちの耳と身体に触れる波によってできている」のであり、したがって、「鼓膜に触れ、（内耳の）蝸牛を振動させるためには、目に見えない音波による接触が必要となる」[32]。このことは、「その源泉において、触覚は音とともに機能し、音を形成する。距離をおいた接触[touch-at-a-distance]を通じてのみ、そもそも私たちは音を得るのである」[33]。彼はこの議論をさらに発展させ、音は身体的な接触によっては届くことのない身体の部位——および内部——に触れることができ、対象の「より深い」理解をもたらすことができると示唆している。もし音楽が「形式、ハーモニー、メロディ、リズム、表現内容などといった美しさを作り出すために声や楽器の音を組み合わせるアート、あるいは科学であるならば」、異なる音楽の音は異なる仕方で私たちに触れるだろう[34]。ビショップはシュトックハウゼンの「ヘリコプター弦楽四重奏」における遠隔接触について議論を集中し、「私たちは音楽とは触れることであると確信をもって言うことができるだろうし、遠隔接触（あるいは遠隔触覚）という贈り物に、私たちはいかなる音楽演奏においても出会うのである」と述べている[35]。シクスーによる言語の音楽的構造への言及は、私たちが可能であると考えたことのなかったような方法によって、文学の遠隔接触が私たちに届きうるということを示唆している。

「腹の中を、内臓の中を、胸の中を通っていく」「音楽」を描き出すとき、シクスーは文学行為における身体の役割に注意を喚起しており、書くことは「触れることのできない内部」に触れることができると示唆している[36]。しかしながら、彼女は自身にもっとも強く触れる音楽的構造は形式的なテクニックにあるわけではない、と明確に述べている。

> 私はここで単純に音声的な意味形成の話や頭韻の話をしているわけではなく、実際的に、アーキテクチャー、収縮と弛緩、息のヴァリエーションについての話をしているのである。あるいは、ベートーヴェンのテクストにおいて私を感情的に圧倒するものについて。すなわち、あの休止、交響曲に現れる非常に強制的な休止について。[37]

シクスーのいう書くことの呼吸——その収縮、弛緩、感情——は、とくに身体の音楽性を際立たせている。『とても近くに』において彼女は言う。書くことのリズムは、「私の血の鼓動」（p.38）と協働しているのだ。彼女は、書いたものが触れるためには身体の音楽を聴かなければならないという印象を私たちに与えるのである。

電話について

ちょっと待って[hang on]。電話だ。

「盲目で書く」において、シクスーは「私は多くの本を電話に負っている。少なくとも一冊を電話に送り返すことになるだろう。この著作がまさにその一冊かもしれない」と主張している［38］。『とても近くに』もまた、そうした一冊かもしれない。この本の中で、彼女は繰り返しHの「電話への愛」に言及している（p. 4）。それは彼女の会話にとってのみではなく、彼女の思考にとっても第三者的なものとなるのである。「方法的に、情熱的にこれらの人生の人生の人生［the life of these lives of life］の探究へと私自身を投げ出すようなことを、私はあなただけに、つまり電話だけに、言うことができる。私はたくさんのことを電話に向かって話すのだ」（p. 4）。この電話はゾーラ（Z.）との関係でもまた中心的なものとなる。ゾーラは一九五六年のミルクバー・カフェ爆撃に関与した若いアルジェリア人で、過酷な労働に二〇年間就くように宣告されたが、一九六二年のアルジェリア独立にともなってフランス政府に特赦されたのだった。彼女は書く。「だから、私は電話をした。私は言った。ゾーラ？　声が言った。ノー。ちょっと待って。私は言う。**一緒になろう**［訳註：*Huc Coeamus*：オウィディウスの『変身物語』において、ナルシスがエコーに呼びかける言葉。エコーはその言葉を呼び返す］。それっきりだった」（p. 79）。「こっちにおいで。一緒になろう」というナルシスのエコーへの呼びかけに応え、電話での会話はこの不可能なテクストを完成させる。「これで終わり。私たちが決して互いに話すことのできなかった本は終わり。ここで終了」（p. 79）［39］。という具合に電話はHとZを結び付ける。しかし、私たちを接触させておく電話とはいったい何であろうか。『メディアはメイカーである』において、J・ヒリス・ミラーは、アメリカの電話会社AT&Tの「手を伸ばし、誰かに触れる」という古いスローガンの機微に触れる［40］。ニコラス・ロイルによるデリダの「テレパシー」の翻訳、およびロイルの本『テレパシーと文学――心を読むことについてのエッセイ』に依拠しつつ、ミラーは電話を「テレパシーの道具」として描き、テレパシーを「距離［"tele-"］を置いた接触」と説明する［41］。電話とは「つねに『遠隔』であり、確定不可能な距離を越えた」声を供給するものであることを指摘しながら、ロイルは「テレフォンやテレパシーといった概念はどれほど奇妙であろうとも触覚のうちに置かれているのである」と述べる［42］。テレフォンの「テレ」とは遠いけれども同時に奇妙に身近な距離である。シクスーは共にありながら距離が離れている風変わりな関係性について、接触と距離の概念を攪乱する電話の力に触れながら戯れる。「盲目で書く」において、彼女はそれを「机の上の私の手の近くに止められたり置かれたりする私たちのロバ」と描出し、「二人の遠く離れた人たちの会話を可能にするこの道具ほど、ありきたりで神々しく、魅力的で恐ろしく、親しみがありそっけない生き物はいない」と主張する［43］。このことは『ルーツのプリント』で繰り返される。「遠いことほど近さを想像させることはない」――すなわち、電話は「近くにある遠さ」であり、「内部の外部」であるのだ［44］。彼女はさらに、電話における通話の「近く遠い」「内部的外部」のダイナミズムを、「妊娠した女性が胎児に対して」持つ関係性になぞらえ、「より近づくことも、より遠ざかることも」できないと説明する［45］。電話について話すのと同じくらい電話に向かって話すシクスーは遠距離恋愛についての私たちの理解をくつがえし、遠隔的行為の可能性を広げるのである。

デリダが『触覚、――ジャン＝リュック・ナンシーに触れる』において言うように、「いまや、触れる声――眼のように常に離れて――や、電話のベルではなく、電話による愛撫について語るときだろう」［46］。「沈黙の時に起きる呼吸の高まりや中断」のみならず、声の「抑揚、音色、アクセント」にも言及しながら、デリダは「音」が遠隔的に触れると論じる。それは身体の「不可触的な内部」に到達する潜在能力を持っているのである。「近くであれ遠くであれ、自然にであれ技術を用いてであれ、あるいは私たちがまだこの区分に頼るのであれば野外であれ電話越しであれ、私たちが声によって触れることができる――またしたがって、心にさえ触れることができるということを誰が否定することができようか」［47］。ここにおいて、そして『絵葉書』の「送付」におけるすべての電話と電話ボックスにおいて、デリダは長距離電話における関係性を不安定なものとするだけではなく、声の能力――およびその様々な手触り《テクスチャー》――へと、事物の中枢へと私たちの関心を向ける。

手触り《テクスチャー》について

ことばの官能的、触覚的なあり方を探る中で、アリス・フルトンは文学の手触り《テクスチャー》の重要性へと注意を向ける。「テクスチャーとは」と彼女は書く「シークイン飾りの、羊毛の、スチップル仕上げの、フランネルの、マーブルの、キラキラした、ポタポタたれるといった言語的使用域から組み立てうる…。文章はベロア仕上げの花弁のようにウルトラスエードの毛羽を持つことも、ヘアブラシのようにチクチクすることもある」［48］。皮膚のようにテクストの表面には皺やでこぼこがあるかもしれないし、滑らかに磨かれているかも、ねばねばしているかもしれない。そしてもちろん、異なるテクスチャーは私たちに異なる仕方で触れるのである。テクスチャーの感覚は、触覚だけではなく他の感覚――たとえば、視覚や聴覚――も含んでいることを私たちに思い出させながら、イヴ・コゾフスキー・セジウィックは「複数の感覚を横断するテクスチャーを論じる必要性は、テクスチャーについて異なるスケールを横断して考える必要性があるということとも同時に意味する」と論じている［49］。表面における一つの窪みがテクスチャーを形づくることはない、と彼女は考える。しかしながら、「水玉模様のポルカドットのような反復的なパターンならばテクスチャーを形づくるかもしれない。それでも、その水玉がどれだけ大きいかとか、どれだけ近くで見ているかにもよる」のであり、「テクスチャーとはつまり、反復を含むたくさんの知覚データから成っているが、その知覚データは形状や構造などのレベルのちょっと下のところを漂っているくらいのまとまりなのだ」と結論付けている［50］。そのうえで、「テクスチャーと感情のあいだには、どうやらある種の親密さが存在するようだ」と彼女は指摘する［51］。テクストの異なる表層は、異なる「印象＝刻印［impression］」を私たちに残すのだ。この語「印象＝刻印［impression］」について、サラ・アーメッドはそれが私たちに次のようなことを可能にすると論じる。

感情を持つという経験をある表層から別の表層に対する情動、そのしるしや痕跡を残す情動と結びつけること。したがって、私は他者についての印象を持つだけではなく、彼らが私にある印象＝刻印を残す。他者は私に印づけ、私の上に刻印する。［52］

彼女は続けて、個人の中の決まった場所に宿る静的な概念ではなく、主体、客体、環境の中を循環する感覚にかかわる「テクストにおける感情性」について議論をする［53］。文学のテクスチャーと読者に触れ、動かすその能力は、物質的な作品のうちに閉じ込められた不変の状態でも、個々の読者や作家に限定されたものでもないとアーメッドは主張する。そうではなく、それは異なるテクスチャーが接触を成す際に表層のあいだで起きる感情の流動的な動きを指しているのである。

それでは、『とても近くに』の私たちの印象についてはどうだろうか？　一つのテクスチャーに統一するのではなく、シクスーは言語のつるつるした感じ、ピカピカした感じ、じめじめした感じ、硬さ、ざらざら感、トゲトゲ感、ソフト感を書き物のなかに取り入れている。彼女はテクストが何度も折り曲げられうるさま、穴をあけられたり引き裂かれたりするさま、その突出とへこみが私たちの読書のパターンを形成するさまを示す。彼女は、「言葉を湿らすあのやり方、光らせるように銀メッキをするあのやり方」に触れ、テクストの形成プロセスに光を当てる（p. 152）。「痕跡」という言葉に考えをめぐらせ、文学のテクスチャーと感覚の本質的な美学を結合させ、彼女は「私はこの言葉を撫ぜるのが好きだった」と書く（p. 59）。著作の後半で、彼女はとある叫びをまね、「アシュクーン［ashkoun］」という言葉を繰り返す。そうして彼女はテクスチャーへの反復の効果を示し、どのように一つの言葉が他の言葉と摩擦を起こすかに光を当て、空電のようにその内的なエネルギーを作り出している。

アシュクーン、アシュクーン、アシュクーン、アシュクーン
一つの国がこれほど大きな声で泣いているのを聞いたことはない
たくさんの鳥、たくさんの声
フランスは静かに座っている
ダイニングルームに座り、食事をしている
みんな考え込んでいる
だれ？　だれ？　だれ？　だれ？　（p. 102）

シクスーは『とても近くに』の物質的な表層を限界まで引き延ばす。反復、断片化、どもり、中断といった技法は、彼女のテクストを循環するテクスト化と脱テクスト化のプロセスを体現している。襞や皺の多い書き物の表層は、読む行為に断裂をもたらす。たとえば

兄ちゃんのいない、足のない、薄暗い玄関のフロアを感じる
足のない、磨かれた木の手すりのある場所を暗がりで感じる
手のない
手すりのない、木の段のない
片眼を閉じて　片耳を切り取られ
兄ちゃんが私を忘れ
最後の瞬
彼は望ま
私が兄ちゃんの半分ではない場所があったから
フィル通り５４だけ
兄ちゃんなし（p. 138）

この一節のどもるような上滑りは、その表層にひび割れや襞を形作る。このような中断はシクスーのほかのテクストにも特徴的であり、ジェニー・シャマレットの「肉体、襞、テクスチュラリティ［Texturality］」という論文に取り上げられている。そこでは、シクスーの省略法が論じられている。シャマレットにとって、言葉の不在はその物質的な存在と同じく重要なものである。彼女は、省略法は物質性を前景化し、「私たち自身のテクストの（断絶を含む）感覚的な把握や理解へと注意を引く」と論じる［54］。『とても近くに』において、このような「断絶［interruptions］」は、省略、不在、反復、余白、補足によってもたらされる。このような断絶は、意味を書かれたものの物質性と結び付け、シャマレットが「テクストのテクスチュラリティ」と呼ぶものを強調する［55］。新語であるテクスチュラリティについての彼女の議論はテクストの視覚的な側面への注意を喚起しているが、彼女の理論はその触覚的な側面においても同様に有効である。このようにして、「プリントされたインクが全く見捨てられ、ページの上に白いスペースが広がるままに残す」シクスーの作品におけるモーメントが読者を包むとともに、彼（女）の読みの表層を壊すのである［56］。『とても近くに』のテクスチュラリティは始まりと終わりを定めることの拒否に私たちを直面させ、テクストがそれ自体に触れ続ける仕方を露呈させることで、意味形成の可能性を破砕するのである。

テックスチャー［texxture］について

論文「テクスチャーを表出させる」において、レヌ・ボラはテクスチャーの概念を広げ、この語は英語において少なくとも二つの意味を持つと論じる。

私がこれから「テクスチャー」と呼ぶものは、第一の意味において、表層的な共鳴、あるいは対象や物質の質を示す。つまり、触れたとき、刷いたとき、なでたとき、地図にして描き出したときの質は、ふつうは見ることによって予測できるようなある種の固有性や知覚をもたらすのだ。［57］

テクスチャーを補うのは「テックスチャー［texxture］」という概念である。それは「表面や深さではなく、親密で暴力的であり、プラグマティックであり、中間的な（第一に概念的、形而上学的であるより現象学的）物質的構造の質量感の内的レベルを指している」[58]。　テックスチャー［texxture］における"x"は「内在的なものを複雑化する仕方を示す」ために足されている[59]。したがって

> 表面（岩、あなたの顔、たとえば）が何らかの特性を持っているとき、私たちはその特性を内部へと投影する。この内部という言葉で、私は単に穴、陥入、襞や中央だけではなく、境界的に、漸近的に表層に延長されるような内的物質の構造、一貫性、テックスチャー［TEXXTURE］を意味しているのである。[60]

ボラの論文を取り入れつつ、セジウィックは説明している。テクスチャーは「当然のように、あるいは姿を隠してさえ、そのような情報をブロックしたり遮断したり」して、「その来歴の意図的な消去」を行うのに対し、「テックスチャーはどのようにして実体的、歴史的、物質的に存在するに至ったかについての情報がみっしりとつまったテクスチャーだ」と[61]。したがって、テックスチャーとその内的な複雑性について考えることは、テクストそれ自身の来歴がその表層を形成する仕方を考慮する必要性を生じさせる。

テックスチャーをさらけ出すように、シクスーの『とても近くに』はその成り立ちの物質性によってつくられている。その構造を明らかにも隠しもする執筆プロセスに注意を引き付けながら、彼女のテクストは別のテクスト、ゾーラ・ドリフへの「書かれていない」手紙に繰り返し言及する。二〇〇三年の『カレッジ・リテラチャー』に英語で出版された「ゾーラ・ドリフへの手紙」において、シクスーは「私はこの手紙を書かなかった」と述べる[62]。この「手紙」のなかで、別の手紙——一九五七年一月以来「書かれずに」、「自重された」手紙——に「何が書かれるはずであったか」を私たちに告げるのである[63]。彼女は、「書かなかった手紙があるのであり、それが存在しないということを意味しているわけではない」と説く[64]。彼女の「手紙」——彼女が書かれていない手紙について書いたもの——は、したがって、彼女が言うはずであったことに取り憑かれている。そして、『とても近くに』においてこの手紙を書くなかで、シクスーは一つのテクストを数えられない他のテクストと擦り合わせ、省察する。

> **ゾーラが言うはずのこと**は、今ではこの本の文の一つである。それは規則的なインターバルをおいて本書を横切り、少しぼんやりとした光を発する星座である松の木の上の方の枝の中を浮かび上がり、止まり、動き出す。私は自分の後ろのバックグラウンドの片側にそれを見出す。私は押し殺した息によってそれを見出す。というのも、イントネーションの色彩は聞き取れないけれどもそれが呟くからであり、ゆらめくか

らである。おそらく、おそらく［…］(p. 43)

シクスーの不在の手紙、それが言うはずであることについての彼女の言葉――なにより、ゾーラが返事として言うはずであること――はこのように彼女のナラティブを変容しているのである。テクストをそれ自身へと戻し、失われた文章と同様に「この本の文章」へと注意を引き付けることで、『とても近くに』はそれ自身のテックスチャーを供与している。この手紙は、しかしながら、『とても近くに』において触れられている数多くのインターテクストのうちの一つに過ぎない。この作品は、複数のナラティブによって織られているのであり、そのテクストの織物は新しい身振り［tact］を生み出しているのである。特に『とても近くに』は、それ自身を超えてジャック・デリダの著作に向けられており、これら二人の作家たちが常にお互いに触れていたことに光を当てる。シクスーはたとえば、「言葉から生へ――ジャック・デリダとエレーヌ・シクスーの対話」から取られたデリダの言辞、「この庭はまだ存在している」を繰り返す。デリダはエッセー・デュ・アムマ庭園について書いているのだ。「私たちはそこに一緒にいたことはない。しかし、それは一種の失楽園を象徴している」(pp. 64–65)［65］。デリダを引用し、多くのほかのテクストに触れ、『とても近くに』はその内的な構造を表層にまで広げることを可能にしている。そのテクスチャーを形作る言葉の痕跡を表面にさらしながら、シクスーの作品はこのように成立過程における物質的、テックスチャー的な歴史によって印づけられているのである。

捻じ曲げることについて

シクスーはテクストが触れるということを何度も何度も、しばしば思いもよらない仕方で私たちに示す。問題はテクストが触れるかどうかではなく、どのように触れるか、そして、どんな問題や前提をこの接触が与えうるかということであるように思われる。結局のところ、デリダが指摘するように、文学作品に「触れる」こと、それを分析することもまた、それを「捻じ曲げる」ことなのかもしれない――すなわち、「変化させ、位置をずらし、疑問に付すこと」［66］。序文で私が提示した問題に戻るならば、テクストはどのように行為［tact］に触れるだろうか？ どのように私たち自身のテクストは他者の作品に触れることがありうるだろうか？ どのようにテクストは互いにくっつきあい、上滑りしてすれ違うだろうか？

スーザ・バロスは、何かについてのテクスト、すなわち別の書き手のテクスト**について**書くことにはリスクがあると述べる。触れすぎるのはどの時点においてなのか、私たちは問わなければならない。彼女は言う。

> 捧げるものとしての書くことは、不可避的に攻撃［offense］、すなわち侵襲的な**タッチ**（その暴力は、オックスフォード英語辞典に記載されている攻撃［offense］という語についての用法、すなわち聖書に

おける「足蹴にする」という意味がよく保持している）を与える危険性をはらみ、それが他者に向けられているものである以上、請われてもいない親書、おそらくは求められていないギフトを送ることなのである。そして、それが書くことである限り、それ自身を自らのために留保することなく自身を完全に与えるということの決してない、「偽の」プレゼントであるのだ。[67]

このように、「手という手段には濫用の危険性が常にある。（他者の）書き物に不法につかみかかり、抑え込む。あたかも『所有』」が、注意を払って触れるすべての試みを捻じ曲げるかのように[68]。

『とても近くに』においても同様に、接触は絶え間なく断念されている。フランスからアルジェにある彼女の父の墓地へのHの旅を追ってはいるものの、シクスーの目的地は常に手の届かないところにある。「そして、もし私が到着しなかったなら、上陸しなかったなら、たどり着かなかったら、アルジェリアに触れなかったら、アルジェリアを感じなかったならどうなるだろう？」(p. 100)。父の墓地の傍らで、Hは叫ぶ。「彼らが私の悲しみを殺してしまわないか心配だ。私に触れるな！」(p. 148)。奇妙なエコーによって、シクスーは――フロイトのように――墓からよみがえったキリストがマグダラのマリアに告げた言葉を繰り返している。「私に触れるな！」[69]。したがって、「私は四方から触れられている」(p. 67) と主張しながらも、ある種の抵抗、ある種の身振り[tact]が彼女を押しとどめるのだ。

> 私が「アルジェ」と言ったとき、私は実際にはアルジェのことを言おうとしていたわけではない。私は自分が何を本当に欲していたのか分からない。重要なのは、メトニミーによって、直観によって、回り道によって**可能な限り近づき**、**可能な限り近づかないこと**だったと私は思う。しかし、何にだろう？ (p. 37)

目的地に近づきながらも、シクスーの到着は常に遅延する。そのうえ、このような非‐到着をめぐる自身の旅と著述の両者を参照しながら、彼女は目的地に到着する可能性を常に中断する間隔化作用を指摘する。「書くというのは第一に出発であり、船出であり、探索である」という「盲目で書く」における主張を繰り返しながら、『書くという梯子における三つのステップ』において彼女は説明する。

> 書くというのは到着することではない。ほとんどの場合、それは**到着しない**のだ。徒歩で、身体を使って行かなければならない。立ち去らなければならない、自身を残して。書くためにはどれだけ到着から遠ざかっていなければならないだろうか。どれだけ遠く彷徨い、疲れ果て、快楽を味わわなければならないだろうか？ 夜まで歩かなければならない。自分自身の夜だ。暗闇に向かって自己を歩き抜かなければなら

い。[70]

アルジェリアに向かって立ち、父親の墓に近づきつつ、シクスーは手探りで前進しながら、暗闇に向かって自己を歩かせる。盲目の状態で「私は書くことについて書く。私はもう一つの光を灯す」と彼女は書く[71]。彼女の旅はこのように手を引いて私たちを出発点、すなわち執筆のプロセスにおける触れることと感じることの相互的な含意へと連れ戻す。繰り返そう。「私はとどめるために書くことはない。感じるために書くのだ。言葉の先端部によってその瞬間の身体に触れるために書くのだ」[72]。書くこととは感じることである。それは、おそらく決して接触を行うことなく身体に触れることである。

一九九〇年に最初にフランス語で出版された『共同-体』において、ナンシーは問う。「私たちはどのようにして身体に触れるべきか?」[73]。彼はしかしながら、「おそらく技術的な質問に答えるときのように、この『どのようにして』に答えることはできない」と返答する[74]。それは、受け渡せるようなガイドラインではない。書くことについて考えるためには、ロバート・シェパードが詩学をめぐって述べている通り、「答えを得られるという期待から遠ざかる」必要がある[75]。そして、ナンシーは「**触れること**はいつでも書くことのなかで起きる」と主張しながらも、「もし書くことが実際にある『内部』を持つとしたら、触れることとは文字通りに書くことの**なかで**起きているのではないかもしれない」と認めなければならない[76]。しかしながら、その代わりに、触れることは「境界に沿って、限界、先端、書くことのもっとも遠い端において」起こるのだ[77]。私たちはこの章がかろうじて表層に触れただけであることを認めなければならない。情動、音楽、電話、テクスチャーおよびテクスチュラリティの周辺を探りながら、私はまだ自分が出発点にいることを恐れる。ある種の身振り[tact]をもって触れようと試みてはいるが、この章もまた暗闇の中での出発である。私は自分の道を探っている。

註

[1] Jean-Luc Nancy, *Corpus*, trans. Richard A. Rand (New York: Fordham University Press, 2008), p. 11.(ジャン=リュック・ナンシー『共同-体(コルプス)』大西雅一郎訳、松籟社、一九九六年、一二頁)

[2] Nancy, *Corpus*, p. 11.(邦訳、一二頁)

[3] Ashley Montagu, *Touching: The Human Significance of the Skin*, 2nd Ed (New York: Harper & Row, 1978), p. 102.(A・モンタギュー『タッチング——親と子のふれあい』佐藤信行・佐藤方代訳、平凡社、一九七七年、一一〇頁)

[4] Montagu, *Touching*, p. 6.(邦訳、一二頁)ジョシポヴィッチは「私は触れられた["I am touched."]というのは、私は感動したという意味であると指摘している。しかし、「彼は触れられた["He is

touched.”」は今では古めかしい表現だが、気が触れているということを意味している。では何に触れられたのか？　運命？　神？　不運？　Gabriel Josipovici, *Touch*, (New Haven, CT: Yale University Press, 1996), p. 140.（ゲイブリエル・ジョシポヴィッチ『タッチ』秋山嘉訳、中央大学出版部、二〇一八年、二一七頁）

[5] Montagu, *Touching*, p. 103.（邦訳、一一〇頁）

[6] Montagu, *Touching*, p. 103.（邦訳、一一〇頁）

[7] Eve Kosofsky Sedgwick, *Touching Feeling: Affect, Pedagogy, Performativity* (Durham: Duke University Press, 2003), p. 17.（イヴ・コゾフスキー・セジウィック『タッチング・フィーリング』岸まどか訳、小鳥遊書房、二〇二二年、四一―四二頁）

[8] Sarah Ahmed, *The Cultural Politics of Emotion* (Edinburgh: Edinburgh University Press, 2004), p. 3.

[9] ジェイムソンはポストモダン状況における「情動の低減」を指摘している。それにもかかわらず、シアンヌ・ンガイのような理論家は、情動と感情の研究は最近の研究において分野横断的に急成長している「長く続く知的なプロジェクト」だと主張している。Fredrick Jameson, *Postmodernism, or, the Cultural Logic of Late Capitalism* (Durham: Duke University Press, 1991); Sianne Ngai, *Ugly Feelings* (Cambridge, MA: Harvard University Press, 2008), p. 6. しかしながら、論争の一部は、議論に用いられる感情、情動、感覚といった用語の定義が一致していないという事実によって引き起こされている。たとえばレイ・テラダは、こうした概念が「意識の神秘の中にからめとられてしまっており、それらの歴史は心と意思の古典的な歴史の内側に閉じ込められている」と述べている。Rei Terada, *Feeling in Theory: Emotion after the “Death of the Subject”* (Cambridge, MA: Harvard University Press, 2001).

[10] Didier Anzieu, *A Skin for Thought – Interviews with Gilbert Tarrab on Psychology and Psychoanalysis*, trans. Daphne Nash Briggs (London: Karnac, 1990), p. 79.

[11] Anzieu, *A Skin for Thought*, p. 74.

[12] Anzieu, *A Skin for Thought*, p. 78. これはまた、自分を育ててくれた人に抱きしめられた幼いころの感覚はだんだんと言語によって置き換えられる、というモンタギューの幼児の成長についての言葉と響きあっている。「母親が腕の中で子供に伝えるこの種の触覚的な刺激のリズムは、ほとんど世界中どこでも子供を眠りにつかせるために歌われたりハミングされたりする子守歌のなかに再現されている」。Montagu, *Touching*, p. 119.（邦訳、一二一頁）

[13] Hélène Cixous with Mireille Calle-Gruber, *Rootprints: Memory and Life Writing*, trans. Eric Prenowitz (London: Routledge, 1997), p. 7.

[14] Hélène Cixous, “The Laugh of the Medusa,” trans. Keith Cohen and Paul Cohen, *Signs*, 1.4 (1976), pp. 881–82.（エレーヌ・シクスー「メデューサの笑い」『メデューサの笑い』松本伊瑳子、国領苑子、藤倉恵子編訳、紀伊國屋書店、一九九三年、二〇頁）

[15] Verena Andermatt Conley, “Making Sense from Singular and Collective Touches,” *SubStance* 40.3 (2011), p. 79.

[16] Conley, “Making Sense,” p. 79.

[17] Conley, “Making Sense,” p. 80.

[18] Hélène Cixous, “Writing Blind: Conversation with the Donkey,” trans. Eric Prenowitz, in *Stigmata: Escaping Texts* (London: Routledge, 2005), p. 188. 見ることと感じることの結びつきは「知ること」でも探究されている。この著作において、シクスーは「角膜の優美な身振り」を描き出す。「世界に彼女の目で触れること」、と目を「奇跡的な手」として書き、「彼女の肉と世界の肉の連続性、つまり触感、それは愛だった、そしてそこには奇跡があった、贈与があった」と結んでいる。Hélène Cixous, “Savoir,” in Hélène Cixous and Jacques Derrida, *Veils*, trans. Geoffrey Bennington (Stanford: Stanford University Press, 2001), p. 9.（エレーヌ・シクスー／ジャック・デリダ『ヴェール』郷原佳以訳、みすず書房、二〇一四年、一七頁）

[19] Cixous, “Writing Blind,” p. 188.

[20] Hélène Cixous, *Three Steps on the Ladder of Writing*, trans. Sarah Cornell and Susan Sellers (New York: Columbia University Press, 1993), p. 36. Cixous, “Writing Blind,” p. 195.

[21] Cixous, “Writing Blind,” p. 189. この点はConleyによっても強調されている。Conley, “Making Sense,” p. 81.

[22] Hélène Cixous, *So Close*, trans. Peggy Kamuf (Malden, MA: Polity Press, 2009). この版に対する参照ページについては、本文中でカッコ内に示す。フランス語*Si près*から翻訳されたこのテクストのタイトルは、イトスギ（cypress）という木の名に憑依されていることに注意してほしい。翻訳者ペギー・カムフによれば、「この同音異義語は作

品の重要なカギである」。Peggy Kamuf, "Translator's Note," in Cixous, *So Close*, p. 163.

[23] Alice Fulton, *Feeling as a Foreign Language: The Good Strangeness of Poetry* (Saint Paul, MN: Graywolf Press, 1999), p. 38.

[24] Fulton, *Feeling as a Foreign Language*, p. 38.

[25] Fulton, *Feeling as a Foreign Language*, p. 77.

[26] Jacques Derrida, "A Silkworm of One's Own," in Cixous and Derrida, *Veils*, pp. 34–35.（エレーヌ・シクスー／ジャック・デリダ『ヴェール』郷原佳以訳、みすず書房、二〇一四年、五四―五五頁）

[27] Cixous, *Rootprints*, p. 64.

[28] Cixous, *Rootprints*, p. 46.

[29] Hélène Cixous and Verena Andermatt Conley, "Voice I...," *boundary 2*, 12.2 (1984), pp. 50–67.

[30] Montagu, *Touching*, p. 135.（邦訳、一三七頁）

[31] Ryan Bishop, "The Force of Noise, or Touching Music: The Tele-Haptics of Stockhausen's 'Helicopter String Quartet'," *SubStance*, 40.3 (2011), pp. 28, 26.

[32] Bishop, "The Force of Noise," pp. 26, 25.

[33] Bishop, "The Force of Noise," p. 26.

[34] The Oxford English Dictionary [OED].

[35] Bishop, "The Force of Noise," p. 27.

[36] Cixous, *Rootprints*, p. 46.

[37] Cixous, *Rootprints*, p. 64.

[38] Cixous, "Writing Blind," p. 189.

[39] Ovid, "Book III: Echo and Narcissus," *Metamorphoses*, trans. Stanley Lombardo (Indianapolis: Hackett Publishing, 2010), p.77.（オウィディウス『変身物語』上巻、大西英文訳、講談社学術文庫、二〇二三年、一五五頁）

[40] J. Hillis Miller, *The Medium is the Maker: Browning, Freud, Derrida and the New Telepathic Ecotechnologies* (Brighton: Sussex Academic Press, 2009), p. 2.

[41] フロイトがテレパシーを「無線電信の心理的な対応物」として比較することについて、デリダは諧謔を弄する。Siegmund Freud, "Dreams and Occultism" (1933), *The Standard Edition of the Complete Psychological Works of Sigmund Freud*, trans. and ed. James Strachey with Anna Freud, Alix Strachey and Alan Tyson (London: Vintage, 2001), vol. 22. p. 55. 以下も参照。Jacques Derrida, "Telepathy," trans. Nicholas Royle, in *Psyche: Inventions of the Other*, vol. 1, ed. Peggy Kamuf and Elizabeth Rottenberg (Stanford: Stanford University Press, 2007), p. 242; Nicholas Royle, *Telepathy and Literature: Essays on the Reading Mind* (Oxford: Basil Blackwell, 1990); Miller, *The Medium is the Maker*, pp. 4, 9.

[42] Royle, *Telepathy and Literature*, pp. 168, 166. 以下も参照。Nicholas Royle, "Top 10 Writers on the Telephone," *The Guardian*, 6 October 2010. <https://www.theguardian.com/books/2010/oct/06/nicholas-royle-top-10-writers-telephone>. Avital Ronnell, *The Telephone Book: Technology, Schizophrenia, Electric Speech* (Lincoln: Nebraska University Press, 1989). 触れることと電信の役割については第三章で述べられ、第七章では他のコミュニケーション技術へと延長されている。

[43] Cixous, "Writing Blind," pp. 192–93.

[44] Cixous, *Rootprints*, p. 49.

[45] Cixous, *Rootprints*, p. 49.

[46] Jacques Derrida, *On Touching – Jean-Luc Nancy*, trans. Christine Irizarry (Stanford: Stanford University Press, 2005), p. 112.（邦訳、二二〇頁）［訳註：ジャクソンはこれを誤って『絵葉書』の「送付」からの引用としているので、著者に確認の上、本文中の記述および註46、47の記述に必要な訂正を施した。］

[47] Derrida, *On Touching*, p. 204.（邦訳、三八三頁）

[48] Fulton, *Feeling as a Foreign Language*, p. 77.

[49] Sedgwick, *Touching Feeling*, p. 15.（邦訳、三九頁）

[50] Sedgwick, *Touching Feeling*, p. 16.（邦訳、三九―四〇頁）

[51] Sedgwick, *Touching Feeling*, p. 17.（邦訳、四一頁）

[52] Ahmed, *The Cultural Politics of Emotion*, p. 6.

[53] Ahmed, *The Cultural Politics of Emotion*, p. 12.

[54] Jenny Chamarette, "Flesh, Folds and Texturality: Thinking Visual Ellipsis via Merleau-Ponty, Hélène Cixous and Robert Frank," *Paragraph*, 30.2 (2007), p. 35.

[55] Chamarette, "Flesh, Folds and Texturality," p. 39.

[56] Chamarette, "Flesh, Folds and Texturality," p. 42.

[57] Renu Bora, "Outing Texture," in *Novel Gazing: Queer Readings in Fiction*, ed. Eve Kosofsky Sedgwick (Durham: Duke University Press, 1997), pp. 98–99. ボラはヘンリー・ジェイムズの『大使たち』のチャドの扱い方における「クイアなテクスチャー」を検討している。

[58] Bora, "Outing Texture," p. 99. ボラは後のほうで説明しているが、このような区別はドゥルーズとガタリの「平滑」（あるいは触覚的）空間と「条理

空間」の定義にかかわっている。『千のプラトー』において、ドゥルーズとガタリはこれらの言葉を音楽空間における差異を描写するために用いた作曲家のピエール・ブーレーズから引き出している。平滑空間が――すべての方向に限りのない――感じられたもののテクスチャーに特徴づけられるのに対し、平滑空間は少なくとも片側において有限化された、織られた構造によって特徴づけられる。実際には、これらの対立のあいだには繋がりや通行路が存在する。Gilles Deleuze and Félix Guattari, "1440: The Smooth and the Striated," in *A Thousand Plateaus: Capitalism and Schizophrenia*, trans. Brian Massumi (Minneapolis: University of Minnesota Press, 2004), pp. 523–51.（ジル・ドゥルーズ、フェリックス・ガタリ『千のプラトー――資本主義と分裂症』河出書房新社、一九九四年、五二九―五六頁）

[59] Bora, "Outing Texture," p. 99.

[60] Bora, "Outing Texture," p. 101.

[61] Sedgwick, *Touching Feeling*, p. 14.（邦訳、三七頁）

[62] Hélène Cixous, "Letter to Zohra Drif," trans. Eric Prenowitz, *College Literature*, 30.1 (2003), p. 82.

[63] Cixous, "Letter to Zohra Drif," pp. 82, 88.

[64] Cixous, "Letter to Zohra Drif," p. 88.［訳註：シクスーは存在（l'être）と手紙（lettre）をかけている］

[65] Jacques Derrida and Hélène Cixous, "From the Word to Life: A Dialogue between Jacques Derrida and Hélène Cixous," *New Literary History*, 37.1 (2006), p. 5.

[66] Derrida, *On Touching*, p. 25.（邦訳、五六頁）序論を見よ。［訳註：『接触の詩学』の序論（p. 7）で、ジャクソンはこの註に続く箇所とほとんど同じ問いを述べている。］

[67] Zsuzsa Baross, "Noli Me Tangere: For Jacques Derrida," *Angelaki*, 6.2 (2001), p. 150.

[68] Baross, "Noli Me Tangere," p. 150.

[69] ヨハネによる福音書、二〇章一七節。［訳註：この文で言及されているフロイトの「私に触れるな」という発言は、『接触の詩学』の第三章「振る舞いの法――フロイトとH．D．」で分析されている。］

[70] Cixous, "Writing Blind," pp. 184–85; Cixous, *Three Steps on the Ladder of Writing*, p. 65.

[71] Cixous, "Writing Blind," p. 189.

[72] Cixous, "Writing Blind," p. 195.

[73] Nancy, *Corpus*, p.11.（邦訳、一一頁）

[74] Nancy, *Corpus*, p.11.（邦訳、一一頁）

[75] Robert Sheppard, "Poetics as Conjecture and Provocation," *New Writing*, 5.1 (2008), pp. 7, 4.

[76] Nancy, *Corpus*, p.11.（邦訳、一二頁）

[77] Nancy, *Corpus*, p.11.（邦訳、一二頁）

訳者解題

髙村峰生 Takamura Mineo

本論文は、Sarah Jackson, *Tactile Poetics: Touch and Contemporary Writing* (Edinburgh: Edinburgh University Press, 2015)［『接触の詩学──触れることと現代散文』］の第四章、"So Close: Writing that Touches" (pp. 64–79) の全訳であり、初出誌は *New Writing: The International Journal for the Practice and Theory of Creative Writing*, 9.3 (2012), pp. 408–418 である。論文内で参照されている文献のうち既訳のあるものについてはその訳文を参照し該当頁を記載したうえ、英語・仏語原文あるいは本論文中の（仏語からの）英訳に基づき、原則として独自に訳出し直した。

ノッティンガム・トレント大学で文学と創作を教えるサラ・ジャクソンは、この『接触の詩学』において批評理論とフィクションを横断しつつ、モダニズム以降、特に現代文学における接触／触覚の位相を探究している。この第四章以外の各章で論の対象となっているのは、シリ・ハストヴェット（第一章）、マイケル・オンダーチェ（第二章）、ジークムント・フロイトとH．D．（第三章）、アン・カーソン（第五章）、ジョン・バージャー（第六章）、フリッツ・ラング（第七章）、エリザベス・ボウエン（第八章）である。これらには、本章で検討されているようなシクスーの自伝的作品のほか、書簡体小説、映画、小説、詩、短編などのさまざまなスタイルの表現が含まれている。また、各章にはジャック・デリダ、ジャン＝リュック・ナンシー、ミシェル・セールといったフランス現代思想の批評家・哲学者やイヴ・コゾフスキー・セジウィック、ヒリス・J・ミラー、サラ・アーメッド、シアンヌ・ンガイなど英米における批評家の著作、とくに情動理論への参照が多いが、ジャクソンはこうした理論的な著作を、テクストや映像を読解するための枠組みや道具として用いているのではなく、むしろそれらもテクストとして読むことで、理論とフィクションを──本書「序章」におけるジャクソンの言葉を借りるならば──「触れ合わせる」方法を取っている。こうした構成に応じるように、ジャクソン自身の批評言語も時として実験的であり、たとえば第五章「距－離──二九のタンゴ」は、アン・カーソンやデリダをめぐる二九の短い断片的考察から成り立っている。ジャクソンは批評的な文章のうちに断片や飛躍、あるいは遊戯性さえも、戦略的に導入しているのだ。

学術論文についての規範意識の強い英米圏においてこれは珍しい特徴であり、デリダ、ナンシー、シクスーのようなフランス語圏の著作からの影響や、セジウィックやリタ・フェルスキの提唱するポストクリティークとの親和性を感じさせるが、もっとも大きな要因は、彼女自身が詩人であるということであろう。『接触の詩学』は二〇一五年に彼女が出版した最初の学術書であるが、これに先立つ二〇一二年、彼女は *Pelt* という詩集を Bloodaxe Books から出版し、翌年のシェイマス・ヒーニー・センター賞を受賞している。"*Pelt*" とは「投げつけること」「強打、連打」

といった意味だが、この詩集は身体や身体の喪失をめぐる現象学的記述に満ちており、『接触の詩学』と同様に多くのテクストからの引用を含んでいる。詩集の最後に置かれた、デリダの生前最後のインタヴューの言葉に導かれた作品「残るもの」は、「触れずに触れること」というデリダの著作に繰り返し現れる言葉を含んでいる。このことから明らかなように、ジャクソンの詩集と研究書は主題や理論への参照を通じて繋がっているのだ。二〇二三年に出版した二冊目の研究書『文学と電話――詩学、政治、場所についての会話』[*Literature and the Telephone: Conversations on Poetics, Politics and Place* (Bloomsbury, 2023)]は、現代文学や思想における電話（および、携帯電話やツイッター）の役割とその心理的・物理的な距離や空間への効果について、デリダやジュディス・バトラーなどの理論的著作を頻繁に引用しつつ論じている（この著作の電子版は、Bloomsbury のサイトにおいてオープンアクセスとなっている）。技術によるコネクティビティの問題は、彼女の接触／触覚への関心の延長上にある。この最近著では考察対象のスコープはさらに広がり、ミュリエル・スパークやアリ・スミスなどの現代イギリスの作家たちだけではなく、パレスチナ詩人であるモーリッド・バーガウティや陳楸帆や村上春樹のようなアジアの作家も論じられている。今回訳した論考にも電話論のセクションがあるが、この最近著の前触れとも考えられるだろう。このテーマの追究において、彼女は『電話についての十の詩』[*Ten Poems on the Telephone* (Candlestick Press, 2017)]というアンソロジーを編んでいることにも言及しておきたい。

本論で議論されているシクスーの自伝的小説『とても近くに』は、残念ながら日本では未訳である。シクスーについては、『メデューサの笑い』を含む代表的な初期著作は日本語にされてきたが、それは半世紀以上にわたって積み重ねられた八〇冊近くに及ぶ彼女の膨大な小説や戯曲、評論や論文のごく一部であり、中期以降の彼女の足跡はほとんど日本語で辿ることが出来なくなっている。本誌第十六号の小特集「フレンチ・フェミニズム」における鼎談で日本におけるイリガライの影の薄さが指摘されていたが、「エクリチュール・フェミニン」とまっさきに結び付けられることの多いシクスーについても、その実際のエクリチュールへの距離はなかなかに遠かったというべきだろう（そうした意味で、この論文は第十八号の特集の一部であるだけではなく、第十六号小特集の補足と考えることも出来る）。最新作『よく管理された廃墟』[*Les Ruines bien rangées* (Éditions Gallimard, 2020)]は彼女の亡くなった母の故郷であるドイツのオスナブリュックへの旅を綴ったものであり、父の墓のあるアルジェへの旅をもとにした『とても近くに』と合わせて読まれるべきである。実際、『よく管理された廃墟』において、オスナブリュックという土地のナチスによるユダヤ人迫害というトラウマ的記憶は、アルジェリアの独立とユダヤ人への迫害、およびその中での母の収監の記憶と結びつき、二つの土地は重ね合わせられるのだ。日本語で読めるものとしては、日本における講演に基づく「私のアルジェリアンス」および松本伊瑳子によるインタヴュー「シクスーへの問い」（松本伊瑳子訳、『現代思想』一九九七年十二月号、二三四―二五三頁、二五四―二六一頁）が、『とても近くに』の背景となるような伝記的事実のみならず、言語、民族、植民地主義をめぐるシクスーの考えを伝えてくれる。またシクスーと故郷を同じくし、様々な共同事業に携わってきた彼女の友人デリダとの共著『ヴェール』（郷原佳以訳、みすず書房、二〇一四年）の原著は一九九七年に発刊されているが、十年後の二〇〇七年に発刊されている『とても近くに』は、二〇〇四年のデリダの死への追悼を深く刻み込んだ（たとえば彼の少年時代ゆかりの土地の訪問を含む）テクストであることも強調しておきたい。シクスーは時空の旅人であるのだ。

デリダやシクスーの思想や著述スタイルだけではなく、二人に共通する電話への愛からも強いインスパイアを受けているジャクソンは、英語圏における文学研究の枠組を今後も揺さぶり、更新するに違いない。もっとも彼女の活動は、学術的な論文や書物の出版にとどまらない。書店や文学フェスティバルで自作の詩や短編の朗読を行うとともに、ユネスコから「文学都市」に認定されたノッティンガム市の文芸事業に参与している。二〇一六年には、BBCと芸術・人文科学研究会議によって、十人の「新しい世代の思想家」の一人に選出され、シャーロック・ホームズと電話をめぐるショート・フィルム「電話の不在のミステリー」〔*The Mystery of the Missing Telephone*〕（二〇二四年二月現在、オンラインで視聴可能）にプレゼンターとして登場していた。彼女の多様な文体と活動は、フェルスキのいうポストクリティークを実地に体現しているといえるかもしれない。最新著において電話というメディアの接続性について考察した著者は、地域やテレビ放送と積極的にコネクトしているのである。このように領域を跨ぐジャクソンが今後どのような作品や批評を紡ぐのか、注視していきたい。

芸術メディウムと感覚モダリティ：触図

ドミニク・マカイヴァー・ロペス　訳＝銭清弘・村山正碩

Art Media and the Sense Modalities: Tactile Pictures

Dominic M. M. Lopes　Trans. Sen Kiyohiro, Murayama Masahiro

芸術理論が「美学（aesthetics［感性学］）」と呼ばれていることから思い出されるように、芸術作品は感覚器官を通して知覚されるものである。それゆえ、芸術の理解には感覚知覚の理解に依存する部分がある。歴史家、批評家、芸術理論家は、知覚の心理学と神経生物学においてここ数十年間に見られた多大な進歩によって利益を得る立場にある。実際、この機会をうまく利用する者がきわめて少ないことは嘆かわしい事実である。たとえば、Ｅ・Ｈ・ゴンブリッチが『芸術と幻影』で始めた仕事を引き継いだ美術史家や芸術理論家はほとんどいない。それどころか、その仕事を拒絶する傾向すら見られる［1］。本稿の目的の一つは、心の経験科学を真剣に受け止めることが美学にとって有益であると示すことである。私は、芸術がどう知覚に根ざしているのかにまつわる、広く浸透し、ほとんど問題視されずにいる一つの見解に異議を唱えることで議論を進めるつもりだ。

この見解は二つの教義という形で表現することができる。一つ目は美学上の教義であり、それによれば、諸芸術は芸術メディウムの集合からなり、各メディウムは異なる感覚モダリティを通して別々の仕方で知覚される。私はこれを「メディウム・スペシフィシティの教義」と呼ぶ［2］。この教義は知覚理論上のもう一つの教義に依存しており、それによれば、感覚モダリティはなんらかの仕方で区別することが可能である。感覚の差異によって芸術メディウムを区別しようとするならば、感覚がどのように異なるのかを知る必要があるのは明らかだ。

私は音楽や文学、ダンスといったさまざまな芸術形式が存在することや、視覚、聴覚、触覚、味覚、嗅覚が異なる感覚であることを否定するつもりはない。そうではなく、必要な区別はあるのだが、影響力のあるやり方では適切な線引きができていないことを示したいのだ。メディウム・スペシフィシティの教義と感覚モダリティに関する教義は密接に結びついているため、一方がどこで間違っているのかを理解することは、もう一方の問題点を見出すのに役立つだろう。それゆえ、もし私の議論が説得力を持つならば、それは美学と心の哲学がいかに学び合えるかを証明することになるだろう。

1　芸術メディウムの固有性

一目見ただけでも、芸術メディウムが実際に感覚モダリティに沿ってストレートに区別されるというのは正しくないように思える。メディウム・スペシフィシティの教義の端々には難しい問題が見え隠れしている。たとえば、オペラのメディウムはなんなのか。音楽なのか演劇なのか、見るものなのか聞くものなのか。もしかすると、その両方だという点で独特なのかもしれない。一部の芸術メディウムは基本的なものであり、単一の感覚モダリティを通して知覚されるが、それ以外の芸術メディウムは基本的なメディウムの複合体であり、複数の感覚に関与すると言えるかもしれない。しかし、この応答には二つの難点がある。第一の難点は、文学のような、単一の感覚モダリティを通して知覚する必要のないメディウムによって突きつけられる。通常、小説や詩は本質的に見るものでもなければ、本質的に聞くものでもないのだ。もう一つの難点として、マルチメディアの芸術作品の存在を踏まえると、メディウム・スペシフィシティの教義が果たすべき役割とは一体なんなのかも疑問である。多くの「インスタレーション」アートは、伝統的に定義されてきた芸術メディウムの境界を意図的に越えているが、それは伝統的な定義を批判し、根底から覆すためである。

その不正確さにもかかわらず、メディウム・スペシフィシティの教義は芸術哲学者たちによってほぼ当然のように受け入れられている（[ノエル・]キャロルは特筆すべき例外だ）。この事態を理解するためには、美学においてこの教義が果たす役割を考えるとよいだろう。この教義が複数の目的に貢献することは間違いない。たとえば、それは美学を、それぞれが異なる芸術形式の研究を担う専門的な下位分野へと組織化することを根拠づけ、正当化する。とはいえ、私が注目したいのは、もっとふさわしい言葉があればよいのだが、この教義の概念的ないし理論的役割とでも呼ぶべきものだ。つまり、制度としての美学を構造化する役割ではなく、諸芸術の理論を組み立てるうえでそれが果たす役割である。

少なくともレッシングの『ラオコーン』以来、美学が自らに課してきた課題の一つは、各芸術メディウムの本質的特徴を特定することである。一般的に、これは特定の感覚モダリティを通してのみ知覚できる作品の特徴への言及をともなう。したがって、レッシングは時間的で聴覚的なものである音楽との対比で、彫刻を空間的で視覚的なものとして特徴づけた[3]。より最近の例はグレゴリー・カリーの『イメージと心』であり、同書は映画に特有の特徴を特定する試みから始まっている。カリーによれば、映画をほかの芸術形式から区別するのは、映画が動く画像で構成され、視覚的に識別され解釈されるという点である[4]。

各芸術メディウムの特徴づけというこの作業は、美学にとって中心的なものである。というのも、メディウム・スペシフィシティの教義は規範的な含意を持つからだ。私たちは、芸術作品が美的に良いか悪いかを決して端的には判断せず、つねに絵画や歌、ダンスなどとしての良し悪しを判断する。したがって、作品が持つメディウム固有の特徴とは、その種のメンバーとしての作品の良し悪しを判断するに際し、きちんと認識しなければならないような特徴である[5]。音楽は本質的に聴覚的であるため、良い音楽は**良く聴こえ**なければならず、それに対して画像は本質的に視覚的であるため、良い画像は**良く見え**なければならない、という私たちの常識的な見解の根底にあるのは、この原則である。

この一連の思考のより手の込んだ例として、今世紀の絵画に一定のインパクトを与えたものに、美術批評家クレメント・グリーンバーグの宣言がある。彼曰く、絵画は「三次元のイリュージョン」を放棄し、二次元の抽象的な視覚効果を追求することで純化されるべきである[6]。グリーンバーグは、芸術形式はその物理的メディウムによって区別されるため、各々がメディウム固有の効果を追求すべきだと主張した。画像は視覚的なメディウムとしてほかから区別されるため、純粋に視覚的な効果を追求すべきなのである。「純粋性への欲求は、[…]純然たる視覚性にますます高い価値を置き、触覚性およびそれを連想させるものにはいっそう低い価値を置くように作用する」とグリーンバーグは書いている(一四四頁)。

2 視覚的なものとしての画像

以下では、画像のケースに焦点を当てる。画像は、オペラや「インスタレーション」とは異なり、芸術形式はその知覚に必要な単一の感覚モダリティに言及することで個別化できるという原則に適合しているように思われる。画像は本質的かつ範例的に視覚的表象であると広く見なされている。彫刻や映画も「視覚芸術」に分類されるが、彫刻は触覚で、映画は聴覚で知覚できるため、純粋に、または範例的に視覚的なものではない。描写こそ純粋に視覚的な芸術形式なのだ。これが人々の揺るぎない信念であることの証拠は画像についての美的判断にも見られる(メディウム・スペシフィシティの教義は規範的な含意を持つからだ)。したがって、私たちは画像を見ることによって画像が提供するものに喜びを覚えることになる。ゴッホの描いたアイリスに私たちが覚える喜びは視覚的な喜びだ。「良い画像が良く見える必要はない」という発言はばかげているように聞こえる(もちろん、それが美的判断であって、歴史的判断や金融的判断などではないことが前提だが)。

もし画像が本質的に視覚的なものであり、私たちは必然的に目を使って画像を鑑賞するというのが真実ならば、視覚を持たない人は画像を鑑賞することができないということになる。実際、目の見えない人は画像を使うことも理解することもできないというのが、目の見える人々の間でも、目の見えない人々の間でも、問題視されずに定説となっており、この事実ほど、私たちが画像を本質的に視覚的なものとして一般的に定義していることを示す証拠はない。目の見えない人が画像を使ったり理解したりすることができると言うことはまるでパラドックスのようだ。画像が視覚的表象であることを否定するのはばかげているように思える。

このような考えが、画像に関する私たちの常識だけでなく、芸術学者の理論的著作にも浸透していることを示す一つの例を挙げよう。美術史家で批評家のレオ・スタインバーグは、アメリカの画家ジャスパー・ジョーンズに関するエッセイで、画像とはなにかを問うている。私が強調したいのは、この問いに対するスタインバーグの答え方である。というのも、彼がそこで行っているのは、画家が盲人に対して画像とはなにかを説明しようとするやり取りを想像することだからである。やり取りは次のように始まる。

画家：いいかい、画像というのは、木枠に張られたキャンバスのことなんだ。

盲人：こういうものかね（裏向きになった一枚のキャンバスを掲げる）。

画家：画像というのは、画家が自分の持ち物をなんでも詰め込むためのものなんだ。

盲人：引き出しみたいなものか。

画家：そうじゃない。画像は平らだって覚えておいて。[7]

スタインバーグの推論の前提は明確である。画像とはなにかを先天盲や早期盲の人々に説明するために使うことができれば、その定義は適切だとわかる。というのも、画像は本質的に視覚的なものであって、定義上、視覚を有したことのない人々にはアクセスできないからである。

3 触図と盲人

目の見えない人々のために針金や釘、エンボス加工を施した紙などで地図を作る活動は歴史上点在している。十九世紀初頭には、アメリカのパーキンス盲学校が生徒たちのために触地図帳の小さなコレクションを揃えていた[8]。それでも、目の見える人々の間と同じく、目の見えない人々の間でも、視覚がなければ画像はほとんど使い物にならないという考え方は広く受け入れられてきた。近年になってようやく、心理学者のジョン・M・ケネディ、スザンナ・ミラーとその同僚たちによって、この問題が本格的な実証研究の対象となった[9]。

ケネディはさまざまな文化の岩絵の調査を終え、表面の外縁を描くために線が普遍的に使われていることに気づいた[10]。彼は、表面の外縁は視覚だけでなく触覚でも検出できるため、触知可能な線で構成された画像は触知可能な外縁を描くことになると推論した。この仮説を検証すべく、ケネディは身近な対象や光景（手、コップ、果物、顔、自動車、居間のインテリアなど）の凸線画を作成した。これらの画像は、それまでいかなる種類の画像にも接した経験のない先天盲と初期盲のボランティアに示されたほか、目隠しした晴眼者にも示された。ケネディ（『線描画と盲人』第三章）は、三グループはいずれも描かれた対象をほぼ同じ割合で認識することを発見した。

ここからなにか結論を導き出す前に、いくつか注意点を確認しておくのが賢明だろう。第一に、触覚による画像認識の成功率は、視覚よりもはるかに低い。第二に、一部の画像はほかの画像よりも高い頻度で認識される。第三に、個人差もある。多くの画像を認識できる盲人もいれば、ほとんど認識できない盲人もいるのだ。ケネディは、数値に見られるこれら三つのばらつきを説明するいくつかの顕著な変数を切り離した。一点目に関して、触覚の認識率が総じて低いのは、視覚に対して触覚がそれほど鋭敏でないことに起因している。そのため、たとえばフォークの画像とチューリップの画像を識別するのが難しくなる。目が見えないことがそれ自体として画像認識の認知的妨げになっているという証拠はない。盲人と目隠しした晴眼者は同レベルの認識率を示したのだ。二点目に関して、画像によって認識率が異なるのは、それぞれの画像の詳細さによるものである。詳細であればあるほど、曖昧さや誤認識が減少する。同じ理由から、画像を物語によって文脈づけることは認識を大幅に向上させるし、対象をより大きな光景の一部として描くことも同様である（たとえば、花瓶の中のチューリップがフォークと間違われることはない）。これは重要なことである。というのも、豊富な文脈的手がかりは晴眼者が画像を解釈する際にも役立つものだからだ。三点目に関して、認識率に個人差があるのは、触覚的探索スキルの差によるものである。時間をかけ、体系的に表面を探索するよう教わった人は、凸線画をよりうまく認識できるようになる。したがって、目の見えない人は、目の見える人ほど容易に画像を認識できるわけではないとしても、視覚とは独立に画像を認識する能力を持っていると結論づけることができる。

触覚による画像認識に関して、最後にもう一つ述べておくべき点がある。触図が認識可能なのは、画像上の輪郭線が、目に見えるだけでなく、触ることのできる外縁を表象しているからである。ただし、画像上の輪郭線はある視点から知覚されたものとして対象を表象していることが多く、このことは目の見えない画像知覚者に困難をもたらすと考える人もいるかもしれない。ところが、そうではないことが判明した。たとえば、一つの目、一組のひげ、二本の足、半分だけの胴体からなるネズミの画像は、目の見えない人々にとってなんら問題にならなかった。その画像を「側面図」として正しく認識できたのだ。同様に、目の見えない人々は、複数の対象が異なる奥行きに配置され、近くの対象が遠くの対象を覆い隠している複雑な情景の画像でも、なにが起こっているのかを把握していた。この点については、追って触れることにしよう。

「盲人は晴眼者と同じ種類の輪郭画を同じように認識する」ことを確認したうえで、次のステップはもちろん、盲人がそうした輪郭画を作ることができるかを調査することである（ケネディ、九一頁）。そのために、ミラーとケネディはマイラーシートで覆われた製図板を用意し、ボールペンの筆圧で凸線を刻むことができるようにした。この描画キットは、それまで画像に接した経験も、描画の指導を受けたこともない盲目の人々に配られた。生まれてはじめて自分で触図を描く手段を得た盲目の芸術家たちは、はっきりと識別可能な、ときに驚くほど精巧な輪郭画を描いた（ケネディ、四—五章）。ケネディのボランティアたちは指導を受けることなしにグラスやテーブル、立方体、人間、動物の画像を描いたが、そのどれもが目の見える人々が描くような画像とよく似ている。

盲目の新米芸術家たちによる画像は、しばしば魅力的だが、粗雑であることは認めざるをえない。線は不安定でギザギザしており、きちんと交差していないことが多い。とはいえ、画像を作る機会を奪われてきた盲人が、より訓練を積んだ晴眼者ほど器用にはペンを操れないのは驚くには当たらない。ボランティアたちは自分の意図を実現した画像をなかなか作れないことにたびたび苛立ちを示していたが、これはそれ自体として顕著な画像能力の証拠である。空間的・認知的課題（画像を作る方法についての知識）と実行的課題（手先の器用さ）を混同してはならない。私たちはみな、前者の能力は十分にあるが、後者の能力はほとんどない。

描画において困難なのは、三次元の図形を二次元の図形に変換する方法を見つけることである。晴眼者はこの課題を解決するためにいくつかの戦略を用いるが、ケネディは、盲目の大人も指示なしに同じ戦略を用いることを発見した。最も単純なのは相似図形を使うことで、たとえば画像表面上にある長方形を使ってテーブルの長方形の天板を示すことができる。とはいえ、相似図形の使用には難点もある。テーブルの天板が長方形であることと、天板の四隅に脚が一本ずつ垂直に固定されていることの両方を相似図形の組み合わせで示すことは不可能だ。解決策は、一つの視点から見える対象の特徴を示す、より複雑な投影図法を採用することである。ケネディの盲目のボランティアたちは、収束遠近法を含め、晴眼者とほぼ同じ投影図法のレパートリーを用いた。一人の被験者はテーブルを三つの方法で次々と描いたが、その発言についてケネディは次のように説明している（一〇八頁）。

レイは言う、「真上から見下ろすなら、脚のついてない長方形を描くことになる。脚が見えなくなるからね」。続けて彼は長方形を描いた。次に、「横から描く場合、脚が二本だけ見えるようになる。二本の脚がついた長方形になるんだ」と彼は言った。そこで、同じページの下に二本の棒状の付属物がついた長方形を描いた。第三の線描画は巧妙だった。彼は四本の付属物がついた長方形を描き、それぞれの付属物は長方形の角から放射状に伸びていた。「でも、こうするにはテーブルの下にいないといけないんだ」と彼は言った。

レイの問題解決と自分の意図を分節化する能力は注目に値するが、ケネディは、「彼の線描画が示す特徴のそれぞれは、視点の使い方を含め、ほかの盲目の情報提供者の線描画にも存在する」と指摘している（一〇八―一〇九頁）。盲目の人々が投影図を認識する能力と作り出す能力は互いに追跡し合っている。

収束遠近法（消失点遠近法）は、投影図を描くための最も高度な方法だと言えるかもしれないが、レイはそれを自分で発見した数少ない盲目の新米製図家の一人である。彼がそれを成し遂げたことは注目に値するが、ほとんどの人がそうでなかったことは驚くには当たらない。結局のところ、収束遠近法はヨーロッパの美術では後発であり、世界の美術でも一般的とはほど遠い。さらに、遠近法を発明することとそれを理解することは別のことである。ケネディ（一八〇—二一五頁）は、注意深く設計された一連の研究で、盲目の人々は一般的に、触図内の収束遠近法を理解し、遠近法で示された物体の方向と奥行きに関する正確な情報を抽出することができることを発見した。

4　モリヌークスの問い

これらの発見が驚きだとすれば、それは描写をとりわけ範例的な視覚芸術として分類することが深く浸透しているからである。画像を視覚的表象以外のなにかとして理解することは難しい。ここで考えるべきは以下のような問いだ。視覚的なものとしての画像という考え方のなにが、触図の可能性を徹底的に覆い隠してしまうほど私たちを惑わせてきたのだろうか。

　この問いに対する答えの一部は視覚についてどう考えるかに関わるだろう。もし画像が、触覚ではアクセスできないという意味で本質的に視覚的なものであるならば、視覚は触覚とは異なるものでなければならないことになる。さらに、この違いは根深いものでなければならない。肌で触れ、目で見るという明白な違いだけではないということだ。視覚と触覚はあまりにも根本的に異なっているため、画像は、視覚と結びついている以上、触覚とはなんら関わりを持ちえないのである。

　感覚モダリティを、とりわけ視覚と触覚をどう区別するかという議論は、モリヌークスがロックに投げかけた問いを中心に展開されてきた伝統がある。

> 　生まれつき盲目で、現在は成人している者が、同じ金属製のほぼ同じ大きさの立方体と球体を触覚で区別することを教わり、それらを触った際にどちらが立方体でどちらが球体かを伝えられるようになったとする。次に、立方体と球体をテーブルの上に置き、さらに、その盲人が見えるようになったとする。問い：彼はどちらが立方体でどちらが球体かを、触る前に視覚で区別し、伝えることができるか。［11］

　モリヌークスの問いが盲人の知覚能力の観点からなされていることに気づくと、それはただちに興味深く映る。スタインバーグの「画像とはなにか」という問いと、モリヌークスの「視覚とはなにか」という問いの間には奇妙な類比関係がある。画像メディウムに特有のものは、盲人にとって描写がアクセス不可能であることに注目することで浮かび上がると仮定する場合のように、視覚に特有のものは盲目という障害について考察すれば見えてくると仮定するのは自然なことである。実際、ここには類比関係以上のものがある。スタインバーグの問いは、画像にはそれ特有のなにかがあり、それは視覚的なものだと想定している。ここでの前提は、視覚はほかの感覚とは異なるということである。

　モリヌークスの問いは心理学者や哲学者の間で議論を巻き起こしており、それは今日も続いている［12］。驚くには当たらないが、このことは長期失明者の視力が回復したときに実際になにが起こるのかを突き止めることによって、この問いに直接答えようとする試みにつながった[13]。そのような事例は、モリヌークスの問いをめぐる議論に一定の方向性と精度を与えたかもしれないが、その結果はひいき目に見ても決定的なものではなかった。もっとも、実証的な仕方で問われてはいるが、モリヌークスの問いは、生得観念の存在、一次性質と二次性質の区別、視覚的奥行き知覚、空間概念のアモーダルな性格といった知覚の理論の諸問題を活気づけることを意図したものだ。それでも、その核心に位置するのは、視覚と触覚、ひいては各感覚同士を区別するものはなにかという問題である。

もしモリヌークスの問いにノーと答え、生まれつきの盲人が視力を回復したとき、触覚で知っている対象を視覚ですぐに識別できることを否定するのであれば、その理由は次のようなものに違いない。すなわち、視覚と触覚の違いが視覚の内容や経験を盲人にはアクセスできないものにしているから、というわけだ。この手の議論には非常に多くのものがあり、ここでそのすべてを検討することは不可能である。しかし、モリヌークスの問いとスタインバーグの問いの関係、視覚と描写それぞれの独自性にまつわる説明間の関係に光を当てている点で、とりわけ興味深いものが二つある。

5　連続性と同時性

モリヌークスの問いにノーと答えることを正当化する仕方で、触覚と視覚は異なっているのだと示すと思しき議論の一つが、マックス・フォン・ゼンデンの著書『空間と視覚』にある。盲人の視力回復について記録されたあらゆる症例を入念に検討したフォン・ゼンデンは、患者たちが見るのに困難を覚えていること、見ることの達成には根本的な概念の調整が必要であるように思われることに感銘を受けた。その説明として、フォン・ゼンデンは触覚と視覚は異なる内容を持っていると考えた。すなわち、視覚は世界の空間的性質を表象するが、触覚はしないのだ。

触覚が空間的性質を表象しないという指摘は奇妙だ。五感に関する伝統的なヒエラルキーは、空間の直接的な把握を可能にするとされてきたからこそ触覚をその頂点に位置づけてきたが、当の指摘はこれをひっくり返している。フォン・ゼンデンの見解は見るからにもっともらしくないにもかかわらず、支持者を得てきた。例えば、T・G・R・バウワーは一九七七年の発達心理学の教科書のなかで、「先天的に盲目の子どもは、対象の相対的な位置に関する判断に用いる空間的枠組みを、決して獲得できないようだ」と説明している[14]。

フォン・ゼンデンの主張によれば、空間の知覚は同時に存在するものの知覚でなければならないが、触覚は感覚野が狭いため、筋感覚の連続しか表象することができない。彼が述べるように(二八五―二八六頁)、「触覚にせよほかの感覚にせよ、(盲人に)同時に与えられるものはない。すべては連続のうちに分解されるのだ。[…]彼の感覚には空間的なものとして同時に与えられるものはなにもない。したがって、欠いてしまっている空間性の代わりとして、時間のうちへと心的につなぎ合わせなければならない。空間的な線が、時間的な連続へと置き換えられなければならないのだ」。視覚が同時的であるがゆえに空間を表象するのに対して、触覚は連続的であるがゆえに時間的な連続しか表象できないとフォン・ゼンデンは主張する。

この主張を疑うべき理由はたくさんある。まず、異なる感覚チャンネルないし同一の感覚を用いて、同時に複数のインプットを受け取ることはまったくもって可能である。さらに、盲人における心的イメージと「鏡像反転」についての研究は、彼らが空間の理解を持っていることを示している[15]。最後に、目的を持って世界のなかを動き回るための能力全般に空間の理解が暗黙的に備わっていることを、フォン・ゼンデンは見逃している。いずれにせよ、彼の推論には、教訓的ではあるが初歩的な間違いが含まれている。触覚が手や身体の連続した動作を動員するというのは確かだが、そこから触覚は世界を連続として表象できるに過ぎないと推論することはできない。ガレス・エヴァンズは、やや異なる仕方で次のように述べている。「**感覚**が連続的であることから、**知覚**が連続的であるとするのは受け入れがたい」(私による強調)。彼は次のように続けている。「印象や刺激の連続を用いて、周囲についての統合された表象を組み立てて知覚を行う生物を想定することは、まったく理にかなっている」[16]。

フォン・ゼンデンの誤りは、ルース・ギャレット・ミリカンが「内容の内面化」と名づけた誤謬の一例である[17]。これは知覚的なものを含む心的状態を説明しようとする際に用いられる手口である。内容を内面化するとは、説明しようとする心的状態の内容と同じ性質を持った内的な媒介物や心的仲介者を仮定してしまうことである。心的状態を説明するために心的仲介者を仮定することはなにも悪いことではなく、おそらくは認知を理解する上で不可欠ですらある。しかし、内容を内面化することは、心的仲介者を仮定するだけでなく、説明されるべき心的状態の選択された性質を、それを説明することになる心的仲介者にまで投影することを含む。こうして心的仲介者に性質を帰属させる独立した理由がある場合には、これは正当なことである。しかし、内容が不正に内面化される場合、すなわち説明されるべき心的状態の選択された性質を心的仲介者に帰属させる独立した弁明がない場合には、媒体と内容との間に仮定された性質の共有を、誤ってその内容の説明とみなしてしまいがちである。

連続的な心的表象は連続性のみを表象し、同時性の表象には同時的な心的表象が必要だと仮定するとき、フォン・ゼンデンは表象的な心的状態の内容をその心的媒体の性質に帰属させ、内容を内面化しているのである。連続性は連続したもの**によって**表象される必要があるとか、同時性は同時であるもの**によって**表象される必要があると考えるべき理由はない。

6 視野

モリヌークスの問いにノーと答えるもう一つの議論は、ロック自身によって提示されている。先天盲から開眼された者は、それまで触覚によって知っていた形を視覚によって識別することができないだろう。というのも、私たちは触覚によってのみ対象の奥行きを直接知覚することができるのに対し、視覚は二次元的だからだ。ロックのこの指摘は、モリヌークスの問いとスタインバーグの問いの間に私が示唆してきた関連性を裏づけるものである。ロックは、私たちが周囲を見渡して目にするものは「ちょうど絵画がそうであるような、さまざまに色づけされた平面にすぎない」と断言している(『人間知性論』一四五頁)。

視覚の内容は二次元的であるというロックの見解には、容易に思い浮かぶ解釈が三つある。極端な解釈によれば、私たちは周囲を見回しても、視覚だけではどの対象がほかの対象よりも遠くにあるのかわからない。もっと穏当な解釈によれば、周囲が与える視覚的印象は二次元的だが、私たちはそこから無意識に奥行きを推測している。触覚の場合、そのような推論は必要ない。奥行きは触覚によって直接知覚されるからだ。三つのなかでは最もありえそうにない第三の解釈は、視覚経験が二次元的でありかつ三次元的でもあるというものだ。周囲を見渡すとき、私たちはさまざまな形状の対象が、さまざまな場所に、さまざまな奥行きで配置されているのを直接見ているが、同時に、それらが二次元の平面に投影されているかのようにも見ている。

例えば、自分から斜めに離れた位置にあるコインを見るとき、確かに円を目にしているが、楕円を見るときと同じ形状をも目にしている。同じように、高さは同じだが距離の違う二本の木を見るとき、どちらも同じ高さに見えるが、遠くの木が近くの木より小さく見える感覚もある。二つの例は、視覚経験の内容が三次元としてだけでなく二次元としても記述できることを示しているようだ[18]。しかし、それらは視覚が完全に二次元的であることを示すものではありえない。私たちはコインを円として、木々をどちらもほぼ同じ高さのものとして見る。しかし同時に、私たちはコインを楕円として、遠くの木を近くの木より小さいものとして見ることになる。

コインが見かけ上は楕円形であることや、遠くの木が見かけ上は小さいことは、標準的に「視野性質」と呼ばれている[19]。視野は二次元的であるため、三次元形状から二次元平面への透視投影の法則に従う。そしてこれが、視覚に視野性質が備わっている理由を説明する。円形のコインが楕円形に見えるのは、その円形のコインが楕円形を視野に投影するからである。同様に、遠くの木が小さく見えるのは、その木が近くの木よりも小さな領域として視野へと投影されるからである。視野は、光のふるまいを統制する法則と合わさって、視覚に特有の透視投影された内容を説明する。

もし視覚についてのこの見方が正しければ、私たちは視覚と触覚の違いを見つけたことになる。視覚は触覚とは異なり、私たちに世界が透視投影された経験、すなわち二次元の視野に投影された世界の経験を与えてくれる。これとは対照的に、コインはどのような向きに置かれても手にはつねに丸く**感じられる**し、木はどんなに離れた位置にあっても私たちの運動感覚は同じ高さとして受け取る。先天盲から開眼された者が、目で見ても形を識別できないと考えられる理由は、この違いによって説明できるかもしれない。初めて目を開いたとき、彼が見るのは円のように感じられるものではなく、楕円のように感じられるものなのだ。

7 遠近法と空間

もし視覚がその透視投影された内容において触覚と異なるのであれば、先天的に盲目である人には遠近法で絵を描くことはできないと予測されるはずである。しかし、ここまで見てきたように、画像に不慣れな先天盲の成人でも遠近法の原理を直感的にちゃんと把握できているし、遠近法での描き方を自ら発見した者もいる。彼らは視野の恩恵を受けることなく、こういったことをこなしているのだ。

遠近法とは要するに二次元の領域に図形を投影するためのシステムだ、という考えを捨てさえすれば、盲人たちにも遠近法を扱える理由を説明することは難しくない。実際、遠近法を用いて描く能力はたった二つの原則にのみ基づいており、それらは私たちが世界のなかを動き回るための空間理解全般に根ざしている。

一つは、移動に伴った、物体間の相対的な位置変化を追跡する能力である。ニュージャージーの海岸にいる盲目の画家は、自由の女神をエンパイア・ステート・ビルの右側に描くかもしれないが、ブルックリンの視点から見た光景を描けと言われたら、建造物の配置を逆にするかもしれない。この原則は、どの対象がどの対象を遮り、どのように迂回すればよいかという知識のうちに暗黙的に含まれており、それゆえ空間的推論の基盤となっている。

第二の原則は、視覚と消失点遠近法の両方に密接に関係している。テクニカルに述べるならば、遠くの点たちがなす角度は、近づくにつれて大きくなるというものである。この原則もまた、空間理解全般にとって基本的なものである。コンコルド広場に立っている盲人が、シャンゼリゼ通りの両端に沿って凱旋門までを両手でなぞるように言われたとしよう。彼は、両腕を広げた状態から徐々に近づけ、最終的に手と手を合わせることになるだろう。彼の両腕はより遠くのものを指すほどに**収束していく**。これができない限り、通り沿いにあるさまざまなブティック、レストラン、バーにたどり着くために、どの方向に歩けばよいのかもわからないのだ。どちらの原則も、視野にせよその他にせよ、知覚的領野の介在を必要としない。盲目の画家は、画像を描く際もこの二つの原則に従って二次元の表面に印をつけるだけなのである[20]。

ここで導き出される結論は、透視知覚は視覚に特有のものではないということだ。それは、環境のなかで動き回るための空間理解全般に組み込まれており、空間を表象するあらゆる感覚モダリティの経験に現れる。もし透視投影が空間的なものであり、視覚に特有のものではないなら、視覚内容の構成要素は透視投影されている、すなわち視野上の形状やサイズとして特徴づけられることから、視覚は触覚と異なるのだとする議論は成り立たなくなる。

8　画像と視覚

私たちは二つの過ちを犯してきた。一つは、画像を本質的に視覚的なものと定義してしまったことだ。先天盲や初期盲の人々の画像解釈能力や描画能力は、これが誤りであることを示している。第二の過ちは、視覚をほかの感覚と区別しようとして、視覚だけが平野のような領域に透視投影された内容を持つと特徴づけようとしたことにある。盲人の空間的透視投影能力は、これが誤りであることを示している。この二つの過ちには結びつきがあるのだろうか。

美術史や描画技法に詳しい者なら、視野の概念と、遠近法の理論で定義される画像平面の間には密接な親和性があることに気づいているだろう。視野性質とは、まさに私たちが画像表面に描くよう訓練された類の性質なのだ。遠近法は、ルネサンス期にはじめて詳細かつ体系的に表現された描画技法、あるいは技法の集合であった。例えば、アルベルティは教科書『絵画論』のなかで、「透明なガラスに見立てて、見たものの形を（画像）平面上に描く」ことを画家たちに勧めている。この教えに従って描かれた画像は、視野を模写している。アルベルティが言うように、「私が述べたように描かれた画像を見る者は、視覚ピラミッドの特定の断面（これはアルベルティにおいて視野を意味する）を見ることになる」[21]。

視覚を平野のようなものとして特徴づけ、画像表面を視野と同一視しただけで、画像がどう表象しているのかを解明したと結論づけたくなるだろう。この誘惑に負けた理論家はたくさんいるが、クリストファー・ピーコックはその一人である。

ピーコックは、画像はなんらかの点で描写対象と似たものとして経験されるからこそ、対象を表象できると主張する[22]。コンスタブルの描いた《ソールズベリー大聖堂》は、大聖堂そのものと端的に形が似ているわけではない。結局のところ、画像は平面であり、大聖堂は立体なのだ。ピーコックの主張によれば、絵画が行っているのは、大聖堂そのものが提示するだろう形と似た形を視野に提示することである。当の絵画が大聖堂を表象するのは、その表面に描かれた形が大聖堂の視野性質を模写しているからである。そして、絵画が視野性質を模写するものであるならば、盲人には絵は描けないということになる。

しかし、盲人は絵を描くことができる。したがって、画像の表面に描かれた図形を視野性質と同一視することにはなにか間違いが含まれている。私の考えでは、その間違いは内容の内面化にある[23]。ピーコックとアルベルティは、透視投影された内容を画像と視覚が共有する理由を、それぞれの表象媒体である画像表面と視野の類似性に求めている。しかし、すでに見てきたように、視野上の形状と画像表面上の形状の類似は、描写を説明する上で必要ではない。というのも、盲人は視野の助けを借りることなく絵を描けるからだ。さらに言えば、コインが楕円に見えたり、物体が遠ざかるにつれて小さくなっていくように見えるといった経験を説明するのにも視野は必要ない。遠近法とは、視覚だけに言えるスキルではなく、空間的なスキルなのだ。ピーコックとアルベルティは、まず画像表面を視野として内面化し、その結果生じる画像と視野の類似性を利用して、画像がどのように表象するかを説明する。これはおそらく、ものを見ることは頭のなかにある画像を通してなされるのだとする考えの最後の名残であろう（ロックが「私たちが見るものは、ちょうど絵画がそうであるような、さまざまに色づけされた平面にすぎない」と述べていたように）。頭のなかに画像があると仮定した上で、キャンバス上の画像を、その仮定された頭のなかの画像との類似性によって説明しようとすると、間違いはさらにひどくなる。

9 結論

私はまず、盲人が触覚を使って画像を作ることができるという可能性を、なぜ私たちは認めたがらないのかと問いかけた。その答えは、視覚と触覚の違いについての私たちの理解に求めるべきだと私は示唆した。この違いについての有力で伝統的な説明によれば、視覚は視野という概念から特徴づけられる、それ特有の透視投影された内容を持つ。しかし、この説明は間違っている。というのも、透視投影された内容を持つのは視覚だけだとは言えないからだ。視覚内容だけが透視投影されたものであるという考えは、視覚を画像のようなものとして捉える、誤った見解に基づいている。

では、メディウム・スペシフィシティとモダリティ固有性の教義はどうなるのだろうか。私は視覚と触覚には違いがないと結論づけたわけではないし、描写とその他の芸術形式には違いがないと結論づけたわけでもない。私は、画像は本質的に視覚的なものではないし、透視投影された内容を持つのは視覚だけではないことを論証したに過ぎない。先天盲や初期盲の人々が触図を作る能力を持つという事実からしても疑わしいものとなっている主張を退けることが、この論証の眼目である。また、私は画像的メディウムの固有性に関して当然視されている考えが、視覚的な感覚モダリティの固有性に関して当然視されている見解に基づいていることを明らかにしようとした。より一般的に言えば、私は美学の一分野が、知覚と心的表象に関する説明に特別な仕方で依存していることを明らかにしようとしたのだ。私の試みが成功している限りで、画像芸術の研究についての一般的教訓が得られたと言えるだろう。

まずもって、メディウム・スペシフィシティの教義には規範的な含みがある。作品の美的性質は、部分的にはそれが属する芸術のカテゴリーに依存すると仮定されているのだ。したがって、画像の美的性質は、画像の定義に関わる種の性質に依存している。画像が純粋に視覚的な表象であるならば、その美的性質は視覚的なものである。たしかにたいていの場合、画像の美的魅力がその見え方に詰まっていることは否定できない。しかし、もし私が論じたように画像がもっぱら視覚的な表象なのではないとすれば、この議論は破綻し、画像の美的性質は視覚的なものでしかないとか、目を用いて理解されるほかないと主張する理由は失われる。こうして、新たな可能性が拓かれる。芸術とは自らの境界を探求し拡張する事業であり、触図はまさに未開拓の領域なのだ。目の見える画像制作者や画像使用者だけでなく目の見えない人々のためにも、哲学者や美術批評家は、視覚と同様に触覚をも考慮に入れた多感覚的な画像美学を発展させるなかで、その可能性について考えてみてもよいだろう。

確かに、私たちが慣れ親しんでいる画像は視覚的なものであり、何世紀にもわたる画像制作の実践は、視覚的な画像の生産に向けて組織されてきたものである。しかし、これらの事実は偶発的なものであり、必然的なものではない。それらは、画像を視覚的なものとみなす狭量な歴史的見解に起因しており、この見解自体、視覚を画像的なものとみなす狭量な考えにかなり依存している。視覚と描写の固有性に関するこれらの連動した考えの要となるのは、ルネサンス期に発展した遠近法の光学理論であった。視覚性を画像に本質的なものとして扱うとき、美術史家たちは誤っている。画像の視覚性に対する信念は歴史的な問題であり、その経緯は芸術作品や画像制作の実践、そして芸術をめぐる思想を通して辿ることができる。まずは遠近法の歴史と、それをめぐる思想の歴史から始めるのがよいだろう。

註

[1] 例えば、Norman Bryson, *Vision and Painting: the Logic of the Gaze* (Yale UP, 1983).

[2] この用語は次の文献から借用したものである。Noël Carroll, 'The Specificity of Media in the Arts', *The Journal of Aesthetic Education*, 19 (1985), pp. 5–20.

[3] 以下を参照。Malcolm Budd, *Values of Art: Pictures, Poetry and Music* (Harmondsworth: Penguin, 1995), pp. 159–160.

[4] Gregory Currie, *Image and Mind: Film, Philosophy and Cognitive Science* (Cambridge UP, 1995), pp. 1–9.

[5] 以下を参照。Kendall Walton, 'Categories of Art', *The Philosophical Review*, 79 (1970), pp. 334–367.［ケンダル・ウォルトン「芸術のカテゴリー」森功次訳、電子出版物、二〇一五年。https://note.com/morinorihide/n/ned715fd23434］

[6] C. Greenberg, 'The New Sculpture', in *Art and Culture: Critical Essays* (Boston: Beacon Press, 1961), pp. 139–45.［クレメント・グリーンバーグ「新しい彫刻」、藤枝晃雄編訳『グリーンバーグ批評選集』収録、勁草書房、二〇〇五年。］

[7] Leo Steinberg, 'Jasper Johns: the First Seven Years of his Art', in *Other Criteria: Confrontations with Twentieth-Century Art* (Oxford UP, 1972), p. 48.

[8] Billie L. Bentzen, 'Tactile Graphic Displays in the Education of Blind Persons', in W. Schiff and E. Foulke (eds), *Tactual Representation: a Sourcebook* (Cambridge UP, 1982), pp. 389–390.

[9] 触覚による画像認識については以下を参照のこと。John M. Kennedy, Nathan Fox and Kathy O'Grady, 'Can "Haptic Pictures" Help the Blind See?', *Harvard Graduate School of Education Bulletin*, 16 (1972), pp. 22–3; and J.M. Kennedy and N. Fox, 'Pictures to See and Pictures to Touch', in D. Perkins and B. Leondar (eds), *The Arts and Cognition* (Johns Hopkins UP, 1977), pp. 118–135. 盲人の描画能力については以下を参照のこと。S. Millar, 'Visual Experience or Translation Rules? Drawing the Human Figure by Blind and Sighted Children', *Perception*, 4 (1975), pp. 363–371; and J.M. Kennedy, 'Blind People Recognizing and Making Haptic Pictures', in M.A. Hagen (ed.), *The Perception of Pictures* (New York: Academic Press, 1980), Vol. II,

pp. 263–304. 加えて、J.M. Kennedy, *Drawing and the Blind: Pictures to Touch* (Yale UP, 1993)も参照（同書は豊富な文献目録を含む）。

[10] J.M. Kennedy and J. Silver, 'The Surrogate Functions of Lines in Visual Perception: Evidence from Antipodal Rock and Cave Artwork Sources', *Perception*, 3 (1974), pp. 313–322; and J.M. Kennedy and A.S. Ross, 'Outline Picture Perception by the Songe of Papua', *Perception*, 4 (1975), pp. 391–406.

[11] John Locke, *An Essay Concerning Human Understanding*, ed. Peter H. Nidditch (Oxford UP, 1975). p. 146.［ジョン・ロック『人間知性論』大槻春彦訳、岩波書店、一九七四年。］

[12] 以下を参照。Michael J. Morgan, *Molyneux's Question: Vision, Touch and the Philosophy of Perception* (Cambridge UP, 1977).

[13] 以下を参照。Max von Senden, *Space and Sight: the Perception of Space and Shape in the Congenitally Blind Before and After Operation*, trans. P. Heath (London: Methuen, 1960); Richard Gregory, 'Recovery from Early Blindness: a Case Study', in his *Concepts and Mechanisms of Perception* (London: Duckworth, 1974).

[14] T.G.R. Bower, *A Primer of Infant Development* (San Francisco: Freeman, 1977), p. 160.

[15] Morton A. Heller, 'Haptic Perception in Blind People', in M.A. Heller and W. Schiff (eds), *The Psychology of Touch* (Hillsdale: Lawrence Erlbaum, 1991), pp. 242–243.

[16] In G. Evans, 'Molyneux's Question', in his *Collected Papers* (Oxford UP, 1985), p. 368.

[17] R.G. Millikan, 'Perceptual Content and Fregean Myth', *Mind*, 100 (1991), pp. 439–459.

[18] 以下を参照。Christopher Peacocke, *Sense and Content: Experience, Thought and their Relations* (Oxford UP, 1983), ch. 1.

[19] Peacocke, *Sense and Content* ch. 1; E.J. Lowe, 'Experience and Its Objects', in T. Crane (ed.), *The Contents of Experience* (Cambridge UP, 1992).

[20] 以下を参照。Kennedy, *Drawing and the Blind* ch. 6.

[21] Alberti, *On Painting*, rev. edn, trans. John R. Spencer (Yale UP, 1966), pp. 51–52.［レオン・バッティスタ・アルベルティ『絵画論』三輪福松訳、中央公論美術出版、二〇一一年。］

[22] C. Peacocke, 'Depiction', *The Philosophical Review*, 96 (1987), pp. 383–410.

[23] 以下の拙著を参照。*Understanding Pictures* (Oxford UP, 1996), pp. 20–32.

訳者解題

銭清弘 Sen Kiyohiro

ドミニク・マカイヴァー・ロペス［Dominic McIver Lopes］（一九六四―）は、ブリティッシュコロンビア大学哲学科教授を務める、美学・芸術哲学の研究者である。二〇二三年には同大学の教授に与えられる最高栄誉であるUniversity Killam Professorの称号を哲学科教授としてはじめて授与されたほか、アメリカ美学会会長やカナダ哲学会会長を含む多くの委員歴、カナダ王立協会フェローを含む多数の受賞歴・資金獲得歴を持つ［1］。描写、コンピューター・アート、芸術の定義と存在論、芸術写真など多様なトピックについて書いており、その多くが分野において頻繁に引用される基本文献となっている。近年はとりわけ美的価値の問題に取り組んでおり、このトピックの発展に大きく寄与した『*Being for Beauty*』（二〇一八）のほか、邦訳もなされた『なぜ美を気にかけるのか』（二〇二二）をベンス・ナナイ［Bence Nanay］、ニック・リグル［Nick Riggle］との共著で刊行している。二〇二四年にはサマンサ・マサーン［Samantha Matherne］、モーハン・マテン［Mohan Matthen］、ベンス・ナナイとの共著で『*The Geography of Taste*』と題した論集を刊行済みのほか、『*Aesthetic Injustice*』と題した単著が秋頃に出るらしい。名実ともに、現代英語圏の美学（分析美学）におけるトップランナーのひとりである。

分析美学者たちの例に漏れず、ロペスの研究テーマを要約することは難しい。ひとつの主題について何十年も考え続けるかわりに、彼らは複数のトピックを軽やかに飛び交う。いくつか例を挙げるだけでも、ドミニク・ロペスといえば、描写の哲学に関してはフリント・シアー［Flint Schier］が提示した再認説を経験科学を援用しつつ発展させた功績で、芸術の定義に関しては芸術一般から各芸術種へと関心を移すべきだと提案するバック・パッシング理論で、美的価値に関しては達成と社会的相互作用の観点から分析したネットワーク理論で知られている論者である。

とにかく、ロペスがそのキャリアの最初期に取り組んでいたのは、描写［depiction］の哲学である［2］。絵画や写真などの画像表象はなんらかの描写内容を持ち、私たちによってその意味を解読される記号である。画像がなにかを描くとはどういうことか、私たちはいかにして描写内容にアクセスするのか、画像ならではの美的価値とはなにか。描写という主題は、ネルソン・グッドマン［Nelson Goodman］が『芸術の言語』（一九六八）において大々的に取り上げたことをきっかけとして、今日に至るまで分析美学における基本トピックのひとつとなっている。ロペスは一九九一年に画像の意味作用についての博士論文を書いており、おそらくはこれをベースとした『*Understanding Pictures*』を一九九六年に刊行している。本論文「Art Media and the Sense Modalities: Tactile Pictures」（一九九七）もこの時期に書かれたものだ。

ロペスは本論文で、画像および視覚に関する通説に異議を唱えている。通説によれば、（1）画像はもっぱら視覚的なものであり、（2）視覚はその他の感覚（例えば触覚）から明確に区別される。論文中でも言及される通り、クレメント・グリーンバーグ［Clement Greenberg］らが支持するメディウム・スペシフィシティの教義もまた、この二点を前提としたものである。絵画が視覚と結びつけられた独特なメディウムであるからこそ、そして、視覚的なものを明確に切り出すことができるからこそ、視覚的なものの追求は絵画ならではの探求課題だとみなされたのだ。これらの前提を切り崩す点において、本論文にはまずもってメディウム・スペシフィシティの批判という性格がある［3］。

ふたつの通説には、それぞれ問題がある。画像をもっぱら視覚的なものとみなす第一の通説は、経験的調査の結果として、盲目の人々にも画像を解釈・作成する能力があることから疑われる。盲目の人々は、触図などにおいて描写されている対象を認識できるし、すでに認識している対象を十分な精度において描くことができる。一方、視覚を触覚から区別する第二の通説は、これを支持する有力な議論が実は上手く行っていないことから疑われる。同時性を内容として持つことも、透視投影に従った内容を持つことも、視覚ならではの特徴とは言えない。これらの反論に見られるように、ロペスの議論には経験科学の成果を援用して哲学的問いに答えるという自然主義的な性格がある［4］。

以上の議論は、ロペスが『*Understanding Pictures*』で提示している説明と一貫したものである。上述の通り、ロペスはフリント・シアーに従って、描写についての再認説を支持している。再認説において、Xの画像であることは、実物のXを認識するときと同じ再認能力［recognition skills］を駆動するアイテムであることから分析される（ここでの再認能力とは、知覚を通して事物を識別する能力を指す）。ここでも、触覚的な画像は視覚的な画像とまったく同様に描写としての身分を認められている。画像とその描写対象が視覚的に類似している必要はないし、類似したものとして経験される必要もない。再認説は、私たちがその内容を再認する表象物という、より一般的なカテゴリーとして画像を説明する。したがって、絵画や写真のような典型的な画像と、触図、あるいは録音された音声のような聴覚的表象は、表象としての相違点よりも共通点において捉えられることになる。

画像は本質的に視覚的であるわけではない、という主張には、画像の価値にまつわる次のような主張が含意される。すなわち、画像作品を画像として評価することは、純粋に視覚的な経験を評価することとは限らない。画像経験は触覚的な経験でもありうるため、絵画や写真は触覚的側面をも考慮に入れて評価されるべきなのだ。ロペスはこうして画像の美学を再考するよう本論文の最後で提案しているが、これにいち早く反応したのはロバート・ホプキンス［Robert Hopkins］である。

Hopkins（1998）自身の描写理論は輪郭形状［outline shape］という概念に訴えたテクニカルなものだが、大筋としては本論文でロペスが反対していた立場、すなわち類似性の経験に基づいて描写を説明する立場である。**Hopkins**（2000）によれば、触図は描写対象と類似した輪郭形状を提示せず、ゆえに視覚的画像のようには対象を実際に経験したときと類似した経験を与えず、したがって、視覚的画像がアフォードするのと同じ類の美的・情動的経験をアフォードすることもできない。

ロペスは二〇〇二年の論文「Vision, Touch, and the Value of Pictures」でホプキンスの批判に応答しており、一連の論争についてはZika（2005）がまとめている。その試みについてはさらなる検討を要する［5］ものの、視覚を特権化しない「多感覚的な画像美学［multi-sensory pictorial aesthetic］」というロペスの構想は、画像の本性や価値について考える上で示唆に富んだものであり続けるだろう。

参照文献

Goodman, Nelson. 1968. *Languages of Art*. Bobbs-Merrill. ネルソン・グッドマン『芸術の言語』戸澤義夫・松永伸司訳（慶應義塾大学出版会、二〇一七）。

Hopkins, Robert. 1998. *Picture, Image and Experience: A Philosophical Inquiry*. Cambridge University Press.

———. 2000. "Touching Pictures." *British Journal of Aesthetics* 40 (1): 149–167.

Lopes, Dominic McIver. 1996. *Understanding Pictures*. Oxford University Press.

———. 1997. "Art Media and the Sense Modalities: Tactile Pictures." *Philosophical Quarterly* 47 (189): 425–440.

———. 2002. "Vision, Touch, and the Value of Pictures." *British Journal of Aesthetics* 42 (2): 191–201.

———. 2005. *Sight and Sensibility: Evaluating Pictures*. Oxford University Press.

———. 2009. *A Philosophy of Computer Art*. Routledge.

———. 2014. *Beyond Art*. Oxford University Press.

———. 2016. *Four Arts of Photography: An Essay in Philosophy*. Wiley & Sons, Limited, John.

———. 2018a. *Being for Beauty: Aesthetic Agency and Value*. Oxford University Press.

———. 2018b. *Aesthetics on the Edge: Where Philosophy Meets the Human Sciences*. Oxford University Press.

Lopes, Dominic McIver, Samantha Matherne, Mohan Matthen, and Bence Nanay. 2024. *The Geography of Taste*. Oxford University Press.

Lopes, Dominic McIver, Bence Nanay, and Nick Riggle. 2022. *Aesthetic Life and Why It Matters*. Edited by Bence Nanay and Nick Riggle. Oxford University Press. ドミニク・マカイヴァー・ロペス、ベンス・ナナイ、ニック・リグル『なぜ美を気にかけるのか』森功次訳（勁草書房、二〇二三）。

Schier, Flint. 1986. *Deeper into Pictures: An Essay on Pictorial Representation*. Cambridge University Press.

Wollheim, Richard. 1980. *Art and Its Objects: With Six Supplementary Essays*. 2nd ed. Cambridge University Press. リチャード・ウォルハイム『芸術とその対象』松尾大訳（慶應義塾大学出版会、二〇二〇）。

Zika, Fay. 2005. "Tactile Relief: Reconsidering Medium and Modality Specificity." *British Journal of Aesthetics* 45 (4): 426–437.

松永伸司（二〇二〇）「描写の哲学を描写する」『フィルカル』五（二）：四八―五八頁。

銭清弘（二〇一九）「描写の哲学ビギナーズガイド」obakeweb. ウェブ記事（二〇一九年一二月二〇日）。https://obakeweb.hatenablog.com/entry/depiction.

———（二〇二一）「画像がなにかを描くとはどういうことか」『新進研究者 Research Notes』四：一二四―一三二頁。

註

［1］本論文も、『*The Philosophical Quarterly*』ジャーナルのエッセイ賞を受賞している。

［2］描写の哲学に関するイントロダクションとしては松永（二〇二〇）、銭（二〇一九）、（二〇二一）を参照。

［3］ところで、画像と絵画の違いを踏まえると、ロペスの議論とグリーンバーグの議論はいくらかすれ違っていると言えるかもしれない。描写の哲学で取り上げられる「画像［picture］」は通常なんらかの事物を描いた具象画や写真などを指すのに対し、「絵画［painting］」は描写対象を持たない純粋抽象絵画をも含んだカテゴリーである。ロペスは画像の経験や画像の固有性に着目しているが、グリーンバーグが着目していたのは絵画、とりわけ抽象画である。したがって、画像は必ずしも視覚的ではないというロペスの結論が、絵

画のメディウム・スペシフィシティ論に対する有効な反論を構成できているのかは、やや疑わしいと評価すべきところだろう。

[4] 同様の精神において書かれた論文たちを集めたのが、二〇一八年の論集『*Aesthetics on the Edge*』である。本論文もこちらに再録されている。

[5] とりわけ、画像経験の特徴づけとしてWollheim(1980)が取り上げた二重性(画像表面を見ると同時にそのうちに描写対象を見る、という独特な知覚経験)は、触図の経験にも適用できるのか、はたまた触図という反例によって修正を強いられるのかは、重要な論点となるだろう。

歴史と感性――三つの系譜

ジョルジュ・ディディ＝ユベルマン　訳＝橋本一径

Histoire et sensibilité : trois généalogies

Georges Didi-Huberman　Trans. Hashimoto Kazumichi

一見したところ非常に単純な何かを想像してみることにしよう、たとえばバイオリンの弦のような。それについて何かを学び取ったり、あるいは単に描写したりしたいのなら、目の前のテーブルの上にそれを置いて、好きなように観察することもできよう。ガットだろうか、金属だろうか、合成素材だろうか。巻かれているのは銀だろうか、銅だろうか、あるいは他の金属だろうか。とはいえこのような進み方では行き着く先は知れているだろう。テーブルの上に置かれたバイオリンの弦は、その動きや生命、その機能や音楽、その魔力を取り除かれて、いったい私に何を語ることができるというのだろうか。むしろ試みてみるべきなのは――「失われた音を求めて」とでも言うべき膨大なタスクではあるが――この弦が生涯にわたって楽器を鳴り響かせてきた際の、無数の波動の歴史をしたためることなのではないか。同じ楽器の他の弦との調和を把握するべきなのではないか。バッハのパルティータによる振動がベートーヴェンのソナタによるそれとどのように違うのかを理解するべきなのではないか。同じ弦の振る舞いがグアルネリウスと現代のバイオリンとでは、フリッツ・クライスラーによる演奏と駆け出しの音楽家の演奏とでは、どう違うのかを聞き取るべきではないのか。さらには弓のクオリティの違いによっては……等々。感性は、このたった一本の弦が自分なりのやり方で運搬する――あるいはその材料のひとつとなる――ことで、行き交い、変化し、置き換わり、生成する。つまり感性が歴史の争点であるのは、当然のことなのだ。

*

だが一般に「感性」は歴史の対象とされてきたのだろうか。しばらく前から試みはなされている。いつから？　具体的には誰が？　フランスでは次のように答えるのが慣わしである。一九四一年にリュシアン・フェーヴルが、「往時の感情生活をどう再現するか」という問いを、最初に表明して以来であると。歴史家フェーヴルが問題の難しさをよく理解していたとおり、感情生活の正確な性質について、心理学者たちの間ですら意見は分かれていた。それでも彼は自分にとってそうした認識の企てが必要であることを認めていた。

> 感情は外部世界に対する単なる反射的な自動運動と混同して考えられがちだが、そうではなく感情には独特の特徴があるのであって、それは同類たちの社会的生活に関心がある者でも無視することのできないものだ。感情は伝染する。感情には人間同士の関係が、集団的関係が伴っており〔…〕、感情の表現は共同生活における一連の経験の帰結である。[1]

つまり感情は歴史の中だけに存在し、固有の歴史性すら備えており、その歴史性とは根本的に社会的なものである。

再び単純に述べるならば、感情が何らかの身体や言葉の状態における何らかの精神状態――それを説明しようとしているのが心理学者である――を表明するものである限り、歴史家が説明を目指すべき社会的表明はいずれも、「感覚的」もしくは「情動的」な心理学的アプローチを回避することが、論理的に不可能である。

> まず私たちが、隣人たる心理学者たちの批判的・実証的な仕事により得られた最新の成果を大いに頼りにするならば――思うに私たちは、今のところまったく手のつけられていない一連の仕事に着手することができるだろう。そしてそれに着手ができていない限り、可能な歴史は存在しない。考えてみてほしい、私たちには愛の歴史がないのだ。死の歴史もない。同情の歴史もなければ、残酷さの歴史もない。喜びの歴史もないのだ。[2]

リュシアン・フェーヴルの声は届いたのだろうか。大半の歴史家には届かなかったようだ。彼らにとっては明解な古文書や政治的な事件、社会制度や構造的な対立のほうが、扱いやすいのである。だが声の届いた者もいた。このような「感性の歴史」あるいは「情動的生活」の歴史への呼びかけ[3]に込められた切実さを尊重できる者がいたのである。ジャック・ル・ゴフは一九七四年の時点ではまだ「心性（mentalités）」という、より主知主義的な概念を、彼の目には十分に「曖昧」すぎるものだったとはいえ、それが最終的にはある時代の「心的装置」[4]の調査と類型化を可能にしてくれる限りは、使い続けることを望んでいた。アラン・コルバンはと言えば、彼は原理的によりリスクの高い歴史を著すことに執心した。それが感覚性ないし感性の歴史であり、におい――今や古典となった著作『においの歴史』における――から沈黙まで、音の風景から欲望の諸表現までをカバーするものだった[5]。

とはいえフェーヴルからコルバンに至ると、認識論的枠組み――より正確には、諸々の理論的触発のネットワーク――に少しばかりのずれが生じている。援用を期待されていたのは心理学的な諸概念のみだったのが、諸々の人類学的手法が広く用いられるようになった（そもそもコルバンが一九九〇年に「感覚の人類学」を語っている［6］）。他方、ここで目指されている理論的系譜は、リュシアン・フェーヴルが想定したような歴史学の「近隣」の学問領域のひとつだけとの対話よりも、より多くのものを含むことになるだろう。今後念頭に置かれるべきなのは「目もくらむばかりの膨張」（アルフォンス・デュプロンから借り受けた表現）であり、それは「感性の歴史」全体の横断的ないし「破裂的」な性質を示しているのであろう［7］。このためにコルバンが素描した理論的系譜は大胆にも、ミシェル・フーコーの業績を、想定内であるノルベルト・エリアスなどのそれの隣に含めている。

より最近では、カンタン・ドゥルエルモズ、エマニュエル・フュレクスあるいはエルヴェ・マズレルらが共同で、この理論的系譜を新たに問い直し、感性の歴史の様々な「テリトリー」の違いだけではなく、それらの間の「認識論的な緊張」を見極めようと試みた［8］。つまり文化と自然の間、経験と言語の間、個人と集団の間、等々。これからは「目もくらむばかりの膨張」のなかに一貫性を見出し、諸々の感情を過度に区分けすることなく、それらの生成について考察することを可能にする歴史のエクリチュールを拠りどころとしなければならない。このためには心理学と歴史学だけでなく、社会学と人類学——さらには哲学そのもの（これまではこの文脈で言及されることがほとんどなかった）を共に扱うことが求められる。

ここで引き合いに出されているのは広大な歴史学の実験場であり、そこに含まれるのは非常に長い期間のもの（たとえばジャン＝ジャック・クルティーヌとクローディヌ・アロシュによる『顔の歴史』［9］）もあれば、きわめて限定的なケースを扱ったもの（たとえば一七世紀のイグナチオ・デ・ロヨラの列聖式における感情的な要素［10］）もある。涙のような「情動的対象」、あるいはその逆の無感情（アンヌ・ヴァンサン＝ビュフォーの仕事における［11］）。一八世紀の民衆の「吐露」や「苦悩」を通しての、彼らの「主張」（アルレット・ファルジュにおける［12］）。さらには「現代の諸感情」［13］、そしてフランスにおいてはアラン・コルバン、ジャン＝ジャック・クルティーヌとジョルジュ・ヴィガレロの監修のもと二〇一六年から二〇一七年に刊行された、『感情の歴史』という集大成［14］。「実験場」と言ったのは、諸感情の歴史——あるいは感情を切り離せるとするなら、ただひとつの感情の歴史——が手探りでしかありえず、それ自体が直感的で、要するに実験的だからだ。たとえば涙あるいは怒りといった横道をたどり、およその見当で発見的に進んで、感情の注ぎ込まれたものすべての構造が、それらの感情によっていかに変化するのかを観察するのである。それが政治史において意義深い現象であることは、一八世紀と一九世紀についてのエマニュエル・フュレクス［15］とソフィ・ヴァニシュ［16］の仕事がとりわけ示しているとおりである。

ソフィ・ヴァニシュが「敏感な（sensible）歴史」［17］を拠りどころとするのは、ヴァニシュ曰く「敏感な人間の発明」［18］に注力していた時代を、彼女が研究しているからばかりではなく、ひとつだけ例を挙げるとすれば、一八世紀の弁護士の審理請求書の熱情的な成分が、彼女によれば革命のプロセスそのものにおいて大きな役割を果たしたであろうからだ。「読者の感情に訴えかけることで、政治的な立場の土台を固めることのできるような敏感な観点が醸成された」[19]。このことから明確になるのは、以下の二つを理解する必要性である。ひとつには、民衆の感情が新たな種類の政治空間の構成要素であった——その後再び排除されるまでは——ということ。もうひとつには、こうしたことすべてにより歴史家は現在における自分の政治的立ち位置をはっきりさせる手段を得るということ。

一七八九年。『人および市民の権利宣言』が第二条に記した圧政に対する抵抗の権利は、感情や情動が持つ規範的な力に基づいていた。一七九五年。テルミドール反動派がこの権利を除外し、それとともに情動を政治空間から抑圧する。こうして現れたのが知の領域における分断である。歴史学を含む精神科学や政治科学が、文学や芸術と区別されたのである。以来歴史的言説は、根本的に文学的で政治的に敏感な自らの性質を忘れさせようとする科学的欲望と、物語的で文学的な側面との和解を強いる政治的欲望との間を揺れ動いている。一八世紀の敏感な人間の姿から、今日の敏感な歴史家モデルへは、架橋が可能である。一方の現代性を考えることが、他方の必要性、つまり歴史の現在における批判的役割と和解した歴史家を想像してみることを可能にする。[20]

＊

こうした文脈であれば、感情の歴史とは、自ら批判的な活動であることを望み、またそれを自任するものである以上、実験的であると言われうるのも理解できるであろう。自らが記述する物事の状態をそのまま受け入れることには決して飽き足らず、仮説や試行錯誤を通して、潜在的で未達成の、願望的、可能的あるいは空想的な所作をそこから引き出そうとさえする。ところが感情の歴史は奇妙な逆説に陥ってもいる。リュシアン・フェーヴルの呼びかけが、しばしば孤立した一部の独特な著作の中にしか応答を得られずにいたのに対して、英米由来の学術的な大波が、フェーヴルの理念の影響を少しも得ないまま、感情を偏愛の対象とし、カンタン・ドゥルエルモズとその共著者たちが二〇一三年に次のように記したように、「一部の者は大胆にも、言語論的転回をもじって、社会科学とりわけ歴史学の感情論的転回や情動論的転回に言及する」[21]ほどである。

このような「感性の歴史」の新たな系譜は多産であり、桁外れの数の文献を生み出している。このための国際学会や専門の組織、雑誌——『感情雑誌（*Emotion Review*）』、『国際感情史・感情論雑誌（*International Journal for the History and Theory of Emotions*）』など[22]——が作られている。このような狂乱の成り立ちについては、たとえばベルナール・リメによるまとめがあるが、これはどのような認識論的方向性を持つものなのだろうか[23]。たとえばヤン・プランパーが二〇一二年に行ったような、諸々の感情の歴史性を問いたいという正当な希望に重ねられる——むしろ立ちはだかる——のが、「批判的」であろうとするどころか、徹底して規範的で順応的な方法を取るものこそ実験的な取り組みであると考えるような論理である[24]。デュシェンヌ・ド・ブローニュが当時の実験的手法を用いたのは感情表現における規範性が目的であったように、あるいはシャルコーが別の「実験的」器具を用いたのはヒステリー患者たちの「情念的態度」を好きなように再現しコントロールするためであったように、現代の感情論的転回が全体として収まっているように見える方法論的枠組みとは、ウィリアム・ジェームズやウォルター・キャノン、ポール・エクマンの時代から醸成されてきた生理学的実験と経験的理論に由来する方法論的枠組みに収まっているように見える。今日ではこれらすべてが、感情の領域における神経科学と認知科学の指数関数的な発展によって「革新」されたが、実はそれは新たなパラダイムと新たなプロトコルのもとでの延命である。

かつてクロード・ベルナールがその解放的美徳を基礎づけたはずの実験的方法の、このような規範的・順応的な利用価値とはつまり、発見につながるはずの手法を様々な公理や前提に従属させることだが、それらの公理や前提すべてが向かう先にあるのは、コントロールという欲望——あるいは示し合わされた政治——のような何かである。まずは関係する要素すべての序列化という意志がある。このような意志を体現するのがたとえば、ポール・エクマン[25]やアンおよびポール・クラインギナ[26]に見出せる基礎的な諸感情（basic emotions）であり、この分類をもとにキャロルおよびピーター・スターンズは「感情科学」[27]あるいは情動学（emotionology）なる理念を打ち立てようとしたが、彼らによればそれはあらゆる時代の情動経験の諸基準をもたらしてくれるのだという。諸々の生理学的確かさの総体の上に「新たな心理史」[28]を打ち立てようという試みである。「メンタル・ツール」という概念をもじった「エモーショナル・ツール」という概念が日の目を見た。だがメンタル・ツールがすでにそうだったように、エモーショナル・ツールの体系性や固定性は、考察しようとする情動的事象の柔軟性を損なってしまう。

というのもこのような方法論的道のりにはもともと、標準化という意志も備わっているのだ。こうして図式化されるプロセスは、諸々の「現実化」を生み出す大きな「感情体制」に還元されるが、それはひとつの順応的な「目標（ゴール）」を目指す予測可能な諸々の「反応」のようなものである。そしてこれらすべてのうちにコントロールの意志が宿る。これは実験的手法にありがちな欠点のひとつだが、現象を再現する自らの能力の前で、自分自身に魅了されてしまう——フェティシズム的と言えるようなやり方で——のだ。だがこの再現とはどんなものなのであろうか。かつてのデュシェンヌやシャルコーと同じように、再現を望み、達成できたとしても、それは誘導された単純化でしかない。再現のために現実が単純化されるが、こうしたことすべてによって得られるのは、つまるところ自分で「発明」したものを誘導しコントロールするのには効率的な——恐るべきほどに——何かである。ラファエル・マンドレシ[29]やフランシスコ・オルテガ、フェルナンド・ヴィダル[30]および雑誌『感性（*Sensibilités*）』のメンバーらが明らかにしえたのは、社会科学全般とりわけ歴史学が行っている神経科学や認知科学の使用において、どれほどこのような「単純化」が生じているかということである［31］。

あらゆる実験的方法を、その誕生以来つけ狙う詭弁がそこにある。現象の再現をこっそりと生産に取り換えるのがこの詭弁であり、もちろん「制御された」この生産は、つまり貧しく隷属的である。こうして感情の実験科学——たとえば「美」と「崇高」を、あたかもこの二つが海馬や扁桃と同じくらいの自然さで考えられるかのように、別々の部位で示そうとする脳のマッピング——は、疑わしいプロトコルと明確な結果の間で、私たちに対して感情を発明してみせるというリスクを冒している。丸ごと認知が可能なその感情は、つまりはコントロール可能である。従わないということのない感情である（たとえば「ニューロマーケティング」［32］なる不穏な分野で生産が目指されているような）。

ウィリアム・レディですらこのような単純化に追随することになったようだ［33］、ポール・エクマンによる基礎的感情には、事情をよく知ったうえで批判を加えることのできた彼が。『感情の航行』における結果と確信の構築法そのものにおいて彼は、まさしく情動の序列化に取り組み、「エモーティヴ」という語のもとに集められた「ある種の言語行為」しか、そこに見ようとしない（「コンスタティヴ」や「パフォーマティヴ」［34］な言表との比較と差異化がなされている）。彼が語る感情とはあくまで「翻訳」という現象であるが、それは厳密に分析哲学の枠内で理解されるべき概念である。続いて彼は「感情の諸体制」の標準化の中に、歴史を再構築するのに都合のよい道筋を見出した。そもそも彼の語彙の全体が、「目標（ゴール）あるいは行動プランを維持する」ための「感情の管理」によって方向づけられている。つまりはコントロールである。「目標を変える自由」のような「感情的自由」という概念までもが、その政治的含意について当惑せずにはいられないものであるのは、これらの語がまたも順応的「目的」や適合的「管理」ないし必要な「コントロール」という基準に支配されるからだ［35］。彼による一八世紀および一九世紀の「感情主義」の歴史分析が、ソフィ・ヴァニシュのような歴史家の語る、より闘争的な物語とほとんどかみ合わないのはなぜなのか理解できる。

*

実際のところ、敏感なものについての歴史は、三つ目の系譜なくしてあり得ないだろう。この系譜は遡って追い求められる必要がある。とりわけリュシアン・フェーヴルがはっきりと言わなかったもの、さらには知ることを望まなかったものの中にこそ。一九四一年のテキストの冒頭の文章が思い出される。「感性と歴史。新しい主題である。それを扱った書物を知らない。それにともなう様々な問題がどこかで提起されているのを見たことすらない」［36］。だが議論の核心には二つの著作があったはずであり、これらは情動の歴史学的な扱い方を示すものであったが、その方法や結果についてはリュシアン・フェーヴルの満足のいくものではなかった。ひとつ目はヨハン・ホイジンガの『中世の秋』であり［37］、一九一九年に刊行されたこの著作において、「著者はこの中世の末期におけるこのうえない感情の力を私たちに示している」。だが奥歯に物が挟まった語り口からわかるのは、おそらくルフェーヴルの目からすると、この著作の人類学的な成分が、事実それ自体や制度あるいはアーカイヴ資料よりも、身振りに過度の注意を向けるという欠点につながっているということである。

リュシアン・フェーヴルの言及するもうひとつの著作はエミール・マールの『中世末期の宗教芸術』であり、その初版の刊行は一九〇八年にまで遡る[38]。ではなぜ「[歴史における感性という主題]を扱った書物を知らない」と断言されたのだろうか。今度はエミール・マールの問いかけの過度に図像学的な成分が、フェーヴルの目に欠点と映ったのだろうか。全般的な歴史的事象の状態の再現のために、これほどまでイメージを頼りにしてよかったのだろうか。むしろもっと根本的なところでリュシアン・フェーヴルは、こうしたイメージ世界における――身振りの世界におけるのと同様に――意味や時間の水準の不快な増殖を疑っていたのではないか。つまるところ彼が恐れていたのが知られている、両義性や時代錯誤（アナクロニズム）である[39]。あるいは彼が美術史の中に見出したのは、本来の問いかけや、厳密な意味での歴史家の「王道」から常に外れた、研究の放浪主義だったのだろうか[40]。さらにはアプローチや理論的準拠の増殖が、構築途上の「科学的」歴史学という分野の特殊性を脅かすからだろうか。

ともかく別の系譜がそこでスタンバイしていたのに、覆い隠されたのだ。エルヴェ・マズレルは二〇一四年に刊行された論文において、この系譜を浮かび上がらせるための多くの要素を示し、それを「深層の心理学」の広範な受容と関連づけた[41]。最初に彼が指摘したように、「過去についてのこのような新たな思考形態の出現をまさに可能とした、フランスに対する外部からの、とりわけドイツからの影響や、歴史的な先行例は、ほとんどの場合において軽視される」。マズレルによる貴重な指摘は、この系譜におけるマルクス、ニーチェそしてフロイトという「疑いの大御所たち」の役割についてのものだが、これに倣っていくつかの追記を加えることも可能だろう。ミシュレがすでに一八二八～二九年の『哲学講義』で、「歴史学と哲学をただひとつの学にまとめる」のを求めていたこと、そしてそれはとりわけ彼が「心理学的事象」と呼んだものを介してであったことを思い起こそう[42]。

それならばなおさら、一八六〇年代のヤーコプ・ブルクハルトが、ルネサンスにおける「個人の発展」を分析しながら、熱情も含めての単独性の引き受けと、普遍性への自負とを分節させた手法を、忘れるわけにはいかないだろう[43]。感性の歴史の隠された系譜――口止めされた、あるいはリュシアン・フェーヴルの目には単に異質だった――はおそらく根本において、哲学的な要求という舞台の上に立っており、ある時代のドイツの歴史家たちはそれを自らの主張とするのを厭わなかったのである。だからこそブルクハルトは、その『世界史的考察』において、歴史学を「ある程度の病理的な（pathologisch）性質[を持った]波乱の学問（Sturmlehre）」[44]と定義するのをためらわなかった。こうした語彙はとりわけ響くところがあるのではないか。「パトスの科学」の援用からしても、ドイツ語ではしばしば「情熱の嵐」（Sturm der Leidenschaften）を語るために用いられるSturm（嵐、雷雨）という語の使用からしても、彼はすでに情動というモチーフを登場させているのではなかろうか。

ブルクハルトのすぐ近くで――師であり友と考えていた――フリードリヒ・ニーチェが、ある種の歴史学を実践するための哲学的な要求を、類まれな強度で表明していたのは偶然ではない。『悲劇の誕生』がソクラテス以前の古代とプラトン哲学との間の緊迫した真のパトスの歴史――これらすべてが私たち自身の近代に向けての暗示である――として読めるばかりでなく、『反時代的考察』は一八七四年に、対象の面でも記述する側の面でも、敏感ではない歴史学はありえないことを暗示していたのだ。「現代に胸を締めつけられ、この重みを何としても取り払いたいと望む者だけが、批判的歴史の必要性に気づく」[45]（すぐ先では、宝もある場所に犯罪しか見出さない歴史家という行き過ぎが再考に付される）。つまり歴史家とは、他の存在について、他の感性について問いただす敏感な存在である。ニーチェならば言うだろう、歴史家たちは確かに「精神」であるが、自らの身体や感情や欲望からも切り離せないのだと。「過去の光景は彼らを未来へ押しやり、より長きにわたって生き、戦う勇気をかきたて、正しいものはやはり来るのだという希望、よじ登る山の彼方には幸福が待ち受けているという希望に火を灯す」。「過去の言葉はいつも神託である」のは確かである、ただし条件がある。「未来の建築者となり、現在の解釈者とならなければ、それを理解することはできない」。

ニーチェのような哲学者が必要であったのは、単にパトスの歴史的・人類学的機能を再評価するためだけでなく――「力への意志」自体も「悲しみを得ることの力」と見なされるべきである――、学問領域の境界や、専門による言説の分断がしばしばまやかしでしかないこと、現実の複雑さを前にした一時しのぎでしかないことを示すためである。つまりあらゆる「歴史的」なものは、知の囲いの解放を要求する。そこではすべてが哲学的かつ政治的、美学的かつ道徳的、感情的かつ言説的なのだ。だが一八七四年の『反時代的考察』が、しばしば職業的歴史家たちにとっての「天敵」の役割を果たしてきたことも確かである。ひょっとするとリュシアン・フェーヴルの沈黙とは、このような一時的ショック、つまりニーチェにより哲学的に展開された、同時代の歴史主義に対する――もちろん歴史自体に対してではない――確固たる批判の帰結でしかないのかもしれない。実際のところ、フェーヴルが一九四一年に語った「新しい主題」が、あらゆる歴史主義のうぬぼれから自由になった歴史人類学――まずニーチェがそこを通った――の実践を望んだ異なる思想家たちによって、すでに探求されていたのは驚くべきことである。

ところでリュシアン・フェーヴルは、ストラスブールの文学部の近代史の教授として、一九一九年から一九三三年まで（つまりコレージュ・ド・フランスに選出されるまで）教えていたが、同時に一九二〇年から一九三〇年にかけては、マインツのドイツ研究センターで授業をしていた。つまり彼は直接的にドイツの知的産物に触れていたのであり、それだけに一九四一年の彼の沈黙――ドイツによるフランスの軍事的占領という文脈における――は意図的であるとの気配が強い。だが、最近の展覧会が着目したように、ストラスブールはヨーロッパの偉大な知識人の一部にとっての例外的な交流点であったことを、どうすれば忘れられようか[46]。フェーヴルがそこにたどり着いたとき、そこで亡くなった（一九一八年九月）ゲオルク・ジンメルは、『社会化の諸形式』についての大著のなかで、「感覚の社会学」[47]にかんする見事な一節を記していた[48]。他方でノルベルト・エリアスの書物『風俗の文明』が刊行されたのは一九三九年[49]、つまりリュシアン・フェーヴルにも近い年代だが、この書物も、ジンメルの影響を受けながら、各文明がそれぞれの時期に活用する「情動的規範」について論じるのを忘れてはいなかった（一九八六年のエリアスの最晩年の著作もまた、感情についての歴史的・社会的な問いを再提起しようとしていたところだった[50]）。

他方で、マルク・ブロックとリュシアン・フェーヴルが一九二九年に創刊した偉大な雑誌の最初のタイトルは『社会経済史年報』であったのだから、歴史学と社会学の間の変わらぬ絆が結ばれつつあったのだと理解するべきである。ところでこの点でもっとも先に進んでいたもののひとつが、一九一一年から一九二〇年にかけて刊行されたマックス・ウェーバーの『経済と社会』である[51]。この書では「情動的なもの」（Affektuel）が、「意図的」や「理性的」と並んで、諸々の社会的プロセスの根本的な構成要素のひとつとして提起されている。さらにリュシアン・フェーヴルは、ストラスブールで哲学者・心理学者のシャルル・ブロンデルと近しかっただけにはとどまらない[52]。彼はまた社会学者のモーリス・アルヴァックスとも友人であったのだが、アルヴァックスは一九三〇年に早くも、未刊の試論——フェーヴルは知っていたのではないだろうか——『感情表現と社会』を著していたが[53]、これと強い結びつきを持っているのが[54]、その十年前にマルセル・モースが名著『感情の義務的表現』で発展させた人類学的観点である[55]。

＊

そしてこれが最後の指摘になるが、ひょっとするとこの指摘により、リュシアン・フェーヴルの論文が身振り（ホイジンガ）とイメージ（マール）に目を向けながら、同時にそこから目をそらしていることについて、視野が開けるかもしれない。のちにアラン・コルバンも同じことをしたのではないだろうか。感性の歴史についての「パノラマ的素描」において、彼が「諸々の表象の歴史の中に埋没すること」の懸念を表明しつつ、自らの実践を「名もなき歴史」と呼んでいるのは驚くべきことだ[56]。ロベール・クランがアビ・ヴァールブルクのイコノロジーを、「他の多くの学問分野とは逆に、存在するが名前はない分野」と呼んだのを、無意識的に反復しているのは間違いない[57]。ところでストラスブールは、第二次大戦以前には、偉大な美術史家たちの坩堝として有名だった。だからこそアビ・ヴァールブルクはストラスブールで、フーベルト・ヤニチェクのもと、一八八九年から一八九一年にかけて、時間的かつ情念的な逆説をかかえるボッティチェリの神話的絵画についての、革命的な博士論文を執筆したのである〔58〕。

ヴァールブルクのイコノロジーとは認識のプロジェクトであり、しばしば思われているような、文学的「源泉」を探求することでイメージの背後にある「理念」や「象徴的テーマ」を解読するための学問分野にとどまるものではまったくなかった。それは「深層の心理学」の全体に突き動かされた、イメージの歴史人類学だったのであり、つまりニーチェやフロイトはヴァールブルクの理論的モチーフと決して遠くないところにいたのである。ヴァールブルクは、公式には実現することはなかったものの、身振りとイメージという多形な媒体を通しての、西洋の情念の巨大な歴史を目指したのだ（ヴァールブルクにおいて鍵となるPathosformelnという概念はここに由来するのであり、リュシアン・フェーヴルの時代であれば「情念の定型（formules passionnelles）」と訳されたかもしれない）。

周知のように、ヴァールブルクが晩年に手掛けた最終的な作業のなかには、「政治的イコノロジー」のプロジェクトも含まれており、とりわけそれを物語るのが、ルターによる改革時代のプロパガンダ・イメージについての、一九二〇年の試論である〔59〕。すでにこの歴史は、イメージの中に体現された政治的感性という視角から試みられていたのではないか。だからこそ現代の歴史家の一部は、政治的な問題に直面したところで、イメージのほうへ向かうようになっているのではないか。それが読み取れるのはパトリック・ブシュロン（彼の『恐怖を祓う』は「イメージの政治的力についての試論」であると紹介されている〔60〕）、あるいはより最近では、「政治的な涙」についての問いから出発して、偶像破壊という視角からのフランス革命後の政治を物語るこの『傷つけられた目』（という著作）に、つまりイメージに対する突発的な政治的感受性の問題に到達した、エマニュエル・フュレクスである〔61〕。

（ジョルジュ・ディディ＝ユベルマン　哲学者、美術史家）

Georges Didi-Huberman, « Histoire et sensibilité : trois généalogies », *Sensibilités. Histoire, critique et sciences sociales*, n°11, 2022, p. 142–149.

註

［1］ Lucien Febvre, « Comment reconstituer la vie affective d'autrefois ? La sensibilité et histoire » [1941], *Vivre l'histoire*, éd. B. Mazon, Paris, Robert Laffont-Armand Colin, 2009 [1941], p. 192〔リュシアン・フェーヴル「いかにして往時の感情生活を再現するか——感性と歴史」、井上櫻子訳、『叢書『アナール　1920—2010』——歴史の対象と方法』、第Ⅰ巻、浜名優美監訳、藤原書店、二〇一〇年、三三三頁〕.

［2］ Ibid., p. 194〔同上、三五〇頁〕.

［3］ Ibid., p. 205〔同上、三五三頁〕.

［4］ Jacques Le Goff, « Les mentalités : une histoire ambiguë », *Faire de l'histoire, III*, J. Le Goff et P. Nora (dir.), Paris, Gallimard, 1974, p. 76–94.

［5］ Alain Corbin, *Le Miasme et la jonquille. L'odorat et l'imaginaire social, XVIIIe–XIXe siècles*, Paris, Aubier Montaigne, 1982 [rééd. Paris, Flammarion, 1986]〔アラン・コルバン『においの歴史　嗅覚と社会的想像力』、山田登世子、鹿島茂訳、藤原書店、一九八八年〕; *Les Cloches de la terre. Paysage sonore et culture sensible dans les campagnes au*

XIXe siècle, Paris, Albin Michel, 1994〔『音の風景』、小倉孝誠訳、藤原書店、一九九七年〕; *L'Harmonie des plaisirs. Les manières de jouir du siècle des Lumières à l'avènement de la sexologie,* Paris, Perrin, 2008〔『快楽の歴史』、尾河直哉訳、藤原書店、二〇一一年〕.

［6］ Alain Corbin, « Histoire et anthropologie sensorielle », [1990], *Le temps, le désir et l'horreur. Essais sur le XIXe siècle,* Paris, Aubier, 1991, p. 227–244〔アラン・コルバン『時間・欲望・恐怖 歴史学と感覚の人類学』、小倉孝誠、野村正人、小倉和子訳、藤原書店、一九九三年〕.

［7］ Alain Corbin, « "Le vertige des foisonnements". Esquisse panoramique d'une histoire sans nom », *Revue d'histoire moderne et contemporaine,* XXXIX, 1992, N°1, p. 103–126〔アラン・コルバン「感性の歴史の系譜」、小倉孝誠訳、L・フェーヴル、G・デュビィ、A・コルバン『感性の歴史』、小倉孝誠編、藤原書店、一九九七年、一〇三―一四八頁〕.

［8］ Quentin Deluermoz, Emmanuel Fureix, Hervé Mazurel et M'hamed Oualdi, « Écrire Histoire des émotions : de l'objet à la catégorie d'analyse », *Revue d'histoire du XIXe siècle,* N°47, 2013, p. 155–189.

［9］ Jean-Jacques Courtine et Claudine Haroche, *Histoire du visage. Exprimer et taire ses émotions, XVIe-début XIXe siècle,* Paris, Rivages, 1988.

［10］ Ralph Dekoninck, Maarten Delbeke, Annick Delfosse et Koen Vermeir, « Performing Emotions at the Canonization of Ignatius of Loyola and Francis Xavier in the Southern Low Countries », *Changing Hearts: Performing Jesuit Emotions Between Europa, Asia and the Americas,* R. Garrod et Y. Haskell (dir.), Leyde, Brill, 2019, p. 187–210.

［11］ Anne Vincent-Buffault, *Histoire des larmes, XVIIIe–XIXe siècles,* Paris, Éditions Rivages, 1986〔アンヌ・ヴァンサン＝ビュフォー『涙の歴史』、持田明子訳、藤原書店、一九九四年〕, et *L'Éclipse de la sensibilité. Éléments d'une histoire de l'indifférence,* Lyon, Parangon/Vs, 2009.

［12］ Arlette Farge, *Effusion et tourment, le récit des corps. Histoire du peuple au XVIIIe siècle,* Paris, Odile Jacob, 2007.

［13］ Anne-Claude Ambroise-Rendu *et al.* [dir.], *Émotions contemporaines, XIXe–XXIe siècles,* Paris, Armand Colin, 2014.

［14］ Alain Corbin, Jean-Jacques Courtine et Georges Vigarello (dir.), *Histoire des émotions,* Paris, Le Seuil, 2016–2017〔A・コルバン、J－J・クルティーヌ、G・ヴィガレロ監修『感情の歴史』（全三巻）、小倉孝誠、片木智年監訳、藤原書店、二〇二〇―二〇二二年〕.

［15］ Emmanuel Fureix, *La France des larmes. Deuils politiques à l'âge romantique, 1814–1840,* Seyssel, Champ Vallon, 2009.

［16］ Sophie Wahnich, *Les Émotions, la Révolution française et le présent. Exercices pratiques de conscience historique,* Paris, CNRS Éditions, 2009.

［17］ *Ibid.,* p. 12.

［18］ *Ibid.,* p. 14–17.

［19］ *Ibid.,* p. 379.

［20］ *Ibid.,* 4e de couverture.

［21］ Quentin Deluermoz, Emmanuel Fureix, Hervé Mazurel et M'hamed Oualdi, « Écrire Histoire des émotions », art. cit., p. 155.

［22］ Patricia T. Clough, Jean O. Halley (dir.), *The Affective Turn: Theorizing the Social,* Durham, Duke University Press, 2007.

［23］ Bernard Rimé, *Le Partage social des émotions,* Paris, PUF, 2005 [éd. 2009], p.15–42.

［24］ Jan Plamper, *Geschichte und Gefühl. Grundlagen der Emotionsgeschichte,* Munich, Siedler, 2012, *The History of Emotions. An Introduction,* Oxford, Oxford University Press, 2015〔ヤン・プランパー『感情史の始まり』、森田直子監訳、みすず書房、二〇二〇年〕.

［25］ Paul Ekman, Richard J. Davidson (dir.), *The Nature of Emotions: Fundamental Questions,* Oxford-New York, Oxford University Press, 1994.

［26］ Anne M. and Paul Kleinginna, "A Categorized List of Emotion Definitions, with Suggestions for a Consensual Definition," *Motivation and Emotion,* V, 1981, p. 345–379.

［27］ Carol Z. and Peter N. Stearns, "Emotionology: Clarifying the History of Emotions and Emotional Standards," *The American Historical Review,* XC, 1985, n°4, p. 813–836.

［28］ Carol Z. and Peter N. Stearns, *Emotion and Social Change: Towards a New Psychohistory,* New York, Holmes and Meier, 1988.

［29］ Rafael Mandressi, « Le temps profond et le temps perdu. Usages des neurosciences et des sciences cognitives en histoire », *Revue d'histoire des sciences humaines,* n°25, 2011, p. 165–202.

[30] Francisco Ortega, Fernando Vidal (dir.), *Neurocultures. Glimpses into an Expanding Universe*, Berne, Peter Lang, 2011.

[31] Fernando Vidal, « Le "neuro" à toutes les sauces : une cuisine autodestructrice », *Sensibilités. Histoire, critique et sciences sociales*, n° 5, 2018, p. 60–69.

[32] Quentin Deluermoz, Thomas Dodman et Hervé Mazurel, « Être ou ne pas être son cerveau », *ibid.*, p. 7–10.

[33] William M. Reddy, « L'incontournable intentionnalité des affects : l'histoire des émotions et les neurosciences actuelles », *ibid.*, p. 84–97.

[34] ジョン・L・オースティンが参照されている。John L. Austin, *Quand dire, c'est faire*, Paris, Seuil, [1962], 1991〔J・L・オースティン『言語と行為』、飯野勝己訳、講談社学術文庫、二〇一九年〕.

[35] William M. Reddy, *La Traversée des sentiments. Un cadre pour l'histoire des émotions, 1700–1850*, [2001], trad. S. Renaut, Dijon, Les Presses du réel, 2019, p. 91–149, 223–264 et 383–404.

[36] Lucien Febvre, « Comment reconstituer la vie affective d'autrefois ? », art. cit., p. 192, 196 et 201〔リュシアン・フェーヴル「いかにして往時の感情生活を再現するか」、前掲書、三二九、三三六、三四三頁〕.

[37] Johan Huizinga, *L'Automne du Moyen Âge* [1919], trad. J. Bastin, Paris, Payot, 1938 [éd. 2002]〔ホイジンガ『中世の秋』、上下、堀越孝一訳、中公文庫、二〇一八年〕.

[38] Émile Mâle, *L'Art religieux de la fin du Moyen Âge en France. Étude sur l'iconographie du Moyen Âge et sur ses sources d'inspiration*, Paris, Armand Colin, 1908 [éd. 1995 d'après l'éd. 1947 revue et corrigée]〔エミール・マール『中世末期の図像学』、上下、田中仁彦ほか訳、国書刊行会、二〇〇〇年〕.

[39] Georges Didi-Huberman, *Devant le temps. Histoire de l'art et anachronisme des images*, Paris, Les Éditions de Minuit, 2000, p. 9–55〔ジョルジュ・ディディ＝ユベルマン『時間の前で　美術史とイメージのアナクロニズム』、小野康男、三小田祥久訳、法政大学出版局、二〇一二年、三–五〇頁〕.

[40] Georges Didi-Huberman, « Au pas léger de la servante. Savoir des images, savoir excentrique », *Faire des sciences sociales, I. Critiquer*, P. Haag et C. Lemieux (dir.), Paris, Éditions de l'École des hautes études en sciences sociales, 2012, p. 177–206.

[41] Hervé Mazurel, « De la psychologie des profondeurs à l'histoire des sensibilités. Une généalogie intellectuelle », *Vingtième siècle. Revue d'histoire*, n° 123, 2014, p. 25 [et, en général, p. 22–38].

[42] Jules Michelet, « Cours philosophique » [1828–29], *Philosophie de l'histoire*, éd. A. Aramini, Paris, Flammarion, 2016, p. 125 et 168–171.

[43] Jacob Burckhardt, *La Civilisation de la Renaissance en Italie* [1860–1869], trad. H. Schmitt revue par R. Klein, Paris, Le Livre de poche, 1966, I, p. 197–245 et II, p. 329–342〔ヤーコプ・ブルクハルト『イタリア・ルネサンスの文化』、新井靖一訳、ちくま学芸文庫、二〇一九年、上巻一九九–二五二頁、下巻一五七–一六六頁〕.

[44] Jacob Burckhardt, *Considérations sur l'histoire universelle* [1868–71], trad. S. Stelling-Michaud, Genève, Droz, 1965, p. 1 et 3〔ヤーコプ・ブルクハルト『世界史的考察』、新井靖一訳、ちくま学芸文庫、二〇〇九年、一二、一六頁〕.

[45] Friedrich Nietzsche, *Considérations inactuelles, II. De l'utilité et des inconvénients de l'histoire pour la vie* [1874], trad. P. Rusch, *Œuvres philosophiques complètes*, II-I, éd. G. Colli et M. Montinari, Paris, Gallimard, 1990, p. 101, 109, 113 et 135〔『反時代的考察　ニーチェ全集4』、小倉志祥訳、ちくま学芸文庫、一九九三年、一三一、一四三、一五〇、一八一頁〕.

[46] Joëlle Pijaudier-Cabot et Roland Recht (dir.), *Laboratoire d'Europe, Strasbourg 1880–1930*, Strasbourg, Éditions des musées de la ville de Strasbourg, 2017.

[47] Georg Simmel, *Sociologie. Études sur les formes de la socialisation* [1908], trad. L. Deroche-Gurcel et S. Muller, Paris, PUF, 1999, p. 629–644〔ゲオルク・ジンメル『社会学　社会化の諸形式についての研究』、下、居安正訳、白水社、二〇一六年、二四七–二六六頁〕.

[48] Carlo Mongardini, « L'idée de société chez Georg Simmel et Norbert Elias », *Cahiers internationaux de sociologie*, N. S., IC, 1995, p. 265–278.

[49] Norbert Elias, *La civilisation des mœurs* [1939], trad. P. Kamnitzer, Paris, Calmann-Lévy, 1973 [éd. 1989], p. 279–315〔ノルベルト・エリアス『文明化の過程　上　ヨーロッパ上流階層の風俗の変

遷』、赤井慧爾、中村元保、吉田正勝訳、法政大学出版局、二〇〇四年、三七二―四一三頁〕.

[50] Norbert Elias, « Les êtres humains et leurs émotions. Essai de sociologie processuelle » [1986], trad. M. Joly, *Sensibilités. Histoire, critique et sciences sociales*, n° 5, 2018, p. 16–30.

[51] Max Weber, *Économie et Société, I. Les catégories de la sociologie* [1911–1920], trad. dirigée par P. Chavy et É. de Dampierre, Paris, Plon, 1971 [éd. 1995], p. 55–56〔マックス・ウェーバー『社会学の根本概念』、清水幾太郎訳、岩波文庫、一九七二年、五四頁〕.

[52] Laurent Fleury, « Maurice Halbwachs, précurseur d'une sociologie des émotions », *Maurice Halbwachs : le temps, la mémoire et l'émotion*, dir. B. Péquignot, Paris, L'Harmattan, 2007, p. 61–98.

[53] Maurice Halbwachs, « L'expression des émotions et la société » [vers 1931], *Classes sociales et morphologie*, Paris, Les Éditions de Minuit, 1972, p. 164–173 [rééd. Dans *Vingtième Siècle. Revue d'histoire*, n° 123, 2014, p. 39–48].

[54] Jean-Christophe Marcel, « Mauss et Halbwachs : vers la fondation d'une psychologie collective, 1920–1945 ? », *Sociologie et Sociétés*, XXXVI, 2004, n° 2, p. 73–90.

[55] Marcel Mauss, « L'expression obligatoire des sentiments » [1921], *Œuvres, III. Cohésion sociale et divisions de la sociologie*, Paris, Les Éditions de Minuit, 1969, p. 269–279.

[56] Alain Corbin, « "Le vertige des foisonnements". Esquisse panoramique d'une histoire sans nom », art. cit., p. 117–118〔アラン・コルバン「感性の歴史の系譜」、前掲論文、一三〇頁。なおコルバンのこの論文は原文では「名もなき歴史のパノラマ的素描」という副題がつけられている〕.

[57] Robert Klein, « Saturne : croyances et symboles » [1964], *La Forme et l'intelligible. Écrits sur la Renaissance et l'art moderne*, Paris, Gallimard, 1970, p. 224.

[58] Aby Warburg, « *La Naissance de Vénus* et *Printemps* de Sandro Botticelli. Une recherche sur les représentations de l'Antique aux débuts de la Renaissance italienne » [1893], trad. S. Muller, *Essais florentins*, Paris, Klincksieck, 1990, p. 47–100〔アビ・ヴァールブルク「サンドロ・ボッティチェリの《ウェヌスの誕生》と《春》――イタリア初期ルネサンスにおける古代表象に関する研究」、『ヴァールブルク著作集1』、伊藤博明監訳、富松保文訳、ありな書房、二〇〇三年、八―九九頁〕.

[59] Aby Warburg, « La divination païenne et antique dans les écrits et les images à l'époque de Luther » [1920], *ibid.*, p. 245–294〔アビ・ヴァールブルク「ルターの時代の言葉と図像における異教的＝古代的予言」、『ヴァールブルク著作集6』、伊東博明監訳、富松保文訳、ありな書房、二〇〇六年、七―八三頁〕.

[60] Patrick Boucheron, *Conjurer la peur : Sienne, 1338. Essai sur la force politique des images*, Paris, Le Seuil, 2013.

[61] Emmanuel Fureix, *L'Œil blessé. Politiques de l'iconoclasme après la Révolution française*, Ceyzérieu, Champ Vallon, 2019.

訳者解題

橋本一径 Hashimoto Kazumichi

フランスにおける「感性の歴史」に三つの世代があるとすれば、その最初の世代の起点は、ここでジョルジュ・ディディ＝ユベルマンが述べているように、一九四一年にリュシアン・フェーヴルが、雑誌『社会史年報（アナール）』において、「往時の感情生活をどう再現するか」という問いを、最初に表明」したときであると考えるのが通常の「慣わし」であろう。やがてこの問いは、『においの歴史』などで知られるアラン・コルバンらによって引き継がれ、彼を中心にして編まれた全三巻の『感情の歴史』という「集大成」は、日本でも翻訳が二〇二一年に完結したところである。しかしフェーヴルとコルバンの間には、ディディ＝ユベルマンの言うように「認識論的枠組み」の「ずれ」を見出すことも可能であり、具体的には、歴史学と心理学との協同を訴えた前者に対して、後者においては「諸々の人類学的手法が広く用いられるようになった」。近年では、新しい世代の歴史家たちが、このような「ずれ」の乗り越えを図りつつ、さらに「この文脈では言及されることがほとんどなかった」という哲学とも歩みを共にしながら、刺激的な著作を発表し続けている。代表的なのが、二〇二一年に『無意識あるいは歴史の盲点（*L'inconscient ou l'oubli de l'histoire*）』（未邦訳）を著したエルヴェ・マズレル（Hervé Mazurel）であり、ここに訳出したディディ＝ユベルマンの論文が掲載されているのも、マズレルらを編集委員として二〇一六年に創刊された雑誌『感性（*Sensibilités*）』の第十一号（二〇二二年刊行の特集「無感性（Insensibilités）」）である。

しかしながら、このようなフェーヴル、コルバン、そしてマズレルらというフランスの「感性の歴史」の三世代の教科書的な整理を射程に収めつつも、ディディ＝ユベルマンが本論文で浮かび上がらせようとするのは、「三つの世代」ではなく、「三つの系譜」であることには注意が必要である。そして上述のようなフェーヴル以来のフランス的「感性の歴史」の流れをひとつ目の系譜とみなすディディ＝ユベルマンが、第二の系譜と目するのが、「情動論的転回」を謳う「英米由来の学術的な大波」である。神経科学や認知科学の知見を積極的に取り入れながら、あらゆる時代に応用可能な「基礎的感情」を見出そうとするこの第二の系譜に対して、ディディ＝ユベルマンの批判は手厳しい。たとえば一九世紀の医師デュシェンヌ・ド・ブローニュは、被験者の顔に電極を当てて感情表現の再現を試みたが、現代の情動論的転回も、ディディ＝ユベルマンによればこのような感情をコントロールしようとする方法論的枠組みに収まっているという。しかしこのような方法は感情を再現しているように見えて、実際には別の何かを「発明」しているだけにすぎないのは、感情とは本質的にコントロール不能なものだからである。このような御しがたいものを相手にする感情史研究が、批判的な学であるのは必然的であり、感性の歴史は、取るに足らないと思われているもの、抑圧されているものに対して目を向ける営みでなくてはならない。「情動論的転回」がコントロール可能な感情もどきを再現あるいは発明しているにすぎないとすれば、ディディ＝ユベルマンの理路においては、それは規範に順応的・隷従的な営みだということになる。

しかし本論文が英米由来の「第二の系譜」に対するフランス的な「第一の系譜」の擁護にとどまらないのは、さらに「第三の系譜」が、この「第一の系譜」のリュシアン・フェーヴルやアラン・コルバンが「言わなかったもの」や「知ることを望まなかったもの」の中にこそ探り当てられるからだ。三番目でありながら一番目よりもさらに昔にあるという、ディディ＝ユベルマンお得意のアナクロニック（時代錯誤的）な観点により掘り起こされるこの「第三の系譜」とは、「身振り」や「イメージ」により伝達される感情や情動に着目する学問であり、つまりはアラン・コルバンが自らの実践を「名もなき歴史」と名指したときに無意識的に反復してしまったという、（「名もなき科学」と呼ばれた）ヴァールブルクのイコノロジーである。二〇二三年に刊行された近著『苦悩と欲望の霧』が、「情動という事象」という新たなシリーズの第一巻になると予告されていたように、この「第三の系譜」はディディ＝ユベルマンの最新の関心とも深くかかわるものでもあり、さらには『イメージ、それでもなお』（二〇〇三年。邦訳二〇〇六年）で歴史とイメージの問題に取り組み始めてから、観者の想像力によるイメージの連関を問う「アトラス」という問題系を経て、言語やイメージが喚起する情動の問題を扱った最新刊にまで至る、ディディ＝ユベルマンの理路自体の系譜を、そこからたどりなおすことも可能であろう。なお二〇二四年三月には「情動という事象」の第二巻である『断片化された感情の製造』が刊行され、本論文もそこに収録されている。

ところで今号における『表象』の特集は、視覚優位の中で後回しにされてきた触覚的なコミュニケーションや情報伝達をどう捉えなおすのかを、争点のひとつとしているが、ディディ＝ユベルマンの理路においては、視覚や触覚を区別すること自体が本質的ではないようだ。問題となるのはイメージに対して備給される感情であり、たとえば「痛み」ではあっても、皮膚上の「痛覚」ではないからだ。しかしここには、「感情」と「感覚」という二分法が、新たな心身二元論のように成立してしまっているとは言えないだろうか。そしてディディ＝ユベルマンは、後者の歴史を扱おうとした「情動論的転回」の営みを、単なる感情のコントロールとして片付けるのであるが、たとえばラバーハンド錯覚について考察することが、私たちの身体イメージについての批判的な再考につながる余地はないのだろうか。それこそが本特集の討議で問おうとしたことであり、「感情」と「感覚」を排他的なものとして捉えるのではなく、両者で問題となる「イメージ」が、どのような接点を持ちうるのかが、問われているのだと言えよう。

「皮膚感覚と情動——表象から現前のテクノロジーへ」ブックガイド——執筆者＝髙村峰生、平芳裕子、水野勝仁、橋本一径

『衣服の精神分析』
E. ルモワーヌ=ルッチオーニ｜著
鷲田清一・柏木治｜訳
産業図書、1993年

衣服と身体をテーマとした本は多数あれども、衣服と皮膚の関わりを探究した著作は意外にも数少ない。本書は、ラカン派の精神分析学者ルモワーヌ=ルッチオーニにより1983年に出版された『衣裳——衣服に関する精神分析試論』（*La Robe, Essai psychanalytique sur le vêtement*, Edition de Seuil, Paris）の邦訳。裁断や仮面などをキーワードに、主体の形成にとって根源的な役割を果たす衣服の問題へシャープに切り込んでいく論評の数々が収められる。（平芳）

『身体——皮膚の修辞学』
小林康夫・松浦寿輝｜編
東京大学出版会、2000年

新たな学術領域として創設された「表象文化論」を総括する試みとして刊行された『表象のディスクール』全六巻本の第三巻にあたる。本書による演劇、オペラ、小説、美術、能などの多様なジャンルにおける表象文化批判はいまや古典の感があるが、現代とは異なる20世紀末の身体的状況に対する歴史的証言としても重要である。皮膚とファッションの関わりを論じた「抵抗する衣服, あるいは未熟な身体　コム・デ・ギャルソンのセクシュアリティ」を所収。（平芳）

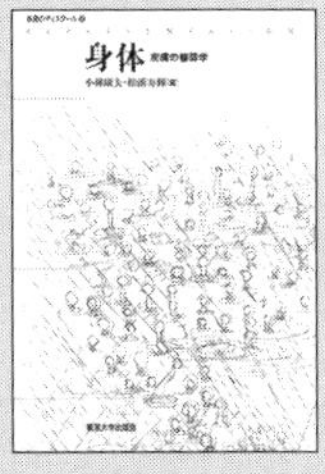

『現代の皮膚感覚をさぐる』
平芳幸浩｜編
春風社、2023年

西洋哲学において精神性を有する感覚として重視されてきた視覚に対して、原初的と見されてきた皮膚や触覚の再検討が行われるようになって久しい。だが、手で触れる能動的な接触がなくとも生じるファジーな皮膚感覚へと取り組む研究は稀であった。本書は、哲学、音楽、文学、建築、美術、デザイン、ファッション、漫画といった領域から皮膚感覚へアプローチし、その現代的有り様を読解しようとする試みであり、皮膚感覚的な出来事や経験を言語化することの可能性が探究されている。（平芳）

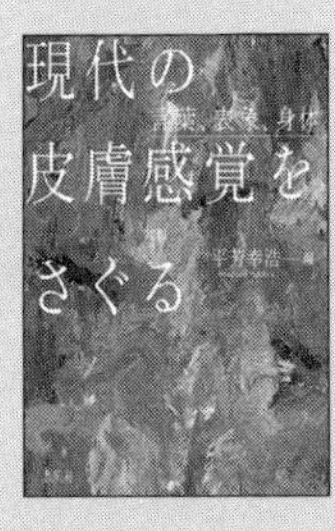

『融けるデザイン——ハード×ソフト×ネット時代の新たな設計論』
渡邊恵太｜著
BNN新社、2015年

本書はインターフェイスデザインの本として有名であるが、「情報」という不確かな存在とヒトとの関係を体験を情報一元論的に考察した本として読むことをお勧めしたい。特に「持続性のあり方」からモノと情報との違いを論じていく箇所は、ヒトがコンピュータを介して世界を体験する際に、その体験の起点がモノなのか、情報なのかに決定的な違いはないと書かれていて、モノと情報との二項対立を崩してくれる。環境に長く存在し続けるモノに変幻自在な情報を組み込んでいくというかたちで、ヒトと環境とのインタラクションをデザインしていくと、モノの定義が情報に近いものになり、ヒトの体験も変わっていくのである。（水野）

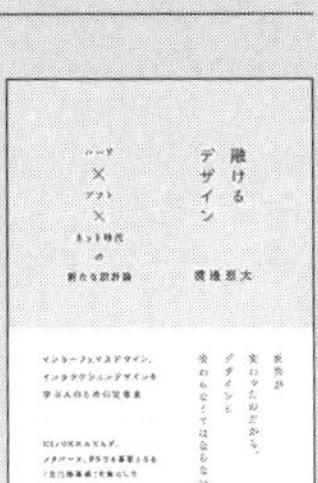

『からだの錯覚——脳と感覚が作り出す不思議な世界』
小鷹研理｜著
講談社、2023年

錯覚を使って、身体感覚を情報的に組み換えていくトレーニングの書として読みたい一冊。小鷹が「ラバーハンド錯覚は、身体を物理的な実体としてではなく、複数の感覚信号の組み合わせによる一種の情報的な効果として扱う」と書くように、この本は身体を情報的な効果の集合と捉えている。そして、錯覚を使い、感覚情報を伝える神経の物質的な「配線」を解きほぐし、身体を情報的に変調し、拡張していく。錯覚を実際に体験しながら読み進めていくと、錯覚に対する「信頼」が生まれ、自分と世界との関係が変わっていくのを体験できるので、お薦めである。（水野）

『ゲシュタルトクライス——知覚と運動の人間学』
ヴィクトーア・フォン・ヴァイツゼカー｜著
木村敏・濱中淑彦｜訳
みすず書房、2022年

トラックパッド、マウス、キーボードのどれを使っていても、視線の先にはディスプレイがある。インターフェイスの体験では、知覚と行為とが同時に起こっている。しかし、知覚と行為とを同時に記述したいと思っても、無理である。本書に出てくる「相即」は、これを可能にしてくれるかもしれない概念である。ヒトと環界、および、対象との密接な結合によって、知覚すなわち行為となる。原著は1940年の出版だが、脳研究のパラダイムになっている「予測する脳」に通じる記述もあり、主観と客観との統合を目指す記述は、ヒトとコンピュータのあいだで機能するインターフェイスを考察するヒントが多く詰まっている。（水野）

『タッチ——距離をめぐる旅』
ゲイブリエル・ジョシポヴィッチ｜著
秋山嘉｜訳
中央大学出版局、2018年

触れることをめぐり、緩やかに結び付けられた23の断章よりなるエッセイ集。ロラン・バルトを彷彿とさせる繊細な筆致により、ソフォクレス、チョーサー、シェイクスピア、ワーズワース、プルーストなど古今の西洋文学を軽やかに引用しつつ、聖遺物、治療、運動、境界、部屋などのテーマ群を考察している。ジャン=バチスト・シャルダンの絵画をめぐる優美な最終章が白眉。（高村）

Affect Theory Reader 2: Worldings, Tensions, Futures
Gregory J. Seigworth and Carolyn Pedwell｜編
Duke University Press, 2023

2010年に刊行されたAffect Theory Readerの続刊。その後、情動理論がいかに諸学問や創作現場において深化・定着を遂げたか、20人の著者陣によって論じられている。英米圏で近年注目を集めるクリエイティブ・ノンフィクションというジャンルを創作と研究の垣根を超えた情動理論の実践と考えるアン・クヴェトコヴィッチ、トランプの情動的なスタイルについて姪メアリー・トランプによる心理的な分析をも参照しつつ論じるリサ・ブラックマンの章などは、時代性を帯びた刺激的論考である。（高村）

L'inconcient ou l'oubli de l'histoire（無意識あるいは歴史の盲点）
Hervé Mazurel｜著
La Découvrete, 2021

『においの歴史』や『涙の歴史』を世に問うてきたフランスの感性史研究の新世代に属するエルヴェ・マズレルによる大著は、無意識を普遍的・非歴史的なものとして提示しようとしたフロイトの批判であるとともに、「細部」に着目しようとする感性史が精神分析に多くを負ってきたことの確認でもある。精神分析との関係を中心に、20世紀の西洋思想史を総括しようとするような野心的著作。（橋本）

Histoire des sensibilités（感性の歴史）
Alain Corbin, Hervé Mazurel｜著
PUF, 2022

フランスの「感性の歴史」の最新の展開を紹介する論集。リュシアン・フェーヴル以来の感性史の系譜を振り返るマズレルによる序文、同じくマズレルによるアラン・コルバンへのインタビュー、さらには神経科学の新たな展開と歴史研究の協同の可能性を示唆する巻末の論文など、小著ながら読みどころの多い一冊。（橋本）

表 18 象

論文

二重化された予示
——日本キャラクター論から見た「ハッピー・フーリガン」

鶴田裕貴

1 はじめに

日本のマンガ[1]論において、類型的なキャラクターとそうでないキャラクターとの区別はしばしば重要な論点として取り上げられてきた。類型からの脱出と重層的なキャラクターの登場を近代的なマンガの出現のメルクマールとする議論は、日本の批評家や研究者にとってお馴染みだろう。

著書『アトムの命題』に代表される大塚英志の二〇〇〇年代の議論はその代表例である。大塚のキャラクター論は記号的身体というキーワードによって象徴される。これは一般的にはキャラクターの傷つかない身体を意味する概念として知られている。戦前漫画のキャラクターたちは、高所から落下したり自動車にひかれたりしても、その衝撃をゴム人形のように吸収し、無効化してしまう。そうした現実的な身体性の欠如を大塚は「記号的」と表現している。

一方、「記号的」という語には傷つかなさの他に、キャラクターの類型化されたあり方という意味も込められている。たとえば大塚は手塚治虫のキャラクター造形について、次のように書いている。

> ［…］手塚にとってまんが表現とは人間像そのものが類型化してまず認識され、その上でその類型を表象するのにふさわしい「記号」が動員されることで表現されるジャンルであることがわかる。まず人間像そのものを「記号」「類型」として把握する視線がまんが記号説の根本にあるのだ。[2]

大塚は、戦前に活躍した漫画家である北沢楽天が手塚に与えた影響をヒントに、類型性としての記号性について説明している。たとえば楽天は灰殻木戸郎《はいからきどろう》というキャラクターを創作した。木戸郎はスーツに蝶ネクタイ、ステッキを手に持って巻きたばこをくゆらすといった、大正期のいわゆるモガ・モボを象徴するような出で立ちをしており、街に出てナンパをするなど行動もそれらしいものであった。灰殻木戸郎という名前もまた「類型化された人間像がその属性を直截《ちょくせつ》に語る」[3]ものとしてあった。大塚はこうしたキャラクターを「内面を表層にまとう記号によって類型化された存在」[4]と言い換え、戦前のキャラクターを内面の欠如によって特徴づける。彼は戦前のキャラクターを、お約束を反復することしかできず、したがって性格上の変化や成長の可能性も予め奪われている存在として位置づけている。

大塚の引用した手塚は、楽天の作風を「海外の人たちの漫画の影響」すなわち「イギリスの『パンチ』からきた系列の風刺漫画」に由来すると語っている[5]。このことから、類型性に還元されないキャラクターを表現することは、先行する海外の表現の磁場からの脱出をも示唆することとなる。楽天や手塚に影響を与えたのはイギリスやフランスを含めた広い意味での西欧漫画である。しかし大塚は議論を進めていくなかで、最終的に記号的身体の問題をアメリカの表現、特にミッキー・マウスに象徴させるかたちで収れんさせていく。二〇〇〇年代の彼の評論活動は、日本の戦後サブカルチャーと二〇〇三年以降のアメリカ・イラク間の戦争との関係性を問うという課題のもとで行われていた。記号的身体についてもその課題の中で議論されている以上、最終的には日米関係という構図に行き着かざるを得ない[6]。とはいえ、戦前漫画に対するアメリカの影響を重視するのは必ずしも恣意的ではない。二〇世紀初頭のアメリカの新聞コミックスが戦前日本漫画に与えた影響が大きかったのは事実である[7]。

なるほど、そうしたコミックスに登場するキャラクターは、大塚の言うように類型の反復としてあるようにも見える。しかしそれらは大塚が想定するほど単純なものでもない。そこには日本漫画とは異なるかたちで類型を脱臼させる契機が含まれていた。

ケリー・ソーパー（Kerry Soper）やジャレッド・ガードナー（Jared Gardner）といったアメリカのコミックス・スタディーズの論者は、フレデリック・バー・オッパー（Frederick Burr Opper）によって一九〇〇年から一九三二年まで描かれた新聞コミックス「ハッピー・フーリガン」（*Happy Hooligan*）に類型的な人物描写からの脱出の契機を見てとっている。この作品はアメリカの初期コミックスの中でも代表的な存在であり、日本においても一九二五年から一九三〇年にかけて『時事新報』で邦訳掲載されている[8]。作品の主人公であるハッピー・フーリガン（以下、ハッピー）は類型的なアイルランド移民労働者として描かれている。この頃のアイルランド移民には酔っ払いや乱暴者といったネガティブなイメージがつきまとっていたが、ハッピーはそれに反して親切な人物で、困っている人を見ると助けずにはいられない。しかし彼の親切はほぼ必ず失敗し、却って周囲に迷惑をかけてしまう。人々はそれが故意の犯罪だと思い込み、最終的に彼は警官にしょっぴかれる。時期によって多少の変化はあるものの、基本的にハッピーは連載を通してこのパターンを反復し続けた。ソーパーとガードナーはともに、類型的な人物が連載コミックスの中で繰り返し描かれることで、予め定まった類型を超えて変化していく可能性があると論じている。だが「ハッピー・フーリガン」においては変化は可能性として暗示されただけで、根本的な変化は起こらなかったとしている[9]。

こうした先行研究の問題点は、一九〇〇年から一九〇一年初頭にかけてのエピソードを無視していることだ。これら最初期のエピソードに登場する主人公ハッピーは、親切であるどころか端的に迷惑な人物だった。この状態から一九〇二年ごろにかけて、言説的に共有されている親切な主人公へと変化していく。この時期について検証した研究は管見の限りでは見つからない。先行研究は初期のエピソードを見落とすことで、実際には変化した後のハッピーの姿を、最初から最後まで保たれていたものとしてしまっているのだ。こうした見方はまた、類型的なキャラクターを変化することのない存在として論じた大塚の態度とも共鳴している。

以上を踏まえて、本稿は相互に絡み合ったふたつの狙いを定めて議論を進める。ひとつは、日本のマンガ論における類型性に関する議論が共有してきた日本漫画史の前提と、そこから導き出されたキャラクターに関する理論的枠組みについて、「ハッピー・フーリガン」の初期エピソードの読解を通して批判的に検討することである。もうひとつは、「ハッピー・フーリガン」を日本のキャラクター論の視点から分析することで、主人公を類型的なアイルランド移民表象として捉えてきた従来の解釈を批判することである。ふたつの領域はともに類型を静的なものと見なす点で問題を抱えており、相互に参照し合うことで、類型が実際には動的でありうることを各々に見合ったかたちで発見することとなるだろう。

本筋に入る前に、既に何度か用いている類型という言葉について補足しておこう。さきほどから本稿はアメリカのコミックス・スタディーズが「ハッピー・フーリガン」における類型について論じているとは書いているが、ここで類型と訳したのは“type”あるいは“stereotype”である。これらの語は基本的に、民族や階級など現実社会で共有されている人々のグループに対して投影されるものを意味しており、社会的類型などとも訳される。それに対し、日本のマンガ論が類型と呼んできたものは必ずしも社会的類型のことのみではなく、フィクションにおいて共有される定型化した人物造形を指すこともあり、端的に「キャラ」などと呼ばれることもある。以下、特に断りのない場合、本稿は類型という言葉を社会的類型を想定して用いる。「キャラ」についてはより複雑な議論が必要となるので、後に改めて取り上げる。

2 ハッピー・フーリガンの類型性と変化

ハッピーは、その見た目や言葉の訛りの特徴から、カリカチュアライズされたアイルランド人として解釈されてきた。アイルランド人カリカチュアはしばしば顔や体型をゴリラなどの類人猿に似せて描かれるが、先行研究ではハッピーの姿にもそうした特徴が読み取れると言われる。また、ハッピーは話す際にさまざまな単語の母音を“oi”に変化させたり（hurt → hoit など）、二人称代名詞に“youse”を用いたりするが、こうした話し方もまたアイルランド訛りを誇張的に表現したものとして読める[10]。

作者オッパーは一八七〇年代末から一八九〇年代前半まで風刺週刊誌『パック』（*Puck*）でアート・スタッフとして働いた。同誌の創刊者であるジョセフ・ケプラー（Joseph Keppler）が政治的に反アイルランド移民の立場を取っていたこともあってか[11]、この頃のオッパーの仕事には攻撃的な風刺画が散見される。オッ

(右)図1　Opper, "The King of A-Shantee," *Puck*, vol.10 no. 258, Puck Publishing, February 15, 1882, p. 378.(左上)図2　Opper, "The Doings of Happy Hooligan," *New York Journal*, March 11, 1900, Humorous Supplement, p. 2. San Francisco Academy of Comic Art Collection, The Ohio State University, Billy Ireland Cartoon Library and Museum.(左下)図3　Excerpt from Opper, "Happy Hooligan's Birthday: He's 8 Years Old To-Day," *San Francisco Examiner*, March 15, 1908, American Magazine Section, p. 2.

パーのアイルランド人カリカチュアとしてしばしば参照されるのが、一八八二年二月一一日に掲載された「ア・シャンティの王」(図1)である。ここに描かれている男性は、類人猿的な顔立ちのほか、がっしりとしたあごやひげ、粗末な掘っ立て小屋(shanty)、棍棒やたばこ、酒瓶といったアトリビュートによってアイルランド人として表象されている。

「ア・シャンティの王」に描かれた男性と、一九〇〇年の「ハッピー・フーリガン」初回エピソード(図2)に描かれたハッピーとのあいだには、たしかに共通点が見つかる。見た目の上ではあごの形やもみあげと繋がったひげ、粗末な服装、帽子ではないものを帽子として被っていることなどが挙げられる。また、フーリガンとは実在するアイルランド系のサーネームである。フーリガンやオフーリガン(O'Hooligan)は書籍や定期刊行物に掲載されるジョークやボードビルにおいて、登場人物がアイルランド人であることを指示するのにしばしば用いられていた。一八九八年にロンドンを騒がせたアイルランド人の暴徒の主犯格の名前としても知られており、転じて反社会的な若者一般を示す言葉としても普及していた[12]。連載開始の時期を考慮すると、ハッピーもまた暴徒とまではいかないまでも、不法侵入や労働への抵抗など、当時共有されていた「フーリガン」のイメージを意識して創作されたと思われる。

とはいえ、先述したようにハッピーの性格は連載開始後二年ほどでより温和で親切なものへと変化している。更にその後の数年間で、性格のみならず見た目の上でも、ひげがなくなる、あごの形がシャープになるなどの変化が見られる。先行研究はこうした変化についておざなりに扱ってきた。たとえば、先ほどから代表的な先行研究として参照しているソーパーがアイルランド人カリカチュアの系譜としてのハッピーについて論じるに当たって引用しているのは、連載開始後八年が経過した後の図版である[13]。この図版は一九〇八年の特集記事にハッピー自身が語ったという体で掲載された疑似自伝に掲載された（図3）。連載初回（図2）と比べると見た目の変化は明らかである。また、疑似自伝の中でハッピーは「ジョイマニーのボイリン」（Boilin in Joimany）で生まれたと自称している[14]。これはハッピーのアイデンティティを判断する材料というよりも、アイルランド性を誇張する"oi"の音を強調しながらドイツ出身であると語らせることでアイデンティティを攪乱するユーモアと捉えるべきだろう。ハッピーがアイルランド人ではなくなったとは言い切れないが、少なくともオッパーの過去のアイルランド人カリカチュアとの繋がりが失われていったのは確かである[15]。

　ハッピーの見た目の変化は性格の変化の後を追うかたちで生じている。性格の変化については第四章で詳しく見ていく。見た目の変化は変化した性格に合わせるようにして起こったと思われる。変化後の顔はもはや類型的なアイルランド人表象からは解離している。オッパーが新聞平日版に描いた一九〇八年の風刺カートゥーン「独占《モノポリー》大陪審は満員御礼」（図4）で、作者は刑事、陪審員、判事がみな同じ顔の「トラスト」からなる裁判を描いている。裁かれているのは「一般人」で、傍聴席では資本家たちが「一般人」の悪口を言っている。「トラスト」の顔は図3のハッピーの顔とよく似ている。実在の人物を参照した資本家たちの顔と対象的に、「トラスト」は皆同じ顔をした抽象的な存在である。少なくとも特定の人種・民族的なアイデンティティを表象してはいない。貧しいハッピーと似せられていることも考慮すると、この顔は特定の社会的類型というよりも、滑稽などの情動的な効果を狙ったものであったのではないかと思われる。

　こうした変化の背景事情についても明確にわかっていることは少

図4　Opper, “Monopoly Grand Jury Said to be Packed,” *The Oregon Daily Journal*, April 21, 1908, p. 15. なお、Billy Ireland Cartoon Museum and Libraryにこれと同じカートゥーンの切り抜きが所蔵されており、それにはNew York American一九〇八年四月八日掲載であるとメモされている。そのため本稿の出典は初出ではない可能性が高いが、初出を特定することはできなかった。

ないが、当時の新聞や雑誌においてアイルランド人差別的な表現に対する規制や自粛を促す圧力が存在していたことが、いくつかの資料から推測できる。たとえばオッパーは一九〇二年に雑誌『インディペンデント』（*The Independent*）に寄せたエッセイの中で、かつて大量に描かれていたユダヤ人やアイルランド人のカリカチュアが近年では数を減らしているとした上で、「その理由は言いにくい」と言葉を濁している[16]。彼が雑誌で働いていた頃の作品にアイルランド人を揶揄的に描いたものが多いのは先に述べたが、一八九九年に活動拠点を新聞に移した当初においてもそうした作品は多かった。「ハッピー・フーリガン」を描き始める前に彼が最も頻繁に描いていたテーマはアイルランド人家政婦である。しばしば「ブリジット」（Bridget）と名付けられるアイルランド人家政婦は、筋骨隆々で男のような顔をしており、雇い主の金を勝手に盗んだり、飲んだくれでまともに仕事をしなかったり、注意されると持ち前の怪力で雇い主を叩きのめすといった風に類型化されて描かれた。

コミックスに限らず、二〇世紀転換期は社会類型的な表象への抗議運動が勢力を増してきた時期でもあり、アイルランド系の団体もまた活動を活発化していた。彼らは主に劇場を標的としていて、舞台上に類型的なアイルランド人の登場人物が現れると同時に観客席で騒ぎ始めたり、果物などを投げたりといった積極的な抗議活動を行っていた。この時期、南北戦争以前はままあった劇場での観客からの投擲や暴動は珍しいものとなっていたが、だからこそ暴動は抗議として一定の効果を上げていた[17]。「ハッピー・フーリガン」の初回エピソードで、主人公は劇場における観客席と舞台との境界線を侵犯していたが、これもアイルランド人の抗議活動に着想を得たものだったのかもしれない。また、「ブリジット」は当時のアイルランド・ナショナリズムに伏在していた男性中心的ジェンダー観も相まって中心的な攻撃対象となっていた[18]。「ハッピー・フーリガン」が批判されたという資料は見つからないが[19]、こうした状況にあって、オッパーや編集者が作品に進路変更が必要だと考えた可能性はある。

ソーパーとガードナーはハッピーの姿や性格の変化については取り上げないものの、雑誌カートゥーンの作風と「ハッピー・フーリガン」との差異についてはコメントしている。彼らは作者自身の政治的立場の変化よりも、一枚絵の雑誌カートゥーンから新聞連載コミックスへとフォーマットが変化したことによって登場人物の経時的な変化が可能になったことや、掲載新聞が移民労働者を想定読者に含めていたことを重視している[20]。

注目したいのは、ソーパーとガードナーがともに指摘しつつも可能性を語るにとどめた、類型的なキャラクターが連載の中で変化していくという事態である。その具体的なメカニズムについても彼らは触れていない。日本の研究者たちの視点を導入すべきはこの地点においてである。大塚がそうであったように、日本においても類型性とは不変性の謂のように用いられる言葉である。しかしこれから分析していくように、実は先行研究は類型的キャラクターが変化するメカニズムを自覚なしに提示しているのだ。

3　類型と長期連載、そして「キャラ」

宮本大人の論文「漫画においてキャラクターが「立つ」とはどういうことか」は、『アトムの命題』と同年に発表されており、問題設定においても大塚と重なる部分が大きい。宮本もまた、キャラクターの類型性からの脱却を日本漫画にとってのひとつのメルクマールとして捉えている。一方で、類型的なキャラクターについての見方は大塚と異なる。宮本はマンガに関する言説においてしばしば言われる「キャラクターが立つ」という表現に注目し、「立つ」ことを漫画にとっての近代の開始と結びつけた上で、その条件としてキャラクターの「①独自性」、「②自律性・擬似的な実在性」、「③可変性」、「④多面性・複雑性」、「⑤不透明性」、「⑥内面の重層性」の六つを挙げた[21]。類型性という観点からは特に③と④が重要である。

> ③可変性。特徴・性格が、ある程度変化しうること。時間の経過を体現しうること。長期にわたる連載漫画の場合、キャラクターの特徴は、不変ではないことが多い。それは物語の中でキャラクターの「成長」として提示される場合もあれば、絵柄が自然と変化していった結果である場合などもある。
> […]
> ④多面性・複雑性。類型的な存在ではないこと。「意外な一面」や「弱点」を持っていること。[22]

宮本は③と④の両方に関わる重要な要素をふたつ挙げている。ひとつはキャラクターが「普通の名前」を持っていることである。もうひとつは、③の中にもある「長期にわたる連載」である。

まず「普通の名前」について見ておこう。宮本は大正中期から昭和初期にかけての「子ども向け物語漫画」においてキャラクターの名前に変化が起こったとしている。従来のキャラクターの多くは『平気の平太郎』や「真直太郎」といったふうに、「キャラクターの名前がそのまま性格の説明になってしまって」おり、そうした「キャラクターの性格は、単純かつ固定的・類型的なものになっている」。たとえば、平気の平太郎がくじけてしまったり（可変性）、誰も見ていないところで弱気になったり（多面性）する可能性は名前によって予め排除されていることになる。だが、同時代の作品の中でも、小星・作、東風人・画の『正チャンの冒険』（一九二三―一九二六年）は一線を画した。同作の主人公「正チャン」は「当時としてはごくありふれた名前で」あり、「この名前だけで、このキャラクターの性格が言い尽くされているとは感じない」。このことが「正チャンの性格の可変性や多面性を可能にする、条件になっている」[23]。

「長期にわたる連載」もまた、キャラクターの見た目や性格が経時的に変化するための条件である。③の記述において興味深いのは、キャラクターの変化が送り手にとって意図的か否か、あるいは変化が作品世界内の出来事か否かを問題としていない点である。宮本はこれについても『正チャンの冒険』をモデルケースとして論じている。宮本は正チャンの「顔も姿態も連載を通じてかなり変化」しているとした上で、そうした変化が主人公の「冒険を通じての「成長」」であるかは措きつつ、「視覚的な特徴の変化」が「複数のエピソードを通じて継続していく時間の流れを、読者が感じることを可能にしている」とする[24]。

伊藤剛は『テヅカ・イズ・デッド』において、大塚と宮本の議論を引き継ぎつつ、キャラクターについてさらなる理論的な考察を加えている。彼はマンガの登場人物を「キャラ」と「キャラクター」の二つのレベルが重なり合った存在と捉えた。彼によると、「キャラ」とは「多くの場合、比較的に簡単な線画を基本とした図像で描かれ，固有名で名指されることによって（あるいは、それを期待させることによって）、「人格・のようなもの」としての存在感を感じさせるもの」である。それに対し「キャラクター」は「「キャラ」の存在感を基盤として，「人格」を持った「身体」の表象として読むことができ、テクストの背後にその「人生」や「生活」を想像させるもの」である[25]。

伊藤によれば、「キャラ」の成立において重要なのは「互いに関係を持つテクストが時間をおいて読者の前に繰り返し現れるという再帰性[26]」である。「再帰性」として主に念頭にあるのはマンガの連載である。「ようは、物語の「続き」があり、それが前に見たものの「続き」だと認識されるには、両者を貫く登場人物の連続性が必要とされるということだ[27]」。「キャラ」は単一のエピソードやテクストのみでは成立しない。複数のエピソードが読者の前に繰り返し現れ、それらのうちに同一の登場人物がいると読者が認識する作用が「キャラ」を成立させるのである。予め同一性を有した「キャラ」があって、それが複数のエピソードにまたがって登場するということではない。「キャラ」はあくまで送り手と受け手とのコミュニケーションの中で生じるものであり、いずれの意図にも還元されない。

だが、以上はあくまで「キャラ」成立の必要条件であって十分条件ではない。伊藤はテクストの再帰性は「キャラ」ではなくその「「存在感」の成立」にしかつながらず、その「存在感」から「キャラ」へと移行するには「同一の固有名による名指し」が必要だとしている。つまり「再帰性」だけでは複数の図像が同一性を獲得するには足らず、それら図像の群が「固有名」によって束ねられることで初めて一人の「キャラ」となる[28]。

これは大塚や宮本が類型性について論じた、名前がキャラクターを予め規定するという図式とは対照的である。「キャラ」においては名前は後から要請される。とはいえ、実際の表現では「キャラ」としての存在感が確立するよりも前に作者によって名前が設定されているケースが大多数である。しかし「キャラ」が作者と読者のコミュニケーションを通して成立する以上、名前についても作者が全てを制御しているわけでもないはずだ。つまり伊藤の図式は、もとは作者によって予め設定された名前が、連載を経たのちに「キャラ」を名指すものとして改めて読者に受けとられ直すというプロセスを暗示しているのだ。言い換えれば、名前が表面的にはひとつであるままに、その指示対象が予示された人物像と「キャラ」としての存在感の両方を指し示すというふうに、指示対象が分裂する可能性が示唆されているのだ。

伊藤は先ほどの宮本の論文を参照しつつ、「名前がそのまま性格の説明となっているという制約から離れることができ、テクストの内部で変化する「可変性」や意外な一面を見せるような「複雑性」を帯びる」ことを「キャラ」の成立要件に含めている[29]。とはいえ、たとえ説明的な名前をつけられて登場した登場人物であっても、「再帰性」の中で名前や見た目が説明するあり方とは別水準の「キャラ」としての「存在感」までは獲得するはずだ。その場合、元は説明的だった名前も、「存在感」を「キャラ」として名指すものとして新たな意味を獲得するのではないだろうか。説明的な名前は「存在感」を抑圧するのかもしれないが、完全な意味では「キャラ」にならなくとも、元々名前が説明していたものとは別の水準が登場人物のうちに生じることは十分あり得るはずだ。たとえば灰殻木戸朗が長期連載作品の主人公だったとする。宮本も言うように長期連載においてはしばしば登場人物の姿や性格は微妙に変化していくが、そうした変化のヴァリエーションを含めた「キャラ」としての木戸郎は、もはや名前が説明するモガ・モボの類型的表象としてのあり方を逸脱せざるをえない。それに伴い、灰殻木戸朗という名前も、少なくとも連載開始時と同じ意味では木戸朗を説明できなくなるだろう。要するに、当初は類型でしかなかったキャラクターでも、連載作品の中で自身の類型性を逸脱する可能性があるのだ。

　宮本の論文では、彼の『正チャンの冒険』についての分析が示すように、こうした可能性は取りこぼされてしまっている。同論文を足がかりにした伊藤もまた、「普通の名前」の獲得を「キャラ」の成立よりも前に設定することで、名前と指示対象とのズレや指示対象の分裂といった、彼自身のキャラ論が暗示するところを語り損ねてしまっている。つまり、「普通の名前」と「長期連載」という二要素が日本漫画史においてはほぼ同時に導入されたという議論を前提とすることで、キャラクター論はこれらの要素の間のギャップを取り逃がし、それによって類型的であることと可変的であることとを理論的に分別してしまったのだ。

　「ハッピー・フーリガン」はこうしたキャラクター論が取りこぼしたポテンシャルを体現した作品である。同作は主人公に「普通の名前」がつけられずに長期連載された作品であり、これまで述べてきた長期連載を通しての名前の意味の変化を具体的に観察することができる。説明的な名前は当時のコミックスではありふれており、ドイツ移民のいたずらっ子たちを描いたルドルフ・ダークス（Rudolphe Dirks）の「カッツェンジャマー・キッズ」（*Katzenjammer Kids*）など、長期連載化した作品も多い。その中でも「ハッピー・フーリガン」は、作者のキャリアの事情もあり、雑誌カートゥーンにおける類型の論理が連載コミックスという新しい仕組みによって変化していく過程を詳細に見て取れる例となっている。次章では改めてハッピー・フーリガンという名前の意味を見ていくとともに、その意味の変化について検討していくことにしよう。

4　名前の意味の変化

一九二二年のインタビューの中で、オッパーは「ハッピー・フーリガン」の最初期について回顧している。当初の同作は人気が出ず、いわゆる打ち切りの危機に貧していたが、主人公の性格の変化によって盛り返したのだという。

彼を人気にしたのは、それがあれば誰でも人気になるようなものでした。最初の彼は単なるハッピー・フーリガンで、見た目通りの人物であり、トラブルに巻き込まれてそれでおしまいでした。しかし、やがて彼は人を助けようとするようになり、そのせいでトラブルに巻き込まれるようになりました。そうして彼は今の彼になったのです。〔30〕

作者は連載開始直後のハッピーを「単なるハッピー・フーリガン」(simply Happy Hooligan)や「見た目通り」(just as you see him)というように表層的な存在として語っている。こうした捉え方は大塚や宮本が類型性と呼んだものと共鳴している。そうした状態から、誰であろうが人気が出るもの、すなわち人助けをする性格を獲得した、というのが作者の説明である。

先述のように、連載開始直後のハッピーは善意的ではなく、むしろ無作法な人間であった。初回エピソードでは演劇の小道具として舞台上に置かれていた食事を勝手に食べ、警官につまみ出される。翌週十八日のエピソードでは社交クラブに勝手に侵入して食事にありつこうとするも失敗し、警官に連行される。更に次週では、ドイツ移民の集まるビアフェストに侵入し、大量に飲んで酔っ払った挙げ句、警官に運び出される。三月中に掲載された以上の三つのエピソードにおいて、ハッピーはタダ飯にありつこうとする招かれざる客として描かれる。

ハッピー・フーリガンという名前は一見して「普通の名前」には見えない。フーリガンの意味するところについてはすでに見たが、ファーストネームについてはどうか。「ハッピー」という形容詞的な名前は現実の人間につけられる名前としては一般的ではないように感じられる。それは現在の私たちにとってのみではなく、当時のアメリカにあってもそうであったらしい。一九〇二年五月一五日に『サンフランシスコ・イグザミナー』(*San Francisco Examiner*)のエディトリアル・ページに掲載されたコラム「ハッピー・フーリガンはなぜ、いかにしてホーボーになったか」によると、ハッピーにはサースフィールド・フーリガン(Sarsfield Hooligan)という本名があるという〔31〕。この名前の紹介自体には暴露的なトーンは感じられず、記事中でも重視されていない。つまり「ハッピー」がそのまま本名ではありえないことは前提として書かれているのだ。最終的にはこのコラムはジョークであることが明かされ、本名についても真実は分からずじまいとなる。後の連載を見ても「ハッピー」が本名なのか否かは取り沙汰されていないが、ともかく「ハッピー」が「普通の名前」ではないという認識は前提とされていたようである。

「ハッピー」が説明的な名前であったとしたら、何を説明していたのか。連載開始の最初の月に掲載されたエピソードでは、ハッピーは事故に巻き込まれるどころか、労せずして食事や酒にありつくことに成功している。その意味で彼はまさしく「ハッピー」なのだが、同時にこの名前は彼の愚かで脳天気な性格を揶揄的に示してもいる。見た目も合わせて、開始直後の彼はアイルランド移民へのネガティブなイメージを反映した人物であったと言えるだろう。

だが翌月に入ると、無料の食事を提供する浮浪者向けの施設に入るがその中で労働させられそうになり逃げ出す（四月十五日）であるとか、「仕事」（work）という言葉をあちこちで見聞きしたせいで卒倒する（四月二二日）など、あまり幸せそうではないエピソードが続き、「ハッピー」の意味は皮肉なものへと変化していく。とはいえ、仕事嫌いの怠け者というありがちな移民への偏見を反復しているのも確かであり、彼に降りかかる不幸もまた自業自得なものとして描かれている。

より大きな変化が見られるのは五月六日（図5）だ。誰かから酒を奢ると呼びかけられ喜ぶハッピーだったが、それがオウムの声だったとわかる。憤慨して石を投げつけたところ、それを見ていた警官に連行される。タイトル下の「いつもの不運がまだ彼につきまとっている」というキャプションは、「ハッピー」という名前が連載初月とは異なり、彼の不幸をアイロニカルに指し示すものへと修正されたことを示している。のみならず、「いつもの」（Usual）という単語によって「ハッピー」という名前はあたかも最初からアイロニカルなものであったかのように提示されている。

ファーストネームの変化に呼応するように、サーネームの暗示するところも変わっていった。「フーリガン」がアイルランド人を指示すると同時に反社会的な人物を意味することは先に見たとおりだが、一九〇一年六月二三日のエピソード（図6）はそうし

図5　Opper, “The Doings of Happy Hooligan,” *New York Journal*, May 7, 1900, p. 2. Humorous Supplement. San Francisco Academy of Comic Art Collection, The Ohio State University, Billy Ireland Cartoon Library and Museum.

たイメージを踏まえつつ相対化させている。まず、コミックス付録としてのヘッダーの右隣に警官たちがいて、近所の通りで緊急通報があったことを話している。巡査部長は「またフーリガンが面倒を起こしているんだろう」と言う。言い換えれば、送り手と受け手との間で作品のお決まりが共有されていることが前提とされている。ハッピーはトロリーの電線が切れて道に落ちているのを見つけ、どけようとする。しかし線はまだ通電しており、感電したハッピーの身体は勝手に暴れまわる。そこに警官たちがやってきてハッピーを連行する。彼は何も悪くないはずだが、警官の一人が「私たちは誰か捕まえなきゃいけないし、多分いつも通りそれはお前なんだろう」と言う。

図6　Opper, “The Unfortunate Gallantry of Happy Hooligan,” *San Francisco Examiner*, June 23, 1901, Comic Supplement, p. 1. San Francisco Academy of Comic Art Collection, The Ohio State University, Billy Ireland Cartoon Library and Museum.

このエピソードは、ハッピーが自身の行いによって逮捕されていた状態から、行いとは関係なくハッピー・フーリガンは逮捕されるものだから逮捕されるという自己言及的な状態へと作品が移行したことを示している。電気による不随意運動ののちに逮捕されるという運動と動機の分離もまた、逮捕がナンセンスな反復でしかないことを示している。研究者や批評家たちが「ハッピー・フーリガン」のお決まりのパターンとしていたものは、厳密にはこのエピソードで初めて確立されたのだ。

ヘッダー右の巡査部長の台詞にある「フーリガン」にも注目すべきだろう。この「フーリガン」は単なるサーネームなのだろうか、それとも反社会的存在のことなのだろうか。このエピソードでのハッピーは心の底から親切心に基づいて行動している。しかし警官は彼を「フーリガン」として色眼鏡で見ており、だから彼に非のない事件あっても先入観だけで逮捕してしまう。こうして、彼自身は柔和であるにもかかわらず「フーリガン」であることを運命づけられるという悲哀がサーネームによって暗示されることとなる。誤解される善人という性格付けもまた、こうした名前の解釈の変化と自己言及を経て成立したのである。

5　結論

電線のエピソードを境界として、ハッピーはアイルランド移民労働者の社会的類型のみで説明できる存在ではなくなった。とはいえそれは、大塚が論じたような内面の成立や、宮本の言う多面性を持つキャラクターになったことを意味しない。彼の行動は相変わらずエピソードを読む前から読者にはわかりきっており、主人公の名前もまたそうした予示の一部であり続けている。しかしながら、作品やキャラクターが予示するものは明らかに変化している。

一九二二年のインタビューで言われたように、連載開始当初のハッピーは表層的な要素によって存在の全てが予示されていた。この時点でのハッピーは類型的なアイルランド移民としてあり、そうした人々に対して社会が共有している偏見を反復していた。一方、ハッピーが感電するエピソードが読者にとって既知のこととして提示したパターンは、そうした偏見とは別の水準にある。そこで予示されていたのは一年強の連載を通じて構築された「キャラ」としてのハッピーであり、作者・編集部・読者などからなる作品の共同体において既に自明となっていた主人公の行動パターンであると言える。

ハッピーが「キャラ」であるというのは、正確には連載の中で「キャラ」としての「存在感」を元々の社会的類型とは別に獲得したという意味である。ハッピーは、伊藤が可変性や多面性を含めたものとして定義した意味での「キャラ」にはなっていないと思われる。ただ、「存在感」が構築されていく中で連載開始時とは異なる人物になっていったのは確かである。連載の中で共通認識となっていった登場人物の行動パターンは、伊藤の想定からはややずれた意味でその人物の「キャラ」と呼ぶことができる。ハッピーは誤解されて逮捕される「キャラ」となったのだ。

とはいえ、ハッピーは社会的類型であることから完全に自由になったわけではない。善意的な行動であるにもかかわらず破壊活動と誤解されて逮捕されるというパターンには、なおも移民としての主人公に向けられる偏見が内包されている。既に見てきた名前の解釈の変化にはこうした二重性が表れている。一方では、主人公の名前は愚かで反社会的なアイルランド移民としての性格を説明する。だが他方では、不運だが親切な人という性格をアイロニカルに説明する。伊藤が図らずも示していた名前の指示対象の分裂は、「ハッピー・フーリガン」においてはこうした名前の説明の二重化として表れていた。

この二重性を、大塚や宮本のように可視的要素と不可視的要素とに分けて捉えてはならない。たしかに「キャラ」としての名前の意味は初見で理解できるものではない。だが作品に慣れ親しんだ人々にとっては自明である。読者にとってハッピーに不可視の内面や意外性は一切存在しない。だとすればこの二重性は、可視性と不可視性の重ね合わせではなく、フーリガンやアイルランド移民に対する類型的理解を共有する社会にとって予示されるものと、「ハッピー・フーリガン」読者共同体にとって予示されるものという、異なる二つの予示の表層における共存と理解すべきである。これら二つの共同体と予示とは、大きな社会とそれよりも小さい読者共同体という空間的な規模によって差異化されていると同時に、作品に先立つ移民への偏見と作品の中で構築された「キャラ」という時間的なズレによっても差異化されている。社会的類型であるか否かにかかわらず、類型が予示する内容はそれを共有する共同体の内部におけるものであるのだから、より狭い、かつ後発の社会である読者共同体にとっての予示を隠されたものとして位置づけるとしても、それはあくまで相対的なことである。ハッピーが他の類型的な人物像から区別されるとすれば、それは不可視の領域によってではなく、表層性の過剰によってなのだ。

キャラクター論の視点を通すことで、本稿は「ハッピー・フーリガン」の主人公を、類型と「キャラ」とが二重化した存在として再解釈した。人種・民族的な類型の問題は同作を論ずる上で重要だが、本稿で見てきた「キャラ」のダイナミズムを踏まえなければ、主人公のあり方を十分に捉えることはできないだろう。また、日本の論者たちはこうしたキャラクターが生まれる可能性を認識し得たにもかかわらず、類型であることを不変であることと同一視してしまった。いかに説明的な名前であっても、あるいは説明的であるからこそ、それはテクストとして常に解釈多様性に開かれる。説明的な名前は「普通の名前」とは違い、連載の中で名前の解釈を多重化することで、内面性とは異なるかたちで可変性や多面性に開かれる。ハッピーはそうした、日本のキャラクター論やマンガ論のたどり得た道を体現している。

註

[1] 日本のマンガ研究においては「マンガ」と「漫画」との表記の違いに様々な含意があるが、明確な基準が共有されているとは言い難い。この違いにこだわっても本稿に利益はないため、大雑把ではあるが、戦後のものについては「マンガ」、戦前戦中のものについては「漫画」と書き分ける。また、アメリカの作品については一コマのものを「カートゥーン」、コマ割りのあるものを「コミックス」とする。これらはあくまで本稿限定の便宜的な区別である。

[2] 大塚英志『アトムの命題』角川書店、二〇〇九年、七六頁。

[3] 同前、ルビはママ。

[4] 同前、九一—九二頁、強調引用者。

[5] 手塚治虫『手塚治虫漫画の奥義』手塚プロダクション、二〇一五年、十五頁。大塚は該当箇所を前掲書の七四—七五頁で引用している。

[6] 大塚、前掲書、七—十六頁。大塚「おたく文化の戦時下起源について」ササキバラ・ゴウ編『「戦時下」のおたく』角川書店、二〇〇五年、六—十三頁。

[7] アメリカの新聞コミックスが日本に与えた影響については以下を参照。Eike Exner, *Comics and the Origins of Manga: A Revisionist History*, Rutgers University Press, 2021.

[8] 徐園『日本における新聞連載子ども漫画の戦前史』日本僑報社、二〇一二年、二五二頁。

[9] Kerry Soper, "From the Swarthy Ape to Sympathetic Everyman and Subversive Trickster: The Development of Irish Caricature in American Comic Strips between 1890 and 1920," *Journal of American Studies*, vol.39 no.2, Cambridge University Press, 2005, pp. 277–286. Jared Gardner, "Same Difference: Graphic Alterity in the Work of Gene Luen Yang, and Derek Kirk Kim," *Multicultural Comics: from Zap to Blue Beetle*, ed. Frederick Luis Aldama, University of Texas Press, 2010, pp. 132–147.

[10] Richard Marschall, "Opper's Immortal Strip," in *Happy Hooligan: A Complete Compilation 1904–1905*, ed. Bill Blackbeard, Hyperion Press, 1977, p. XV. アイルランド人カリカチュアの歴史については以下を参照。Kerry Soper, "Performing 'Jiggs': Irish Caricature and Comedic Ambivalence toward Assimilation and the American Dream in George McManus's "Bringing up Father"," *The Journal of the Gilded Age and Progressive Era*, vol.4 no.2, Cambridge University Press, 2005, pp. 190–191.

[11] Samuel J. Thomas, "Mugwump Cartoonists, the Papacy, and Tammany Hall in America's Gilded Age," *Religion and American Culture: A Journal of Interpretation*, vol.14 no.2, 2004, pp. 213–250.

[12] Geoffrey Pearson, *Hooligan: A History of Respectable Fears,* The Macmillan Press, 1983, pp. 74–75.

[13] Soper, "From the Swarthy Ape," p. 219. ガードナーは一九〇六年の図版を引用しているが、そこに描かれているハッピーも連載初年とは明らかに異なる。Gardner, op. cit., p. 136.

[14] Anon., "Happy Hooligan's Birthday: He's 8 Years Old To-Day," *San Francisco Examiner*, March 15, 1908, American Magazine Section, p. 2.

[15] 鶴田裕貴はこうした変化を指摘しているものの、その変化の意味するところについては触れず、指摘に留まっている。鶴田裕貴「20世紀転換期の「壁紙コミックス」：初期「ハッピー・フーリガン」における人物類型とレイアウト」『マンガ研究』二七号、日本マンガ学会、二〇二一年、十三―十五頁。

[16] Opper, "Caricature Country and Its Inhabitants," *The Independent*, vol. 53 no. 2731, S.W. Bennett, 1901, p. 778.

[17] Alison Kibler, *Censoring Racial Ridicule: Irish, Jewish, and African American Struggles over Race and Representation, 1890–1930*, The University of North Carolina Press, 2015, pp. 51–61.

[18] *Ibid.* p. 54.

[19] トッド・ディパスティーノは「ハッピー・フーリガン」が掲載された当初に道徳主義者から作品の「下品さとサディズム」に対する激しい批判が巻き起こったと書いているが、その記述の中で参照されている資料にそのような記述は見当たらない。Todd Depastino, *Citizen Hobo: How a Century of Homelessness Shaped America*, The University of Chicago Press, 2003, p. 166.

[20] Soper, "From the Swarthy Ape," p. 278. Gardner, op. cit., pp. 135–138.

[21] 宮本大人「漫画においてキャラクターが「立つ」とはどういうことか」『日本児童文学』日本児童文学者協会、第四九巻第二号、二〇〇三年、四八頁。

[22] 同前。

[23] 同前、五〇頁。

[24] 同前、五〇―五一頁。

[25] 伊藤剛『テヅカ・イズ・デッド：ひらかれたマンガ表現論へ』星海社新書、二〇一四年、一二六頁、強調ママ。

[26] 同前、一四五頁。

[27] 同前。

[28] 一例として、アメリカ初期コミックスの草分け的な作品である『イエロー・キッド』の主人公イエロー・キッドは、連載中に繰り返し登場していた黄色い服を着た子どもに人気が集まった結果、作者が名前を設定するよりも前に読者によってそう呼ばれたと言われている。Bill Blackbeard, "The Yellow Kid, the Yellow Decade," R. F. Outcault, *R. F. Outcault's the Yellow Kid: A Centennial Celebration of the Kid Who Started the Comics*, Kitchen Sink Press, 1995, p. 60.

[29] 伊藤、前掲書、一四〇―一四四頁。

[30] Penelope Clarke, "Mr. Frederick Burr Opper," *Circulation*, September 1922, p. 30.

[31] Anon., "Why and How Happy Hooligan Became a Hobo." *San Francisco Examiner*, May 15, 1902, Editorial Page.

エリック・ロメール映画における恋のキューピッド、あるいは〈天佑の友〉の声
——画面外の声の「存在感ある」使用をめぐって

正清健介

はじめに

録音技師ジャン＝ピエール・リュは亡くなる前年、エリック・ロメールの映画音響に対する考えを次のように回想する。

同時録音の音はロメールと私にとって啓示でした。特に画面外の音の重要性に関してそう言えます。私たちは節約して撮影したものです。なのでロメールの映画で画面外の音が用いられているのは、彼が自身の映画を頭の中で完全にすでに把握していたからです。また、リバースショットのためにフィルムや時間を無駄にする必要がなかったからです！　それに彼はインの声よりも画面外の声の方がより存在感あることを望んでいました。彼は私にそれを求めた唯一の監督です。［1］

ここで同録の音が「啓示 révélation」と言われるのは、実際、リュがロメールと初めて組んだ作品で両者は初めて、ほぼ作品全編を通しての同録撮影を経験したからである。その両者にとって本格的同録の初体験となった作品が、連作「道徳譚六話」の四作目『モード家の一夜』（*Ma nuit chez Maud*, 1969）である。だが理由はそれだけではない。そもそもリュは一九六八年にジャン・ユスターシュの記録映画『ペサックの薔薇の乙女』で既に同録を試みており、この作品に「感嘆した［2］」ロメールが『モード』製作に向けてリュの起用と同録の採用を決めたという経緯がある［3］。またロメールの方も『モード』の十年前に長編処女作『獅子座』（*Le Signe du lion*, 1962）で既に一部同録を採用しており［4］、同録の音は『モード』でまったく初めてだったわけではない。同録の音が「啓示」とまで言われる真の理由は、リュが述べるように両者が『モード』の同録撮影を通して画面外の音の重要性を発見したからである。

画面外の音とは、物語世界内で鳴っていると思われる音で、かつその音源とされるものが画面に映っていない音のことである。音源映像を排するという点で「アクスマティック＝音源の見えない音 son acousmatique［5］」の一つである。例えば対話シーンで言えば、聞き手のショットに響く画面に映っていない話し手の声などがそれにあたる（同じ「アクスマティック」でも物語世界内に音源

を定めることのできないオフのナレーションとは区別される)。注目すべきは、このような画面外の声をロメールが、話し手が画面に映っているインの声よりも「存在感あること」を望んだということであり、かつそんなロメールのことをリュが「それを求めた唯一の監督」だと称していることである。というのは、それがリュの最晩年の発言であることを踏まえると、ロメールの画面外の声に対する考えがいかに特殊なものであったかがわかるからである。リュの録音技師としてのキャリアは六〇年代末に始まり、二〇〇〇年代前半まで続く。その三十年を越えるキャリアの中でリュはロメールの他にフランソワ・トリュフォーと組み、ユスターシュ、フィリップ・ガレル、ジャン=ジャック・ベネックスなどのヌーヴェル・ヴァーグ以後の自国の監督と組んだ。さらには、ロマン・ポランスキー、セルジオ・レオーネ、アンジェイ・ワイダなどとも組み、その国際的作品に音響技師として携わった。つまり、リュは、これら世代や国境を越えた様々な監督たちとの三十年以上にわたる製作経験を踏まえた上で、ロメールのことを「それを求めた唯一の監督」と称しているのだ。では、リュが製作を共にしてきた監督たちの中で唯一ロメールだけが「存在感あること」を求めた画面外の声とはどのようなものか。

ロメールは撮影前に厳密な脚本を用意し、撮影では俳優に脚本通りに台詞を明確に話すよう要求した[6]。だが一方で、その脚本通りに話す俳優をロケ撮影や同録といった不測の事態を招く方法で撮影することに固執し、時に俳優の即興を取り入れもした。こうしたことからこれまで先行研究では「偶発的世界における正確なシナリオの実行[7]」「偶然と意図の混合[8]」「予謀されるものと、偶然に生じるものとの混合[9]」「計画と運任せとの調和[10]」などの表現でその交錯する様が指摘されてきた。それはアラン・ベルガラが述べる「本質的にロッセリーニ主義でありながら現実的にヒッチコック主義」というロメール映画の「矛盾」である[11]。したがって「ロッセリーニ」側の「偶然」を必然的に招く同録をはじめとする撮影法がこれまで、ヌーヴェル・ヴァーグの名の下「リアリズム」という点から説明されてきたのは自然な流れである[12]。本稿もロメール映画の同録の画面外の声にリアリズムを指摘することになる。だが、本稿は単なるリアリズムを越えて同録の画面外の声が物語を突き動かす動力因として使用されている例を示す。このように本稿は、ロメールが同録の画面外の声を、どのようにあくまで物語との関係で「存在感ある」ものとして使用したかを考察することで、ロメールのストーリーテラーとしての、映画における台詞音声の使用法、その一端を明らかにするものである。

1　ロメールと同録

一九六九年、『モード』の同録撮影。これを可能にしたのがスイスのナグラ社製録音機 Nagra III である[13]。Nagra はそれまで「洗濯機ほどの大きさのあった[14]」従来のスタジオ撮影用録音機と比べ、小型かつ軽量で、持ち運び可能な世界初のポータブルオーディオレコーダーだった[15]。特に『モード』で使用され、その後、リュが録音を担当したすべてのロメール作品で使用されたNagra IIIは重さが五キロしかなく[16]、これにより「音響技師は自由に動き回り、これまで聞いたことのない音を捉えることが可能になった[17]」。注目すべきは、Nagra IIIが開発されたのは一九五七年だったという事実である。つまり『モード』製作の十年以上前にスイスで映画の同録撮影に実用可能な録音機が開発されていた。にもかかわらず、ちょうど同じ頃、隣国フランスで映画批評誌『カイエ・デュ・シネマ』を中心に批評活動を展開しつつ、短編で既に製作に乗り出していたカイエ派のヌーヴェル・ヴァーグの作家たちはアフレコを採用していた[18]。それは一九五九年以降の彼らの長編デビュー後も変わらない。例えばジャン＝リュック・ゴダールが『勝手にしやがれ』（一九六〇）を軽量カメラCaméflexの騒音のため無声で撮影したことや、フランソワ・トリュフォーが『突然炎のごとく』（一九六二）でアフレコを使用したことは有名である。実際トリュフォーは「映画は同時録音で撮影していなかった」と述べており、例外として「ジャンヌ・モローが「つむじ風」を歌うシーン」だけ「急きょ、一日だけパリから録音装置こみで録音技師を呼んで同時録音で撮った」と回想する[19]。このように、カイエ派の初期作品のほとんどはアフレコが基本だった。

　だが一方、前述したようにロメールは一九五九年製作の長編処女作『獅子座』で一部（冒頭のパーティーシーン）同録を採用した。それはオープニングタイトルに「ブームマン perchman」がクレジットされていることからもわかる（図1）。つまり、ロメールはカイエ派の監督たちの中でもいち早く同録を映画製作に取り入れた。そして、それからちょうど十年後の一九六九年に、ロメールはリュと共にNagra IIIを駆使し本格的な同録映画『モード』の製作にのぞむことになる。リュは当時のことを次のように振り返る。

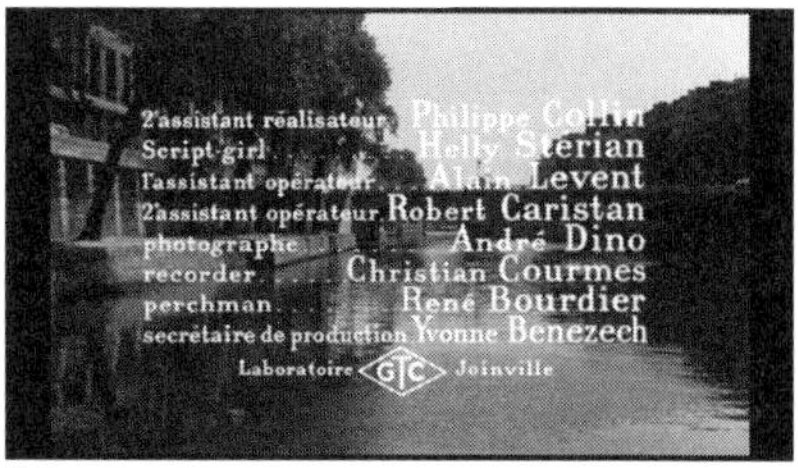

図1

> これまで言われてきたこととは反対に、ヌーヴェル・ヴァーグとゴダールは、同録の音にはまったく執着していませんでした。他でもないロメールこそが、同録の音がもたらす不完全なものすべて、すなわち、呼吸音、空間の背景音、現場の音響と共に、同録の音から生み出すことのできたものを意識していました。あれほどまでの知性、感性、思慮を持って、ある映画作家がこれほどまでに同録の音にこだわるということは、本当の啓示だったのです。[…]結局、私のキャリアすべては、この重要な作品［『モード』——引用者注］を中核にして組織されました。というのは、私は同録の音の無条件の信奉者であり、今も変わらずそうだからです。[20]

このようなロメールの同録へのこだわりは、後年、同録を本格的に採用するようになっても、適宜柔軟にアフレコを活用したトリュフォーとの大きな違いである[21]。アントワーヌ・ド・ベックとノエル・エルプはリュのことをロメール映画に同録の音をもたらした「同録の音の使徒 apôtre du son direct」と称してリュの同録に対する強い思い入れを表している[22]。この宗教的な呼称からもうかがえるように両者の同録へのこだわりには信仰に近いものさえある。実際、ロメールは一九九三年、アンドレ・S・ラバルト監督『エリック・ロメール　確かな証拠』で次のように述べている。「今は同録の音をますます信用しています。同録で撮影すれば、それは常に真実であると考えています。鳴く鳥があれば、それはその年のその瞬間に鳴いている鳥になるわけです。言ってみればますます同録信仰と呼びうるものを持っているわけです[23]」（図2）。では、両者はこうした同録での撮影を通していかにして画面外の声に重要性を見出すことになったのか。

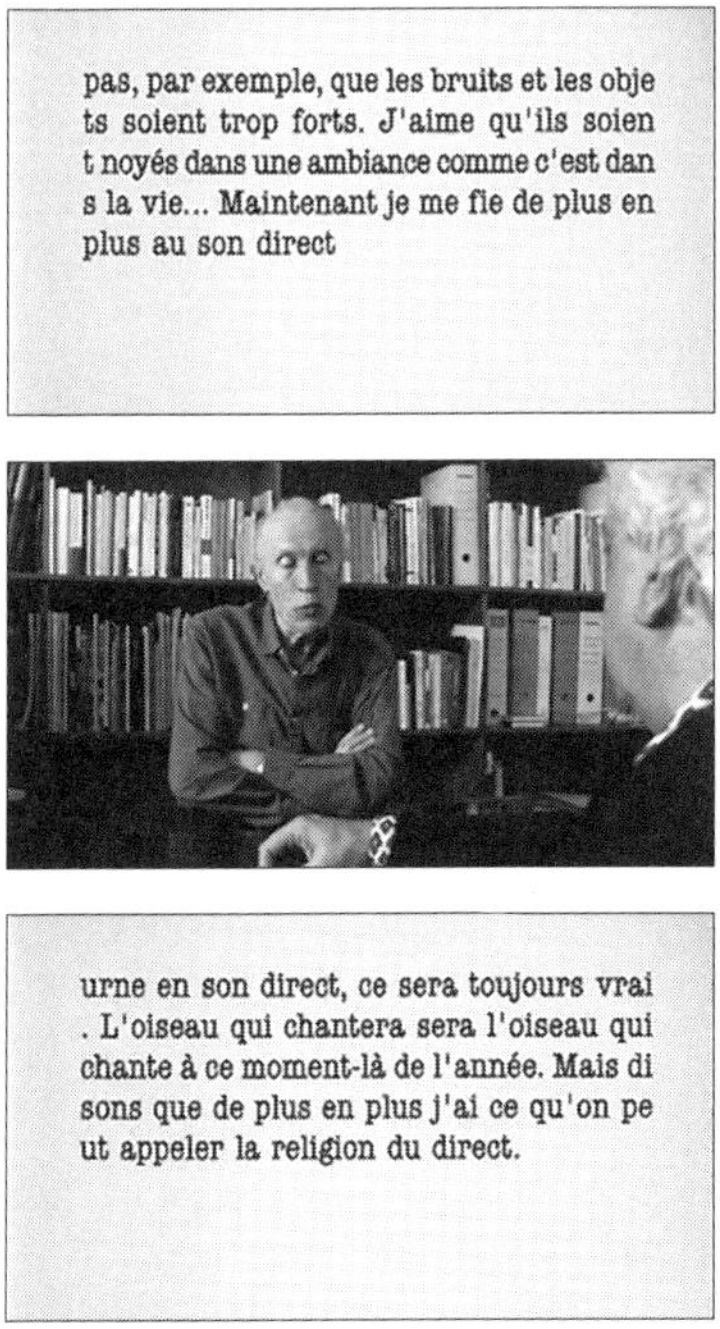
pas, par exemple, que les bruits et les objets soient trop forts. J'aime qu'ils soient noyés dans une ambiance comme c'est dans la vie... Maintenant je me fie de plus en plus au son direct
urne en son direct, ce sera toujours vrai. L'oiseau qui chantera sera l'oiseau qui chante à ce moment-là de l'année. Mais disons que de plus en plus j'ai ce qu'on peut appeler la religion du direct.
図2

2　同録と画面外の声——『モード家の一夜』の対話シーン

ロメールの対話シーンは独特なもので知られる。その特徴は、話し手のショットで話し手が話し終わり、今度はこれまで聞き手だった相手人物が話し始めても、その新しい話し手にショットが切り替わらないことが多々あるというものだ[24]。一般に切り返しは必ずしも話者交代の際に行われるわけではないが、ロメール映画の場合は不必要に思えるほど一方の人物にカメラが〈留まる〉ことがあるのだ。この独特な対話シーンを考えるにおいて参照したいのは、本稿冒頭で引用したリュの「節約して撮影した」や「リバースショットのためにフィルムや時間を無駄にする必要がなかった」という発言である。つまり、ロメールは通常切り返しをすべき場面で切り返しをしなかった。つまりそれはある種のロングテイクを意味する。したがって、撮影本番、スタッフや俳優が途中ミスをしない限り、確かに製作上、フィルムと時間の節約になる。ロメールはこのロングテイクによる節約を実現するため、撮影前にスタッフには何度も説明し、俳優には何度もリハーサルをさせ、本番では原則一テイクしか撮らなかった[25]。こうした節約目的のロングテイクを、ロメールはリュと組む前の『コレクションする女』（一九六七）から採用した。本作品で使用した三五ミリフィルムは約九十分の長編としては破格の五千メートル（約一八二分分）で、しかも、不採用のショット（捨てカット）は全体の三分の一だけだった。本作品の撮影監督を務めたネストール・アルメンドロスは次のように当時を回想する。

> 切り返しのあるシーンでは、普通、まず一方の俳優のショットをまるごと撮影し、次いでもう一方の俳優も同様に撮影して、編集の段階でそれらを交替させるという方式が採られるが、ロメールはそうはせずに、大切なもの――話し、あるいは聞いている人物――だけを撮り、編集で重複が一切出ないようにした。それこそまさに彼がもくろんでいたことだった。『コレクションする女』で、私たちはネガを五〇〇〇メートルしか使わなかった。ラボでは、それらは短編映画のラッシュだと思っていた。[26]

つまり、何を撮るべきかは、シーンで何が「大切なもの」かというロメールの判断によって決定される。例えば人物AとBの対話で、Aが「大切なもの」とみなされれば、キャメラはAをロングテイクで捉え続ける。たとえ途中、Bが話し始めても切り返さずに、Bの話を聞いているAを捉え続ける。ロメールの独特の対話シーンは、このような撮影法に由来していることがわかる。ここで重要なのは、ロメールは話者交代のタイミングで毎回切り返しをしてリバースショットを提示しなかったからこそ、代わりに映されない画面外の人物を音源とする声＝画面外の声がショットに響く結果となっているということである。画面外の声は、こうした節約目的のロングテイクの結果として必然的にもたらされた声と考えられる。では、『モード』で同録が導入されたことによりなぜその画面外の声が重要性を持って現れてきたのか。

　例えば主人公の〈僕〉がフランソワーズと初めてお互いのことを話し合うシーン（1:26:35~28:49）を見てみよう。それまで〈僕〉は、引っ越してきたクレルモン＝フェランの街中で度々フランソワーズを見かけ、運命を感じていた。ある日、〈僕〉は意を決し彼女に道で声かけ、その日の晩に彼女の家でお茶をすることになる。シーンは七ショットで構成される（図3）。

　注目したいのはショットの持続時間である。①から⑥まで部分的に相手の画面外の声がかぶさりながらも、二人の短い台詞のやり取りに合わせる形で基本的に話者交代の際に相手へ切り返され、ショットが次々に転換していく。ショットの持続時間は、③の二六秒を例外として、すべて一〇秒内に収まっており、リズミカルな切り返しが見て取れる。先ほどのアルメンドロスが説明する撮影法は、必ずしもすべての対話シーンで採用されていたわけではないことが確認できる。

　だが⑦で突如、この切り返しが止まる。ここでキャメラは一分二三秒もの間、フランソワーズを捉えたままとなる。もし⑦で彼女が一人長演説をするというなら、このロングテイクも理解できないこともない。だが⑦は、フランソワーズの独擅場というわけではなく、これまで同様、二人は比較的に短い台詞をテンポよく掛け合っている。にもかかわらず、彼女だけが映され、〈僕〉には切り返されない。その結果、⑦では、二人の会話劇は切り返しではなく、フランソワーズのショット＋

図3–①：3秒

図3–②：3秒

図3–③：26秒

図3–④：2秒

図3–⑤：5秒

図3–⑥：9秒

図3–⑦：1分23秒

〈僕〉の画面外の声によってだけで展開することになっている。つまり、⑦では対話する二人のうちフランソワーズの方が「大切なもの」とロメールにみなされたと考えられる。以下は⑦の台詞を書き起こしたものである（フランソワーズは「フ」と省略）。画面外の台詞には網掛けをしている。

〈僕〉「……クレルモンは陰気な町ではありません」
フ「場所と人、どちらについての話ですか？」
〈僕〉「場所です、人は知りません。いい人たちですか？」
フ「ええ、私が知っている人たちは。そうじゃないなら知り合いませんわ」
〈僕〉「よく会うんですか？」
フ「ええ、でもこのところ少し一人がちで。とはいってもそれは状況のせいなんですが」
〈僕〉「どうしてですか？」
フ「別に理由はありません。単なる外部の状況のせいです。ここを去った友達が何人かいたんです。大した話じゃありません」
〈僕〉「大したことないというのは、あなたと僕、どちらにとってですか？」
フ「あなたにとってです。ところで、あなた、同僚はいますか？」
〈僕〉「います。ただ親しくなるのはなかなか難しいです。そうそれに、誰かと親しくなるのは馬鹿げていると思うんです。だって、その誰かというのは社食で隣に座る人か、仕事場の横のデスクの人だからです。そう思いませんか？」

フ　「そうですね、ある意味では。ただ……」

〈僕〉「ただ？」

フ　「いいえ、何もありません。確かにそうです、あなたの言う通り」

〈僕〉「僕があなたに話しかけることは間違いだったと思いますか？」

フ　「いいえ。でも、あなたを無視することができたでしょう」

〈僕〉「とにかく僕はツイてた。その証拠にあなたは僕を無視しなかった」

フ　「私はもしかしたら間違っていたのかもしれません。こんなふうに誰かに道で声をかけられたのは初めてなんです」

〈僕〉「僕だって知らない人に声をかけたのは初めてです。幸いにもよく考えなかったんです。そうでなければ、こんなことをする勇気は絶対なかったでしょう」

フ　「お湯が沸いてます」[27]

このように、⑦では話すのはフランソワーズだけではないにもかかわらず、彼女に関わる二つの重要な物語上の事実が順次明かされる。一つ目は、フランソワーズの今の恋愛状況：「このところ少し一人がち」。二つ目は、彼女の〈僕〉に対する気持ち：〈僕〉の「あなたに話しかけることは間違いだったと思いますか？」に対する「いいえ」（この発言は、彼女の〈僕〉への気持ちが言葉として出された初の例となる）。以上二つは、フランソワーズに恋愛感情を抱く主人公〈僕〉にとってだけでなく、その〈僕〉に感情移入する観客にとっても重要な事実である。⑦の会話では、そうした〈僕〉や観客にとっての一番の関心事が順次明らかにされている。だからこそロメールは「大切なもの」として彼女にキャメラを向け続けたと考えられる。

だがここで注目すべきは、フランソワーズにキャメラを向け続けることで逆に、〈僕〉の画面外の声が存在感あるものとして現れ出ているということである。それは⑦の〈僕〉の台詞のほとんどがフランソワーズに対する質問であるという事実と関係する。本ショットで〈僕〉は「いい人たちですか？」に始まり立て続けに、彼女を画面外から質問攻めにする。これらの相次ぐ〈僕〉の画面外からの質問が、上記の彼女に関わる物語上重要な二つの事実を、質問への回答という形で彼女から引き出している。彼女の映像に被さる〈僕〉の低い男性の声は、その相次ぐ質問という形で、〈僕〉の彼女に対する関心の高さを示すと同時に、まるでインタビュアーのようにして彼女の発言を誘導し、物語にとって重要な事柄を彼女から引き出すことに成功しているのだ。

ここで重要なのは、観客にとってこのショットを見ている今まさに目の前でその事実がフランソワーズを介して次々に開示されているという感覚である。この〈今まさに〉という現在進行形ともいうべき感覚は、まずもちろんロングテイクによるところが大きい。ロングテイクで彼女が捉えられ、そこに画面外から矢継ぎ早に質問が浴びせられ、彼女はそれに淡々と答えていくわけだが、ロングテイクで捉えられるのはその彼女の回答だけではない。彼女の身体的反応をも一挙に継続した形で捉えられることになっている。これは一連のやり取りが切り返しで構成されている場合との大きな違いである。

そして、ロングテイクと組み合わされることで、その現在感覚をより一層引き立てているのが、同録の音ならではの反響音と雑音を含んだ立体的な声である。特に〈僕〉の画面外の声は、ブームマイクからやや離れた場所から発せられているせいか、全体的にフランソワーズのインの声よりも反響音が大きく、中でも「ただ？ mais ?」という台詞は小さく、こもったものにさえなる。このような音質により、物語上の〈僕〉と彼女が今まさにその場で対話しているという感覚が生まれている。こうした感覚は、このシーンの場合、アフレコで録音された平板な声では実現しえなかっただろう。今まさにフランソワーズが〈僕〉の相次ぐ質問によって丸裸にされているという生々しい現在感覚は、ロングテイクの映像に同録の画面外の声が合わさることで生まれている。このように、こうした現在感覚の有無は、同録かアフレコか、という単なる録音法の違いだけに起因するのではない。選ばれた録音法がどのような撮影法と組み合わさっているか、すなわち音がどのような映像と組み合わさっているかに起因する。こうした音と映像の組み合わせという観点から見れば、同録の画面外の声とロングテイクの映像との組み合わせは、本シーンのみならず本作品の対話シーンのほとんどで確認でき、いずれも現在感覚としか言いようのないものを生んでいる。ド・ベックとヘルプは、リュのことを「同録の音の使徒」として本作品よりロメールに「音の面での追加のリアリズムをもたらした」人物だと評するが[28]、もし同録によって本作品以降のロメール映画に何かしら「リアリズム」と呼べるものがもたらされているとしたら、その「リアリズム」とは、まさにこのような現在感覚である。以上のように、ロメールは『モード』の同録での節約した撮影＝ロングテイクを通して、現在感覚というリアリズムをもたらすものとして、画面外の声の重要性を発見したと考えられる。

ところで、本作品と時を同じくしてオフのナレーションの数が減少したことは偶然ではない。ロメールは、自身「最初の三作において、私はナレーションをふんだんに用いました[29]」と述べるように、「道徳譚六話」の最初三作では男性主人公のナレーションを多用した。だが四作目の『モード』ではわずか二シーンで二フレーズのみの使用にまで減少する。このナレーションの急激な減少は明らかに現在感覚をもたらすものとしての画面外の声の発見と関係がある。というのは、ロメールは次のようにナレーションの欠点を認めるからである。

> ナレーションは、スクリーンに示された特殊なケースを一般化し、それを、それ以前の、あるいはそれ以後のできごとと、より緊密に結びつけていたのです。そして、告白すれば、そ

うすることによって、そうしたケースの特異性のいく分かを、つまり、現在のものであり、ひたすら現在のものでしかないということの魅力のいくらかを、同時に奪っていたのです。〔30〕

この発言を踏まえれば、ロメールは『モード』より、それまでナレーションが「奪っていた」現在感覚を取り戻すためにナレーションを削減していったと考えられる。実際、次作『クレールの膝』（一九七〇）ではナレーションは一切使われず、続く『愛の昼下がり』（一九七二）では一時復活するものの本作品を最後に約二十年間、ナレーションは使用されなくなる。その代わりに同録の画面外の声が以後七〇・八〇年代を通して対話シーンで多用されるようになるのだ。

ところが、画面外の声は八〇年代後半に思わぬ場面で活用されることになる。それは対話ではなく〈偶然の出会い〉というロメール映画を特徴づける物語上の決定的な出来事である。続く連作「喜劇と格言」よりロメールとの関係を解消したリュにとっても、それは予想だにしないことだったに違いない。

3　画面外の声と偶然の出会い

一九八五年五月、前年に「喜劇と格言」の五作目『緑の光線』(*Le Rayon vert*, 1986) の撮影を終えたロメールは次のように述べる。

私は多少なりとも「喜劇と格言」最初四作の主題を見つけたことになります。それは状況の類似で、人物が企てにいつも失敗することや映画が始まった場所で終わることです。今、私は新しい巻を作ろうとしていますが、それは「喜劇と格言」の新シリーズで、開かれた形で終わるでしょう。それはつまり、最後に失敗することも出発点へ回帰することもないということです。〔…〕違う発想で残り四作を作ってしまった時におそらく最初四作の主題はより一層明確になるでしょう。〔31〕

結局、その後「喜劇と格言」の残りは『緑の光線』と『友だちの恋人』(*L'Ami de mon amie*, 1987) の二作のみとなった。ただ確かに「新しい巻」となった両作は「違う発想で」製作されている。

まず、最初四作（『飛行士の妻』『美しき結婚』『海辺のポーリーヌ』『満月の夜』）の物語構造を確認しよう。これらは〈主人公が現状を変えようと行動するが、失敗し、結局元の状況に戻る〉という構造を持つ。「元の状況に戻る」という点でまさにロメールの言う「回帰」と呼ぶにふさわしい構造である。また四作は、ロメールが「映画が始まった場所で終わる」と言うように、物語が最後、映画冒頭の場で終わることでその回帰という構造が強調される。特に『海辺のポーリーヌ』（一九八三）と『満月の夜』（一九八四）は、冒頭のショットとほぼ同じ位置から撮影されたショットで終わっており、視覚的にも回帰という構造が示される。だが、「元の状況に戻る」とは言っても、構図が最初と最後で微妙に異なるよう

図4　最初と最後のショット：『海辺のポーリーヌ』（右段）・『満月の夜』（左段）

に（図4）、主人公をめぐる最初の状況と失敗を経て回帰する最後の状況では変化がある。例えば『満月の夜』のヒロインは最後に郊外の恋人の元へ戻るが、その時には恋人の心は他の女性に移ってしまっており、ヒロインは失恋する。このように、主人公は最終的に同じ人や場に回帰しながらも、その時には状況が変化している。したがってその構造は、回帰しながらも変化しているという意味で〈螺旋〉ともいうべき構造である（また四作は主人公の失恋という悲劇的結末で共通する）。ところで、この構造はもともと六〇・七〇年代の「道徳譚六話」の構造である。「道徳譚六話」は〈本命の女性がいる男性主人公は、別の女性に惹かれるが、最終的に本命の元へ戻る〉という構造を持つ。ただし、単なる回帰ではなく、例えば『愛の昼下がり』の最後、主人公は本命（妻）へ回帰するがその時には「結婚生活が刷新される[32]」。このように、途中二本の歴史物を除き、ロメールは一九六二年に始まる「道徳譚六話」から「喜劇と格言」の四作目『満月の夜』に至るまで、約二〇年にわたり主人公の性や結末の違いこそあれ一貫して物語に関して〈螺旋〉という構造にこだわり続けたと言える。

だが、「喜劇と格言」の最後二作『緑の光線』『友だちの恋人』は、ロメールが「新しい巻」と言うように、明らかにこれまでとは異なる物語構造となる。それは〈主人公が現状を変えようと行動するが、失敗する。だがある日、偶然の出来事によって現状が打破され、主人公に幸福が訪れる〉というものだ。これは螺旋ではなく、主人公がまったくの異次元へ躍進するという意味で〈飛躍〉ともいうべき構造である。実際ロメールは次のように述べている。「この連作をより開かれ、楽観的な形で終わらせたい。出発点に回帰する代わりに、人物は逆に前進となるポジティブな何かをなすわけです。それが『緑の光線』の場合で、多分それは同じく回帰しない『友だちの恋人』でも見られるでしょう[33]」。例えば『緑の光線』の物語は次の通りである。

パリに住むヒロイン・デルフィーヌは、バカンス直前に突然、友人から旅行の同行を断られる。ひとりとなった彼女は、パリと地方都市を往来しつつ、バカンスを共に過ごす相手を探すが、孤独という現状を変えることはできず、悲観に暮れる。だがある日、偶然、パリの街中で友人のイレーヌと再会し、それがきっかけで、地方都市ヴィアリッツに行くことになり、そこで運命の男性と巡り合い、幸福をつかむ。

このように、物語は冒頭（パリ）とは異なる場で「開かれた形」で終わっており、それまでの螺旋型とは一線を画す。ここで重要なのは、孤独という現状が打破されるきっかけとなっているのが〈偶然の出会い〉であるという点である。このことは『友だちの恋人』にも共通する。つまり、両作とも主人公の成功譚となっており、その成功＝飛躍のきっかけとなっているのが、偶然の出会いなのだ。

もちろん確かに、「偶然の習慣性[34]」とも言われるように、ロメールはそれまでの螺旋型においても偶然の出会いを物語の動因として常用してきた。だが、その動因としての偶然の出会いを物語に導入するその手法は、飛躍型の両作とそれまでの螺旋型の作品群とでは決定的に異なる。動因としての偶然の出会いとは、物語を始めたり、転換させたり、終わらせたりする出会いのことである。まず、螺旋型の作品群から確認していこう。螺旋型における動因としての偶然の出会いは次の二つの方法によって物語に導入される。A：主人公のショットから相手人物へ切り返す方法。B：主人公のショットに相手人物をフレームインさせる方法。例えば『クレールの膝』のジェロームのオーロラとの湖での偶然の再会や『海辺のポーリーヌ』のマリオンのピエールとのビーチでの偶然の再会はAで導入され、『モンソーのパン屋の女の子』の〈僕〉のシルヴィとの道端での偶然の再会や『美しき結婚』のサビーヌのクロードとの教会での偶然の再会はBで導入される。ここで重要なのは、A・Bいずれの場合であっても、その切り返しやフレームインに先行して画面外の声が響くようなことはないということである。螺旋型においては、物語を動かす偶然の出会いが描かれるに際して画面外の声が活用されることはない。つまりその呼水となる、というようなことはないのだ。

ところが一方、飛躍型の両作では明らかにその呼水としか言いようのないものなっている。つまり、動因としての偶然の出会いが、切り返しやフレームインに先行して、主人公のショットに相手人物の画面外の声を被せるという第三の方法によって導入されるのだ（図5）。『緑の光線』の悲観に暮れるデルフィーヌがパリの街中を歩いている①に、突然、画面外から「デルフィーヌ！」という声が響き、彼女は振り返って立ち止まる。続く②でその画面外の声の主イレーヌが現れ、二人は再会を果たす。このように、デルフィーヌのイレーヌとの偶然の再会において、イレーヌの「デルフィーヌ！」という画面外の声が切り返しに先行し、彼女をイレーヌと引き合わせる呼水となっている。注目すべきは、そのイレーヌとの偶然の再会を契機とするその後の物語展開である。画面外の声によって偶然の再会を果たしたデルフィーヌは、イレーヌに自分の置かれた悲惨な状況を語る。するとイレーヌはビアリッツのアパートを貸すことを提案する。この提案によりデルフィーヌはビアリッツに行くことになり、前述のように、そのビアリッツで運命の男性と巡り会う。これにより物語は急展開を見せ、一気にハッピーエンドへ向かう。

これを踏まえれば、イレーヌは間接的な形であれデルフィーヌと男性を結ぶ〈恋のキューピッド〉としての役割を果たしていることがわかる。さらにイレーヌはヒロインに恋人ができるきっかけを作ることで、ヒロインがこれまで苦闘してきた〈孤独〉という現状を打破することに寄与する。つまり、イレーヌは、これまで孤独から抜け出す試みに失敗し続けているデルフィーヌにとって、現状を変え、飛躍をもたらすきっかけとなる人物でもある。したがってイレーヌは、登場シーンは本シーンだけにもかかわらず「摂理・天祐の女友達 amie providentielle〔35〕」とも呼べる人物なのだ（それは本シーンでデルフィーヌが「ここであんたに会うなんて妙ね。不思議だわ」と述べていることからもわかる）。そして、『友だちの恋人』のアドリエンヌもまた、ヒロイン・ブランシュにとってそのような友人と言える。というのは、ブランシュは「ブランシュ！」という画面外の声を呼水にしてアドリエンヌと作中二度も偶然の再会を果たし（図6）、それが契機となり運命の男性ファビアンと結ばれることになるからだ（アドリエンヌはブランシュに「ファビアンはあんたに気がある」と恋をそそのかす人物に他ならない）。このように、両作では苦悩する主人公が画面外の声で〈天佑の友〉に引き合わされる。こうして画面外の声を呼水として描かれる偶然の出会いは、主人公に飛躍をもたらすことで主人公を螺旋構造から解放し、結果、物語を「開かれた形」で終わらせるのだ〔36〕。

ここで確認したいのは、ロメール映画において、画面外の声が以上のような主人公を〈天佑の友〉に引き合わせる機能を持つのは、註三六で挙げた『レネットとミラベル』と後述する『獅子座』を例外として、両作以外に無いという事実である。そもそも、六〇・七〇年代の連作「道徳譚六話」六作にしても、八〇年代の連作「喜劇と格言」最初四作にしても、前述したように、いずれも螺旋型であるがゆえに、偶然の出会いが描かれても、その主人公がばったり会う人物が主人公を飛躍へと導く〈天佑の友〉

図5–①（上・中）、図5–②（下）

図6

であることはない。例えば、「喜劇と格言」の一作目『飛行士の妻』では、アンヌと恋愛関係にある主人公フランソワは、ある日、バスの中でリュシーという少女と偶然の出会いを果たすが、その出会いが、飛躍型二作のように主人公のその後の運命を大きく上昇させるというようなことはない（主人公は、結局最後、元の鞘に収まる形でアンヌとの関係を続けることになるだろう）。そして、この例を含め螺旋型のいずれの動因としての偶然の出会いも、その物語への導入に際して画面外の声が活用されることはないことは既に指摘した通りだ。さらに、ロメールにとって最後の連作となった九〇年代の「四季物語」四作においても事態は変わらない。それはロメールの物語が本連作で螺旋型に戻るからだ。このように、六〇年代から九〇年代にかけてのロメール作品の主軸を成す三連作全一六作品を概観するならば、『緑の光線』『友だちの恋人』の二作は物語構造という点で異色の作品であることがわかる（両作はむしろ連作外の『獅子座』と『レネットとミラベル』と親近性を持つ）。つまり、両作では、飛躍というその異色の物語構造に沿う形で、画面外の声に他の連作作品にはない独自の機能が担わされていると捉えることができるのだ。

　蓮實重彦はロメールの時代を追うごとの偶然の出会いの演出法に「ショットの連鎖」から「声」へという変化を指摘する[37]。確かにロメールは八〇年代より「声」という音響要素を演出上重視するようになる。このことは『満月の夜』の撮影監督レナート・ベルタの証言からも明らかだ。

> 私の助手によれば、エリックは各ショットの撮影中、音声に集中するために目を閉じているとのことで、それは、彼が画《え》については当然すでに解決済の問題と感じているからです。彼にとって重要なのは俳優の誠実さなのですが、それを彼に伝えるのは他ならぬ音声なのです。[38]

ただし、九〇年代の後期作品に向けてのこの「声」へという演出上の変化が八〇年代後半に、声は声でも〈画面外の声〉として認められることは注目すべきである。というのは、ロメールはそれまで七〇・八〇年代を通して画面外の声を、現在感覚をもたらすものとして専ら対話シーンで活用してきたからだ。だが飛躍型二作では偶然の出会いのシーン、しかも主人公に飛躍をもたらす決定的な出会いのシーンで活用する。むろんそれは画面外の声がもはや現在感覚と無縁となったというわけではない。例えば『緑の光線』のデルフィーヌがイレーヌに呼び止められるショットでは、その呼び止める画面外の声が同録のそれであることによって、確かに今まさにその場で呼び止められたという感覚が生まれている。そして、その感覚は、この荒唐無稽でご都合主義的な偶然の出会いに真実らしさを与え、出来事として自律させる。本ショットにおける同録の画面外の声の使用は「アンドレ・バザンの理論的著作との対話[39]」を実践したその「最初の弟子[40]」として「想像上のドキュメンタリー[41]」というバザンのリアリズムの一つを受け継ぐロメールならではの選択と言える。ロメールは一九八六年のインタビューで『緑の光線』の録音について、ブームでの同録を採用したために「いくつかの台詞がやや不明瞭で、時おり少し遠い」という難点が生まれたとするが「目立たないだけでなく、真実の印象を際立たせています」とこの難点をリアリズムという点から肯定している[42]。

だが、現在感覚は人物がフレームインするだけでもたらされる。例えば『モード』の〈僕〉の旧友ヴィダルが〈僕〉のショットにフレームインすることで描かれるバーでの偶然の出会いには、まさにそのような感覚を認めることができる。ロメールが偶然の出会いを描くに際して現在感覚の創出だけを狙っていたとすれば、わざわざ画面外の声を選ぶ必要はない。ロメールがそれを選んだのは、現在感覚と共に〈天佑の友〉が主人公に対して言語を通じて行うある行為を強調するためである。それは〈呼ぶ〉という行為である。

両作の〈天佑の友〉はいずれも、苦悩するヒロインに救いの手を差し伸べるかのようにヒロインを呼ぶ。ロメールは、この呼ぶという行為をショットの連鎖ではなく、一ショットに画面外の声を被せることで描く。これにより呼ぶ主体は捨象され、呼ぶという行為自体が強調される。それはもちろん、呼ぶ主体は映されず、その声だけが響いているというのが、画面外の声の原理的なあり方だからである。しかも匿名の声である。両作の画面外の声が響くショットはいずれも、シーン最初のショットであり、その意味でショットの連鎖から切り離されている。したがって、呼ぶ〈天佑の友〉の姿が現れる（次のショットに切替わる、あるいは人物がフレームインする）まで、ヒロインを誰が呼んでいるのか観客にはわからない。この匿名性により、〈天佑の友〉たちの画面外の声は最初言わば「アクスメトル＝声存在 acousmètre[43]」として立ち現れ、ヒロインが今まさに〈呼ばれている〉という事実だけが打ち出される。それは「外的かつ完全に偶発的な審級による指名[44]」と呼ばれるロメール作品特有の事態であり、両作にあってはヒロインがその名前で呼ばれること[45]も相まり、観客の中にはその「指名」にある種の神性を感じる者もいるかもしれない。つまりそれは言ってみれば、ヒロインの名を呼ぶ画面外の声があたかも天から響く召命のように感じられるということである。その感覚は、画面外の声に導かれて〈天佑の友〉と偶然の再会を果たしたヒロインたちがことごとく物語最後に幸福を摑むことで（それまでの「喜劇と格言」四作ではなかった展開）、遡及的に正当化される。

おわりに

パスカル・ボニゼールは『獅子座』が「台詞の力」よりも「沈黙」に立脚している点で『緑の光線』との親近性を指摘する[46]。だが本稿で確認したように『緑の光線』では「台詞の力」が画面外の声という形で発揮されている。むろん前述したように両作間に親近性があることに異論はない。ボニゼールは『緑の光線』が「ヴァカンスの最中に、まったく見放された孤立状態にある人物の孤独な彷徨という筋書きに始まり、『獅子座』の主題的要素の大部分を繰り返している[47]」と述べる。また物語構造の面でも『獅子座』は貧しい音楽家ピエールが路上生活を経て遺産相続者＝大金持ちに成り上がるまでを描く成功譚であり、この点でも『緑の光線』はロベルト・ロッセリーニ監督『ストロンボリ』（一九五〇）の翻案である以前に『獅子座』の翻案だと言える。注目すべきは、ピエールの〈貧困〉という現状が打破される契機となっているのがホームレスの男との〈偶然の出会い〉であり、やはりこの出会いも画面外の声によって導入されているという事実である（図7）。ホームレスの男との出会いにおいて、②の男の繰り返される「おまえ！」という画面外の声がピエールを男と引き合わせる呼水となっている。つまり、両作の親近性は、主題や物語構造と同時に画面外の声という「台詞の力」にもある。

このように、五〇年代末の長編処女作時に既に画面外の声は、主人公に飛躍をもたらす物語上の転換点に使用されていた。だがこのホームレスの男の画面外の声は、画面外の声にもかかわらず、得体のしれない「アクスメトル＝声存在」という印象はない。なぜなら、『緑の光線』『友だちの恋人』の例とは異なり、同じ川辺を背景に、主人公とホームレスの男のツーショット①からの主人公のショット②へというショットの連鎖によって、誰が主人公を画面外から呼んでいるのか明示されてしまっているからである。そこに匿名性は無い。つまり、②の「おまえ！」という画面外の声は直前の①でのホームレスの男の「何してるんだ?」という台詞に続く台詞として観客に聞かれうるのであり、その限りで呼ぶ

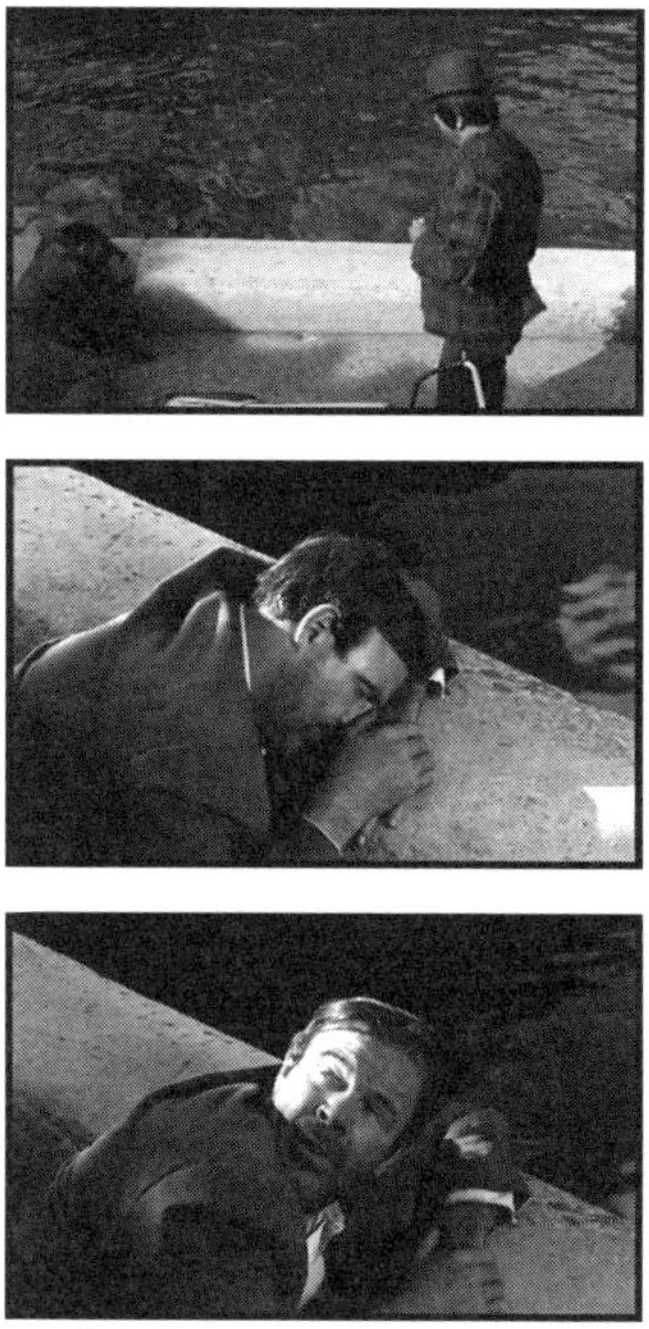

図7–①（上）、図7–②（中・下）

主体はホームレスの男その人以外にない。②は台詞にしても映像にしても、①の続きという印象は拭えず、あらかじめ図られたものとしてショットの連鎖の中に収まってしまっている。したがって、②では、今まさにピエールが呼ばれているという現在感覚もない。むろんそれは同人の声がアフレコ音声であるという事実が関係する。だからこの出会いのシーンでは、本作品において転換点となるシーンであるにも関わらず、単にホームレスの男がピエールを呼んでいるというごくありきたりな事実しか浮かび上がらない。『緑の光線』に認められる、今まさに目の前で主人公が何か神的存在に〈呼ばれている〉という印象は、ショットの連鎖に回収されないシーン最初のショットに同録の画面外の声が投げ込まれることで初めて生じる。このように、『獅子座』と『緑の光線』は同じ物語構造の中で画面外の声が同様に使用されながら、後者には明らかに演出上の進展が認められる。それは、同録による現在感覚をもたらすものとしての画面外の声の発見がなければ遂げられなかったであろう進展であることは言うまでもない。ロメールはこの『緑の光線』での演出上の進展により物語の転換点を視聴覚的に強調することに成功している。

ところがその後、一九九〇年代以降、ロメール映画で画面外の声が同様の形で再び使用されることはなかった。これに関しては、九〇年代に入り、連作「四季物語」でロメールの物語が螺旋構造へ戻ったということに加え、「「劇的な要素」の排除の徹底化」[48]という晩年にかけてのロメールの演出の変化も考慮に入れる必要がある。ただ、『冬物語』(一九九二年)の中盤、ヒロインが理容師の男性との地方暮らしを破棄し、本命の男性へと回帰するきっかけとなる教会でのオフの弦楽や、『夏物語』(一九九六年)の終盤、男性主人公が三人の女性との関係を清算し、音楽へ回帰するきっかけとなる画面外の電話のベル音は明らかに、〈天佑の友〉の声に類する機能を物語において果たしている。これらがいずれも画面外の声と同じく、音源映像を排した「アクスマティック」であることは偶然ではない。むろん画面外の声について論じてきた本稿としては、オフの音楽を同列に論じることはできない。だがオープニングを除く『冬物語』唯一のオフの音楽である教会シーンの弦楽は、物語世界外の音楽であることによってまた別の神性をおびている。つまり、これらは画面外の声に代わる新たな音の使用例というよりはむしろその変種と捉えるべきであり、ロメールは晩年に至るまで一貫して「アクスマティック」をストーリーテラーとして活用しているのだ。

謝辞
本稿執筆にあたり板倉史明氏にその初期段階から継続的に助言をいただきました。心より御礼申し上げます。本稿は日本映画学会第十二回例会における口頭発表原稿に大幅な加筆修正を施したものです。本研究はJSPS科研費22J00017の助成を受けたものです。

註

[1] Noël Herpe et Priska Morrissey. « Entretien avec Jean-Pierre Ruh « Le son direct a été une révélation ». *Rohmer et les Autres*. Noël Herpe (dir.). Rennes: Presses universitaires de Rennes, 2007, 205.

[2] Antoine de Baecque et Noël Herpe. *Éric Rohmer biographie*. Paris: Éditions Stock, 2014, 213.

[3] Herpe et Morrissey, op.cit., 205.

[4] De Baecque et Herpe, op.cit., 105.

[5] Michel Chion. *La Voix au cinéma*. Réédition. Paris: Éditions de l'Étoile/Cahiers du cinéma, 1993, 31. 同書において「son acousmatique」は「視覚化された音son *visualisé*」と相対する概念として紹介される。「視覚化された音」とは、シオンが他の呼称として「イン in」や「同期音synchrone」を挙げているように、言わば〈音源が見える音〉のことである。したがって、これと相対するところの「son acousmatique」とは「音源が見えない音」を意味し、シオンはその典型例として、フリッツ・ラング監督『M』(一九三一)冒頭、懸賞ポスターにかかる連続殺人犯の影のショットに響くその犯人の画面外の声を挙げる。ただし、「son acousmatique」は画面外の音のみならずオフも含む。Jacques Aumont et Michel Marie. *Dictionnaire théorique et critique du cinéma*. 2ème éd. revue et augmentée. Paris: Armand Colin, 2011, 8.

[6] 俳優のジャン=ルイ・トランティニャン、マリ・リヴィエール、アマンダ・ラングレの証言を参照。De Baecque et Herpe, op.cit., 210. David Jenkins (2012). "Close-Up on Eric Rohmer's "The Green Ray": An Interview with Marie Rivière." *MUBI*. http://mubi.com/notebook/posts/close-up-on-eric-rohmers-the-green-ray-an-interview-with-marie-riviere (accessed 2023-1-15). Jean Cléder (dir.). *Éric Rohmer Évidence et ambiguïté du cinéma*. Bordeaux: Éditions Le Bord de l'eau, 2007, 59.

[7] Tom Gunning. « Éric Rohmer et l'héritage du réalisme cinématographique. » Herpe (dir.), op.cit.,19.

[8] Dudley Andrew. « Le fluide magnétique d'Éric Rohmer. » Herpe (dir.), op.cit.,127.

[9] ジャン=マルク・ララン「エリック・ロメール、あるいはシナリオの問題」松井宏訳、『nobody』第三三号(二〇一〇)、五九頁。

[10] Jacob Leigh. *The Cinema of Eric Rohmer: Irony, Imagination, and the Social World*. New York: Continuum International Publishing Group, 2012, 137.

[11] Cléder (dir.), op.cit., 21.

[12] De Baecque et Herpe, op.cit., 213. 梅本洋一「エリック・ロメールの「台詞」について——現実に走る亀裂から言葉へ」、『國文學:解釈と教材の研究』第四二巻第四号(一九九七)、三四—三五頁。

[13] Herpe et Morrissey, op.cit., 207.

[14] Nagra Audio (2023). " Product History & Support Nagra I." *Nagra Audio*. https://www.nagraaudio.com/product/nagra-I/ (accessed 2023-1-15).

[15] Jay Beck. *Designing Sound Audiovisual Aesthetics in 1970s American Cinema*. New Brunswick: Rutgers University Press, 2016, 30.

[16] 遠山純生「世界の"新たな波"、あるいはその余波」、遠山純生編『ヌーヴェル・ヴァーグの時代』(紀伊國屋書店、二〇一〇)、一九六頁。

[17] Nagra Audio (2023). " Product History & Support Nagra III." *Nagra Audio*. https://www.nagraaudio.com/product/nagra-iii/ (accessed 2023-1-15).

[18] トリュフォーは「同時録音は金も時間もかかるので、当時のわたしたちの作品はどれも録音なしで撮って、あとでダビングしたものです」と回想する。山田宏一/蓮實重彦『トリュフォー最後のインタビュー』(平凡社、二〇一四)、六五頁。

[19] 同書、二三四頁。録音技師ジャン=クロード・ロルによれば、六〇年代初め、ヌーヴェル・ヴァーグの作家たちはCaméflexで撮影する際、アフレコ用の現場音son témoinを録音し、それをもとにアフレコを行っていたが、のちに騒音を立てないキャメラが手に入るようになるとすぐに同録を試みたとされる。Claudine Nougaret et Sophie Chiabaut. *Le Son direct au cinéma*. Paris: FEMIS, 1997, 107.

[20] Herpe et Morrissey, op.cit., 206.

[21] 「彼[トリュフォー——引用者注]は作品の音声を部分的にアフレコ録音にしてくれることがあり、それはしばしば撮影監督の仕事にとって好都合となる」。ネストール・アルメンドロス『キャメラを持った男』武田潔訳(筑摩書房、一九九〇)、二一八頁。

[22] De Baecque et Herpe, op.cit, 213.

[23] André S. Labarthe. (réalisation). *Éric Rohmer preuves à l'appui*. 1994. DVD : MK2, 2005.

[24] Cléder (dir.), op.cit, 107.

[25] 撮影監督のアルメンドロス、レナート・ベルタ、ソフィ・マンティニュの証言を参照。アルメンドロス、前掲書、六六頁。Paul Lacoste. « La fabrique d'Éric Rohmer Entretien de Paul Lacoste avec Renato Berta, chef-opérateur des *Nuits de la pleine lune*. » *Rohmer ou le Jeu des variations*. Patrick Louguet (dir.). Saint-Denis: Presses universitaires de Vincennes, 2012, 254. Nicolas Saada. « Entretien avec Sophie Maintigneux. » *Positif* 309. novembre (1986) : 25.

[26] アルメンドロス、前掲書、六六頁。

[27] Jacques G. Perret. « Ma nuit chez Maud : découpage et dialogues in extenso. » *L'Avant-scène cinéma* 98. décembre (1969) : 35.

[28] De Baecque et Herpe, op.cit, 213.

[29] エリック・ロメール「ある批評家への手紙――『教訓話』シリーズについて」武田潔訳、『美の味わい』梅本洋一／武田潔訳（勁草書房、一九八八）、一〇五頁。Éric Rohmer. « Lettres à un critique (à propos des Contes moraux). » *Le Goût de la beauté*. Textes réunis et présentés par Jean Narboni. Paris: Éditions de l'Étoile, 1984, 90.

[30] 同書、一〇六頁。Ibid., 90.

[31] Florence Mauro. « Secret de laboratoire Entretien avec Éric Rohmer. » *Cahiers du cinéma* 371–372. mai (1985) : 92.

[32] Andrew, op.cit, 136. 本作品終盤では螺旋階段が象徴的に映される。

[33] Gérard Legrand, Hubert Niogret et François Ramasse. « Entretien avec Éric Rohmer. » *Positif* 309. novembre (1986) : 22.

[34] 蓮實重彥「エリック・ロメールまたは偶然であることの必然」、『ユリイカ一一月号』第三四巻第十四号（二〇〇二）、九七頁。

[35] De Baecque et Herpe, op.cit, 326.

[36] 両作間に製作された『レネットとミラベルの四つの冒険』（一九八七）も飛躍型に含めることが可能である。地方で絵画を独学するヒロイン・レネットは「すみません！」という画面外の声を呼水にしてパリに住むミラベルと偶然の出会いを果たし、それが契機となりパリで絵画を学ぶことになり、さらにはミラベルの手助けで画商に絵を売ることに成功し、画家としての一歩を踏み出す。

[37] 蓮實、前掲論文、一〇〇―一〇二頁。

[38] Lacoste, op.cit., 254.

[39] Gunning, op.cit., 11.

[40] Ibid., 12.

[41] アンドレ・バザン「禁じられたモンタージュ」野崎歓訳、『映画とは何か（上）』野崎歓他訳（岩波書店、二〇一五）、八九頁。André Bazin. « Montage interdit. » *Qu'est-ce que le cinéma ?*. Paris : Les Éditions du Cerf, 1985, 54.

[42] Legrand, Niogret e Ramasse, op.cit., 21–22.

[43] Chion, op.cit., 32. 同書で「acousmêtre」は次のように定義される。「音源の見えない音存在が声の場合、特にその声がまだ視覚化されていない時、すなわち、まだその声に顔が付加されていない時、そのような際に得られるある独自の存在、話し、行動する影のような存在のことをアクスメトルと呼ぶ。つまり、音源の見えない声存在である」。

[44] Cléder (dir.), op.cit, 85.

[45] ロメール映画における名前を呼ぶ声については次の先行研究を参照。Martin Barnier et Pierre Beylot. *Analyse d'une œuvre : Conte d'été Éric Rohmer, 1996*. Paris: Librairie Philosophique J. Vrin, 2011, 64.

[46] Pascal Bonitzer. *Eric Rohmer*. Paris: Éditions de l'Étoile/Cahiers du cinéma, 1991, 84.

[47] Ibid., 84.

[48] 蓮實、前掲論文、一〇〇頁。

他性的知覚と誤認の能力
——映画の分析（不）可能性をめぐって

三浦光彦

0 序論

十九世紀末に誕生し、二〇世紀には大衆芸術として発展を遂げた映画は一九六〇年代以降アカデミズムの射程に捉えられ、映画学や映画理論なるものは国による差異こそあれど現在では人文学領域の一分野を占めるに至っている。このようなアカデミズムの制度が整う以前から既にリッチオット・カヌードやアンドレ・バザン、そしてヌーヴェルヴァーグの作家として一時代を築き上げることになるカイエ・デュ・シネマの執筆陣に至るまで、映画芸術と分析や批評は不可分の関係にあった。だが、映画の分析ないしは批評とは、果たして一体どのような営みなのだろうか。インターネットやSNS環境の整備に伴い、映画について語ることがもはや一般化し、学者や批評家の特権的な営みではなくなった現代において、一定の分析や批評を妥当かつ合理的なものと判断し、それ以外の言説を退けうるような基準とは一体なんなのか。二一世紀の言説環境は、それまで批評や分析と呼ばれていたものを、受容者個々人の感想ないしは印象として相対化させてしまいうるような危険性を孕んでいる。そのような危険性に抵抗しうるような批評的枠組みがあるとすれば、それは一体どのようなものか。

本稿は、このような問いに対して、映画を対象としたさまざまな言説、それらが直面していた問題点を整理しつつ、批評や分析といったものに関して新たな認識論的枠組みを提示することを目的とする[1]。議論の流れは以下の通りである。まず、第一節では、同様の問題意識を抱えた論者たちによるポストクリティークと呼ばれる思想的潮流を概観する。この潮流における代表的な論者、リタ・フェルスキはテクストの深層へと潜り込み何かを明らかにしようとする批評的態度、あるいはテクストの表層を注視し、そのような表層を異化しようとする態度、双方を退け、デタッチメントからアタッチメントへというパラダイムシフトを呼びかけるが、そのような批評とは具体的にどのようなものなのかは提示されていない。第二節では、映画を巡る言説へと目をむけ、フェルスキの考える「アタッチメント」と呼ばれる実践の具体的な様相を探るために、主体が変容してしまうような事態を批評と呼ぼうとした蓮實重彥のアプローチ、蓮實と部分的に映画分析に対する姿勢を共有しつつも、より理論的かつ応用可能な方法論を構築しようとしたレイモン・ベルールの言説とその限界を確認する。

第三節では、そのような限界を克服し、ポストクリティークの時代にも十分通用しうるような方法論として、平倉圭による「失認的非理論」を参照すると同時に、それを補強しうるものとして中村秀之による「他性的知覚」という概念を導入する。第四節では、これまでの議論を踏まえた上で、ロベール・ブレッソン『ジャンヌ・ダルク裁判』の一シークエンスの分析を行いつつ、映画の新たな視聴方法を可能にするような認識論的枠組みを提示する。中村は映像を他者による知覚であることを理解しつつ、その知覚に準拠を強いられるような知覚を「他性的知覚」と名づけた。この概念を敷衍し、複数の他性を自身の同一性のもとで収束しようとする際に生じる認知的負荷とそれに伴う身体の変容こそを分析の目的とすることによって、ポストクリティークと呼ばれる時代においても、批評や分析を可能にする認識論的枠組みを構築する。

1　ポストクリティーク——分析不可能の時代

本稿の議論を明確にするために、ポストクリティークと呼ばれる思想的潮流の話から始めよう。ポストクリティークはその名の通り、人文学を支える基盤ともなっていたクリティーク＝批評と呼ばれる営為の歴史的な限界を指摘し、批評を支えてきた認識論的枠組みの変化を求める運動である、とひとまずは要約することができるだろう。先駆的な論考として、イヴ・K・セジウィックによる「パラノイア的読解と修復的読解、あるいは、とってもパラノイアなあなたのことだからこのエッセイも自分のことだと思ってるでしょ」［2］と題された極めて挑発的なエッセイがあり、その後、セジウィックを引き継ぐ形で、リタ・フェルスキが『クリティークの限界』と題される書物［3］において、その問題意識をより鮮明にした。セジウィックは、ポール・リクールが「懐疑の解釈学」と名づけたフロイト、マルクス、ニーチェに代表されるような解釈学が現在の批評実践において方法論的な中心を担っていること、それがパラノイア的な思考様式と抗いがたく結びついていることを指摘する。その上で、「パラノイア的読解」なる読解方法の特徴を「先回りする」、「反射的かつ擬態的である」、「強い理論である」、「ネガティブな情動の理論である」、「暴露に信頼を置く」と列挙していく。このような特徴を持つ「パラノイア的読解」は、クィアな弱い理論を抑圧しながら、その強いネガティブな情動の力によって人々の間を伝播していき、言説を固定化するように働くだろう。セジウィックがこのパラノイア的読解に対置し、提唱するのが「修復的読解」と呼ばれる実践だ。セジウィックによれば、「修復的衝動が求めるのは、ある対象を組み立てたりそれに豊かさを施したりして、その対象が今度は逆に未発達な自己に援助を与えることができるようにすることだ」［4］。

このようなセジウィックの提案を引き受けつつ、フェルスキは批評的実践の歴史を辿りなおし、批評という営為の限界がどこにあるのかを突き止めようとしている。フェルスキは、これまでの批評のテクストに対する態度を「潜り込む（digging down）」と「後ろに下がる（standing back）」の二つに大別している。前者の態度において「読むことは抑圧された、あるいは隠蔽された現実に到達するために掘り下げる態度として想定される」のであり、「テクストは、内面性、隠蔽性、浸透性、深みといった特質を持つものと見做され、略奪されるべき対象、解かれるべきパズルであり、解読されるべき象形文字なのだ」[5]。一方、後者の態度は、「発見を目的とするというよりは、異化という行為を強調する」ものであり、このような批評は「隠された真実を追い求めるために表層的な意味を払いのけるのではなく、これらの表層をじっと見つめ、その視線の揺るぎなさによってそれらを見慣れぬものへと変える。洞察は、掘り下げることよりも距離を置くこと、集中的な解釈よりもアイロニカルなデタッチメントの痛烈さによって達成される。今や目的は、テクストを「非自然化（denaturalize）」することであり、テクストが埋め込まれている状況を明らかにすることで、その社会的構造を暴露することである」[6]。テクストの奥から表層へというこの転換を、フェルスキはフロイト的なモデルからフーコー的なモデルへの転換としている。しかし、フェルスキはこのような二つの批評的態度には大した差はないとも述べる。「どちらのアプローチも結局、予期せぬ好ましくない光の下にテクストを置くような分析によって、誤った認識を特定し分類しようとする。そして両者とも、対象への深い関与や吸収、没入の危険性から身を守り、ストイックで、テクストからの呼びかけに対する感受性の欠如を自負している」[7]。テクストへの奥へと潜り込み、隠れた何かを暴くことも、あるいは、テクストから身を引き、表層に注視することも許されないのであれば、可能な方法論とは一体なんなのか。フェルスキが提唱するのは、デタッチメントからアッタチメントへというパラダイムシフトである。フェルスキは、アクターネットワーク理論、新歴史主義、情動理論などを援用しながら、次のように主張する。

読むことは、くっつけること、照合すること、交渉すること、組み立てること、つまり、以前はつながっていなかったもの同士のつながりを作ることなのである。それは、深さを探ったり表層をなぞったりすることではなく（こうした空間的比喩は、その魅力の多くを失う）、読者の役割がテクストの役割と同じくらい決定的な、新しい何かを創造することなのである。解釈は、テクストの隠された意味や表象の失敗について終わりのない反芻をするのではなく、新たなものを浮かび上がらせるアクター間の共同制作となる。[8]

そして、フェルスキは愛着、情熱、ひらめきといった言葉を解釈学に積極的に持ち込むよう呼びかける。

セジウィックが提案する修復的読解、それを理論的に発展させたフェルスキによるアタッチメントへの転換。テクストに対する私的な感情や情動を重視しようとするこれらの態度は、テクストとその背後に想定される社会との関係を解釈するという過度に社会構成主義的なモデルから、テクストとその手前側の読み手や観客が共に創造するようなモデルへの移行とも換言できる。しかし、もし仮に人文学における批評がテクストとの共同制作なのだとすれば、それらは単なる印象批評や二次創作と変わらないものとなってしまうのではないか[9]。現在の言説状況を取り巻くのは、むしろ多くの大衆がテクストとのアタッチメント、共同制作を積極的に行う一方で、批評の言葉がテクストから距離を取ろうとし続けているがために、その求心力が著しく低下しているような事態であろう。そのような状況では、ポスト構造主義の時代に「死んだ」作者が再び強烈な磁場を展開しながら蘇り、テクストに対して二次的なものにすぎない批評は、作者を崇拝し、テクストの中に没入しようとする大衆から無視される。だからといって、批評の言葉が二次創作や印象批評と同じになってしまっては、結果として起こるのは、知の退廃であり、批評はやはり意味のないものとなってしまう。つまり、求められているのはテクストの意義を社会的・イデオロギー的状況へと回収するのでもなく、一方で単なる印象批評へと陥らずに、理論的かつ教育可能性に開けたような批評的枠組みだ。フェルスキは具体的な枠組みを示すわけではないが、手がかりを提示している。「テクストの重要性は、それを取り巻く社会状況について明らかにするもの、あるいは隠すものだけで完結するのではない。むしろ、それが読み手の中の何に火をつけるか、つまり、それがどのような感情を引き出し、どのような知覚の変化を促し、どのような絆や愛着を呼び起こすかという問題でもある」[10]。つまり、テクストがどのように読み手や観客の感情や知覚の変化を生み出すように構造化されているかを分析することがここでは求められている。

2 批評と理論の臨界点

では、これらの問題を本稿の主題である映画に関わる言説に引きつけて考えてみよう。フェルスキの問題提起は文学研究の現場から為されているが、テクストを社会的・イデオロギー的権力関係を明らかにしたり、隠したりするものとして想定するような過度に社会構成主義的な批評理論一般に向けられたこれらの批判は、一九六〇年代以降、構造主義や記号論の影響下で理論化・アカデミズム化が急速に推し進められ、一九七〇年代以降はラカンの精神分析とアルチュセールのマルクス主義と接触することで、よりイデオロギー的な方向に舵を切った映画研究・理論にも同様に当てはまるだろう。実際、フェルスキは『クリティークの限界』において、映画研究と文学研究、双方を射程に入れて論じている。その上で、本節で取り扱うのはフェルスキの提案するような批評に近い実践を行ってきた二人の論者、蓮實重彦とレイモン・ベルールだ。

『表層批評宣言』において、批評を巡る言葉が「マルクス＝フロイト的語彙に限られているといった「貧しい」現実」[11]に苛立ちを隠せない蓮實は、「いま、この瞬間に、ここにあるものと接しあいながら、もはや自分自身には属さない非人称的な瞳を獲得して、世界を新たな相貌に捉える」[12]ような地点からしか批評は始動しえないと宣言する。批評を未知から既知への移動として捉えるのではなく、「いま、この瞬間に、ここにあるもの」への驚きによる「非人称的な瞳」の獲得を批評のあるべき姿勢として設定する蓮實は、映画についてもやはり次のように述べている。

> われわれが映画を語ろうとするとき、映画はどこにも存在しておらず、そのうしろ姿ばかりがときおり闇の中に不気味な反映をちらつかせているにすぎないのだから、映画を語ることはとりもなおさず、作品の痕跡すらとどめていないこの闇の厚さを、身をもって実感することにほかならない。[13]

その上で、蓮實は「見るものと見られるものとの間に展開されるこの絶えることとのない相互侵略の闘いを、自分から自分を引き離しながら刻々かちとってゆく苦しげな存在確立の歩みを、われわれはとりあえず「批評体験」と呼んでおく」[14]と綴る。このように蓮實は「この瞬間に、ここにあるもの」という現前の把握しがたさ、それを言語化しようとすることの困難によって生じる書き手の「自分から自分を引き離」すような変容の体験こそを批評と呼んだのであり、それはセジウィックが提唱するような「未発達な自己に援助を与える」方法論と近いだろう。さらに蓮實の映画を巡る言説において頻出する「説話的経済性」や「説話的機能」と呼ばれる概念の内実を探れば、蓮實の批評的実践がやはりセジウィックやフェルスキの提案に重なることに気付かされる。三浦哲哉が簡潔に説明するように、それは「画面連鎖においてある有意の細部が繰り返し用いられ、そのことによって「機能(function)」が形成され、或る時間のまとまりがつくられてゆくプロセス」[15]だ。つまり、蓮實の方法論とは直線的な物語とは別のレベルで作用する細部や反復といったテクスト内の構造を探り、それに驚きのまなざしをもって接するようなものであり、やはりこれはフェルスキが提案するような批評に限りなく近い。しかし、このような態度ゆえに蓮實は映画理論なるものを「みずからが囚われている限界——映画の全貌など誰にも見えてはいないという——などあたかもなかったかのように脳天気に議論を進め、恥じる気配すら示さない」[16]として忌避する。確かに蓮實が言うように、映画はその存在論的な立ち位置が不明瞭で、全貌を把持できず、ゆえに語ることもままならない。だからと言って、個別具体的な経験が全てであり、理論化することなど不可能としてしまうのであれば、映画について語る言説は極端な相対主義へと陥る危険性から逃れられない。アーロン・ジェローが正しく指摘するように、当時先鋭的だった蓮實の表層批評は、一方で「印象批評への回帰」という側面を持ち、「自身の歴史性や政治性を理論化することは不十分だった」ために、「映画に接近できる特権を得た、統一的で排他的な集団を生み出すに至った」のである[17]。つまり、蓮實の方法論はその理論化の拒否ゆえに逆説的に柔軟性を失い、「DVDやビデオが存在する以前に、映画を見ることでわれわれのなにが鍛えられたかというと、動体視力」[18]だったと語るその批評的実践は単に蓮實という一個人の映像記憶能力や動体視力、言語化能力へと帰され、言説を硬直化させる方向へと働いてしまう。

もう一人の論者、ベルールは「映画のテクストは引用不可能であるがゆえに、到達できないテクストである」[19]とし、「映画分析は一種の原理的な絶望の中で理解しようとする対象ととめどなき競争を試みることしかできない」のであって、「対象を捉え、捉え直そうとするあまり、その対象が永久に手の届かないところにある点を常に占めることになる」[20]と述べる。このように映画を決して捉えきることのできないものとする姿勢を蓮實と共有しつつも、一方でベルールはフランスにおいて映画の理論化を推し進め、映画記号論を体系化したクリスチャン・メッツと同時代人でもあった。そのため、批評と理論を架橋するような方法論を構築する。ベルールはメッツと自身の方法論的な差異について次のように述懐している。

> メッツはテクストのシステムという一つのコンセプトを追い求めていた。それは全ての映画を説明可能にするものであるがゆえに、いかなる映画も必要とせず、例え映画の断片というのが問題を孕んだ場であったとしても、それのみからは決して類推できないようなコンセプトだった。その一方で私は、映画全体の過剰、あるいは各々の瞬間の欠乏といった一定のレベルから「映画の欲望」なるものが全ての断片に集約されるようなことを、どうすればいいかも分からないまま漠然と期待していた。[21]

メッツが全ての映画を包括的に説明できるような静的な理論を夢見たのに対し、ベルールは、ある特定の具体的な映画の断片と映画全体とが相互に関係し合うような動的なヴィジョンを描き出そうとした。そして、ベルールが編み出したのがフィルムプリントを入手して、ショットごとに分析するという方法だった。映画から任意のシークエンスを抜き出し、一つ一つのショットをフレーミング、カメラの動き、アングル、対象となる人物、セリフの有無、ショットの持続時間など様々な要素へと徹底的に細かく分解していき、そうした徹底的な分解の後、反復／逸脱、対称／非対称、同一性／差異の現れの基盤となる「韻（rime）」を観測し、映画の分析を試みる。ベルールによれば「韻」は、類似の秩序あるネットワークを通じて、物語の差異を運ぶのであり、多かれ少なかれ洗練された対称性を展開することによって、それなしでは物語が成立しえないような非対称性を引き出している」[22]。このような方法論は、蓮實が「説話的経済性」と呼んだものをリアルタイムの鑑賞ではなく、フィルムプリントを使用し、ショットごとのレベルで分析することによって、理論化を図る試みであったとも言えよう。しかし、やはりこのような方法論には限界がある。どこまで分解するのか、何を対称と見做し、何を非対称と見做すのか、これらの判断には分析者たるベルールの強い恣意性が働いている。実際、ベルールはそのような方法論の到達点とも言える『北北西に進路を取れ』の分析の結論を、「映画は分析者の欲望のイメージ、つまり分析そのもののイメージを届ける」[23]と述べ、劇中に登場するマイクロフィルムと関連づけながら次のように締めくくっている。

> パラディグムから抜け落ちたこれらのフィルムの巻物におい

て、分析はいわばその残滓として、システムと象徴の相互包含の関係がフィルムとフィルム断片（micro-film）の間で終わりなき往復を行う以外に意味がないことを認識しなければならない。古典的映画の一般化された韻（rime）は、その紋中紋（mise en abyme）を通じて、その最終的なテクスト的効果において、分析者の魅惑された欲望を前提とする。[24]

つまり、批評家／分析者の動体視力や記憶力へと依存しない形でフィルムプリントという映画の静止が可能な媒体を用いたとしても、映画の分析それ自体が批評家／分析者の欲望を反映し、やはり分析は恣意性を免れ得ない。

まとめよう。蓮實とベルールは映画を分析するアプローチにおいていくつかの態度を共有している。映画の記述しがたさに極めて自覚的である点、その上で映画の物語とは別のレベルの映画の構造を把持しようと努める点。とりわけ後者の点についてはフェルスキが提案するような批評へと接近している。一方で、探り当てられた構造に対する新鮮な驚きをもってして自身が変容してしまうような事態を批評と定義し、理論化を徹底的に拒否する蓮實の実践は、教育可能性に開かれていないために言説を固定化する方向に働く。他方のベルールは、蓮實同様の分析方法をフィルムプリントの使用によって徹底することで応用可能な方法論の構築を目指すが[25]、それによって明らかになるのは分析を徹底すればするほど、分析者の恣意性が分析それ自体に反映されざるを得ないというテクスト構造の分析に内在する限界だ。つまり、理論化の拒否は「統一的で排他的な集団」を生み出すことによって、言説を硬直化させる。一方でフェルスキが提案するようなテクスト構造の分析を可能な限り理論的かつ徹底的に行おうとしたところで、最終的には分析者の欲望が表出してしまう。

3 誤認する能力

前節においてセジウィックやフェルスキの提言を手がかりに探究したのは、テクストの構造を綿密に探査するようなやり方で、なおかつ体系的な理論を兼ね備え、教育可能性に開かれたものであった。そして、それに最も近づいているのはベルールの方法論だったわけだが、最終的にはやはり分析者自身の恣意性が問題にならざるを得ない。つまり、テクストの手前側の観客や分析者、それ自体を問題にする必要を迫られる。実際、六〇年代から七〇年代にかけてのベルールの仕事は観客ないしは分析者の欲望の次元を照射したために、ローラ・マルヴィをはじめとするフェミニズム映画理論やジャン＝ルイ・ボードリーの装置論に端を発する観客論を準備した。だが、これらの理論は映画のイデオロギー的な装置としての側面を過度に強調したために、観客を受動的な存在と見做し、フェルスキが批判するような社会構成主義的な大文字の理論へと帰結する。それに対するバックラッシュとして八〇年代以降、観客のより身体的かつ触覚的な映画との触れ合いを探究しようとする映画理論が多く登場し、それらはフェルスキも参照していた情動理論との接触によって活発化する[26]。そうした試みは、蓮實が「自分から自分を引き離しながら刻々かちとってゆく苦しげな存在確立の歩み」と抽象的に呼んでいた行為をより理論的に考究しようとする試みだったとも言えよう。だが、依然として問題は解決していない。なぜなら、情動や触覚性の発生機序が映画のテクストそれ自体に求められる以上、やはり映画の分析を行う必要があり、それは結局のところ、分析をどこまで行うかという七〇年代のベルールの方法論の限界を繰り返すだけからだ。

では、分析者の恣意性それ自体を理論的に扱うことは果たしてどのように可能になるだろうか。この問いに答えている。平倉圭が「失認的非理論」と名付けたものは、この問いに答えている。平倉は『ゴダール的方法』において、ジャン＝リュック・ゴダールの映画分析を行なっているが、ここで平倉は、デジタルメディアによって可能になった擬似的な編集台の操作を分析方法としている。リアルタイムの鑑賞では見逃されてしまう映像と音声の同期／非同期を擬似的編集台において操作するという点においてはベルールの試みの延長線上に位置しながら、一方でテクストの手前側の身体の変容を扱おうとする点では、蓮實の批評的実践の延長線上にも位置している。しかし、平倉の方法論は両者のそれとは、明らかに一線を画している[27]。平倉は、デジタルメディアを用いていくら徹底した分析を行おうとしたところで、分析自体が不可能であることを自覚し、我々の認識が絶えず誤認する可能性を孕んでいるということ、それ自体を議論の俎上に上げることによって、テクストの手前側にいる身体を扱おうとする。具体的に見ていこう。平倉は自身の「「編集台」による分析」が「失認の問題を完全には解消しない。むしろ次元を変えて爆発させる」[28]としている。

重要なのは、解像度をいくら上げたとしても、私たちが身体をもつ観察者であるかぎり、誤認が回避されることは決してないということだ。いかなるイメージも真実そのものに到達しうるような解像度をもつことは決してない。物理的精細としての解像度に限度がないということではない。解像度を上げるときに明らかになるのは、知覚システム内部から排除することのできない普遍的誤認の能力である。[29]

そして、平倉は「疑似的に構成された「編集台」は、現在の私たちの観察システムを有効な仕方で拡張する」と考え、それによって引き起こされる「視‐聴する身体の現実的な変容可能性」に賭けている[30]。つまり、平倉はテクスト自体に内在する構造、そこから発生する情動、触覚性の原因を見出すことを目標とするのではなく、テクストを見逃し、聞き逃し続けるテクスト手前側の身体の認知限界＝誤認可能性こそを積極的に肯定しうる理論構築を目指す。テクスト手前側の身体とテクストとの相互作用によって引き起こされる、身体の変容可能性こそが重視されるのであり、デジタルメディアによる解像度の引き上げは、身体の変容を十全に行うために必要とされる。平倉の方法論は、動体視力を鍛えることによって身体の変容を期待していた蓮實とは対照的だ。なぜなら、「私たちの身体の認知限界こそが、観客にとっての「時間」を構成している」[31]と述べるように、「編集台」によって動体視力の問題を乗り越えたとしても、なおそこに付き纏う認知の限界＝誤認の能力こそを人間に共通した普遍的能力として設定しているからだ。その上で、テクストに内在する何かを突き止めることではなく、身体の変容それ自体を分析における目的とするため、分析は任意のタイミングで中断される。平倉の論理は視点を変えることによって、分析不可能性の問題に応えつつ、なおかつ、映画においてテクストの手前の身体を扱う方法論を理論的に提示している。だが、平倉の方法論は、ここまで提起してきた多くの難問に応えているとはいえ、平倉自身が「新たなる視聴」[32]と名づけるその方法論はやはり、一般的な視聴方法であるとは言い難い。映画は不可逆的かつ連続的な再生によって見られることがほとんどであり、ゴダールの作品とは違って、多くの映画は「新たなる視聴」方法を前提とはしていない。平倉が試みたのは、デジタルメディアと自身の身体を接続することで、十全に身体の変容を可能にすることであったが、この「新たなる視聴」を単に言祝ぐことは、多くの観客の視聴を退け、批評家／分析者の読み方に強い情動を付与し、言説を固定化する方向へと働いてしまう危険性を免れない。ここで必要とされているのは、従来の視聴と「新たなる視聴」を地続きに捉えること、つまり通常の視聴の仕方でも十全に身体の変容を可能にするような認識論的枠組みを用意し、分析者や批評家の試みをあくまで、通常の視聴の延長線上で捉えることである。

そのために参照したいのが、中村秀之が「他性的知覚」と名づけた概念だ。中村は、映画の観客というのは、「自分自身の身体と行動に先行し、それらに対して不関与である他者あるいは他性の関係」を知覚しているとして、このような知覚を「他性的知覚」と名づけている[33]。この知覚は「他(者)性を知覚するというだけでなく、他(者)性への準拠を強いられる知覚」[34]であるとしているが、これは単に観客の身体が受動的な身体であることを意味しないと中村は注釈を加える。これは「行動の必要や制約から解き放たれ、映像という他性的知覚の多様かつ不定の触発に開かれる身体である。映画に固有の力は、このようなヴァーチャル(潜性的)な身体を繰り返し生み出すことにこそある」[35]。さて、中村の「他性」という概念の重要性は映画の表現主体を、精神分析における大文字の他者や物語論における語り手のような静的なものへと還元せずに、動的なものとして想定している点だ。「自分自身の身体と行動に先行し、それらに対して不関与である他者」とは、映画撮影時にカメラの手前側に存在している肉体を有した具体的な他者のことである。リュミエール兄弟の『ラ・シオタ駅への列車の到着』上映時の観客の反応にまつわる逸話を巡る分析において、中村が示唆するのは、観客の知覚のあり方というのは、そのようなカメラ手前側に位置する具体的な制作者の知覚を、自身の知覚ではないことを理解しつつ、観客は知覚するということである。換言すれば、人は映像を目の前にしたとき、自身とは違った時空間において、ある環境や対象を知覚し、カメラに収めた具体的な他者を知覚せずにはいられないということでもある。だが注意しなければならないのは、この具体的な他者とは、いわゆる「作家」と呼ばれる存在のことでもない。藤井仁子が「同じ監督名がクレジットされた多様なフィルムを通じてある共通した細部＝瞬間が認められるならば、それは作家性と呼ばれることになるのであ」り、「一方で作家性がフィルムごとに現れる際の具体的なありようには、「ミザンセン」(mise-en-scène)という恣意的にいくらでも意味を拡張できる魔法の言葉があたえられる」と述べている[36]ように、映画理論における「作家性」ないしは「ミザンセン」と呼ばれるものは多分に批評家／分析者による誤認でしかない可能性が拭い難い。これは、本稿がこれまで論じてきた分析の不可能性と同形の問題である。どこまでが作家による意図的な判断によって構築されており、どこからが集団制作の偶発性によってなされたものであるのかは判断できない。極端な言い方をすれば、「作家」とは、テクストの手前側にいる批評家／分析者によって、都合よく捏造される幻影にすぎない。つまり、中村が他性と呼ぶもの、それは、観客が位置する時空間とは異なる場所で、しかじかの光景をカメラで撮影し、各々の映像をある一定の仕方で配置した具体的な映画制作実践に携わっている動的な他者のことである。そして、観客は、原理的には、そのような制作者(たち)の存在を感知してしまうのであり、このような知覚のあり方を捉える方法論を示すことが、真にテクストとの共同制作と言えるような批評的枠組みを提示することへと繫がるだろう。

4　複数の他性と単一の自己

ここからは、中村の議論を敷衍することによって、そのような映画の見方を可能にする認識論的モデルを立ち上げていく。映画は複数の主体による制作物であるわけだが、ある構図、あるショットの配置が決定されるには集団的な意思決定プロセスがある。カメラアングル、構図、ショットの持続時間、ショットの配置、人物の動き、それら諸々を決定している集団的な意思、それ自体を他性と名づけてみよう。作家＝監督はこの意思決定プロセスにおいてしばしば強い権力を握りうることもあるが絶対的ではない。また、この他性は、再三述べたように静的かつ単一的なものではあり得ない。映画制作が一定の幅を持った時間の中で進行するプロセスである以上、この他性は常に揺れ動くのであり、別言すれば動的かつ複数的である[37]。この揺れ動き、複数性の幅を抑えるために物語＝脚本や絵コンテなどの撮影前段階における諸々の装置が用意されるが、しかし、これらはあくまで制作活動における大まかな枠組みを決定するにすぎない。このように捉えるとき、他性的知覚とは、映画というテクストと触れ合いながら、それを観ている自身の時空間とは別の時空間に存在し、制作実践を行なっている揺れ動く複数の他性を感知してしまうような知覚のことである。一方で、大文字の他者や語り手、ないしは作家という、映画の表現に何かしらの意図を一元的に付与できてしまう抽象的かつ静的な他者というのは、あくまで、観客によって捏造される事後的に浮かび上がってくる存在である。だが、このような事後的に浮かび上がってくる単一の他者が、重要でないということでは全くない。映画を語るために必要であるからこそ、多くの理論的枠組みはそのような単一の他者を想定してきたのだ。つまり、問題であるのは、批評家や分析者を含めた観客は、映画を前にして、それをまとまった一貫性のある表現だと見做さずにはいられない、そう誤認せずにはいられないということである。換言すれば、観客が行なっているのは映像と共に継起的に立ち現れる動的かつ複数の他性なるものを静的かつ単一の固定された他者による表現として処理し、誤認するという認知プロセスだ[38]。だが、ここで必要とされているのは、そのような誤認を否定的なものとして退けるのではなく、平倉に倣ってこの誤認の力能こそを積極的に利用することだろう。

具体的なフィルム断片を分析しつつ、より詳細に方法論を見ていこう。扱うのはロベール・ブレッソン『ジャンヌ・ダルク裁判』における劇中二度目の異端審問の場面だ[39]。尺としては四分半、全四〇ショットによって構築されたこのシークエンス[40]はそのシンプルさ故に、ここで我々が追求するような知覚のあり方を確かめるのに最適だろう。便宜的にジャンヌ・ダルクの入廷後、フェードインで始まるショットをショット一、退廷し、ブラックアウトで終わるショットをショット四〇とナンバリングする。ショット一〜九においては、ジャンヌと裁判長を務めたコーション司教の規則的な切り返しが行われ、奇数ショットにおいてジャンヌが、偶数ショットにおいてコーション司教が捉えられる。ジャンヌを捉えたショットとコーション司教を捉えたショットの画角が変わらないために、このシークエンスは極端に単純化されており、ショットの配置に法則性（ベルールが言うところの韻）が生まれ、その法則を支配しうる他性が感知される。また、九つのショットにおいて、マスターショットが介在しないため、ジャンヌとコーション司教の距離は観客には認識しえないが、コーション司教を捉えたショットの左下には何者かの肩が写り込んでいるため、多くの観客はこれをジャンヌの肩と認識することによって、両者の距離を推測するだろう。ショット九において、ジャンヌが跪く姿をカメラがティルトで追い、両者間の空間が映し出されることによって、その推測は強化される。しかし、フェードによってシークエンスが一旦区切られ、ショット十でジャンヌの姿が捉えられた直後のショット十一では、コーション司教を捉えるカメラの画角が切り替わり、手前に座っている検事ジャン・ポペールを含むショットへと切り替わる。ショット一〜九を支配していた法則からの逸脱および、ジャンヌとコーション司教間の空間の再設定によって、ショット連鎖の必然性を決定しうる法＝他性が書き換えられる。ショット十〜十四においてジャンヌとコーション司教＋ポペールの切り返しが続くが、ショット十五においてドメニコ会修士イザンバールの姿が一瞬捉えられることによって、ジャンヌとコーション司教の連鎖に更に空間が追加される。イザンバールがジャンヌに身振りで助言を与えていることは後にわかるが、この段階では何者かほとんどわからない上に、空間上どこに位置しているかがほとんど認識できない。視線の動きによって、辛うじてジャンヌに向かって左側に位置していることが了解されるが、徹底的なマスターショットの不在は物語空間を統一しようとする観客の認知に負荷を与えると同時に、物語空間を観客の預かり知らぬところで決定しうる他性の存在をやはり強く感知させる。ショット十七において、比較的長いジャンヌのショットが挿入され、その間もオフでショット十六から継続的に発話しているポペールの声が聞こえるが、途中で発話者が切り替わり別の男の声が聞こえる。この段階で審問官はコーション司教とポペールの二人のみしか登場しないため、当然、観客は発話者をコーション司教と特定するだろうが、実際にはショット十八から聞こえるコーション司教の声の響きとショット十七後半から聞こえる声の響きは微妙に差異がある上に、ショット二〇において、新たなる審問官ジャン・ルメットルが加わる（ルメットルの位置はコーション司教の椅子が写り込んでいるために推測できる）ことによって、この声の主は遡行的に不明瞭になる。ルメットルの唐突な挿入によって、再び空間及び、それらを設定しうる他性が書き換えられ、審問官側の人数を特定できなくなる。結果として、ジャンヌが捉えられているショットにオフで聞こえる声は特定の像を結ばなくなる。同様に、空間自体も徐々に具体的になっていくにもかかわらず、空間配置の可能性が複数化することによって、それらを統一の像へ収束することができない。そのような感覚はショット二七に挿入される書記の手の空間的位置の決定し難さによってより一層強められる。『ジャンヌ・ダルク裁判』における単純化されたジャンヌと審問官（たち）の切り返しショットはショット連鎖に法則性を付与すると同時に、そこからの逸脱を特徴づける。逸脱が為されるたびに観客によって知覚される撮影時におけるカメラを含めた諸々の配置、及び編集の必然性などを決定しうる他性はそれに応じて書き換えられる。しかし、法則からの逸脱の反復に伴う度重なる新たな法則の設定、マスターショットの不在に伴う空間的アレンジメントの可能性の複数化は、度々に他性を感知してはそれを遡行的に書き換えるような知覚のあり方を限界まで酷使させ、最終的に観客は上映時はリアルタイムで感知していた複数の他性を静的かつ単一の固定された他者による表現として処理し、誤認するだろう。

図1　シークエンス内で頻繁に繰り返されるジャンヌ（左）とコーション（右）の切り返し。

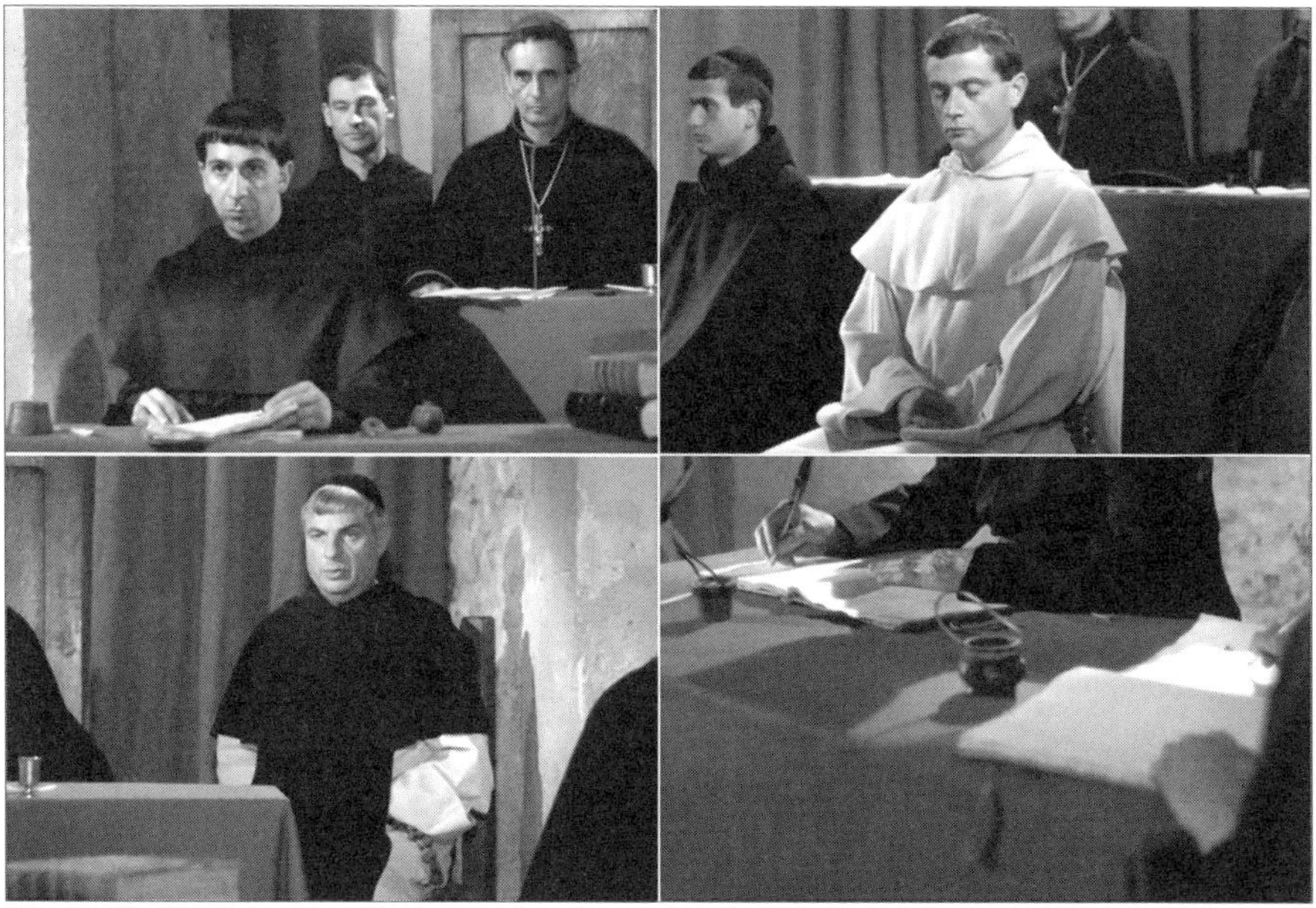

図2　それぞれポペール（左上）、イザンバール（右上）、ルメットル（左下）、書記の手（右下）。各々の空間的位置関係は極めて判別し難い。

では、一体何がこのような誤認を可能にしているのか。それは、ごく当たり前の話だが、観客の有する一定幅の記憶力、自己同一性である。映画を見終えたときの観客が、映画を見始めたときの記憶を有していなければ、一本の映画をまとまった表現として処理することは可能にならない。観客は自身の自己同一性によって、継起的に現れる複数の他性を単一に束ねているのであって、翻って言えば、複数の他性をそのまま受け止めようとすれば（しかじかの構図や配置、人物の動きを正当化する他性の意思をその都度ごとに思考しようとすれば）、自己同一性は危ぶまれる［41］。このような複数の他性を単一のものへと収束させようとする際、最も負荷のかからない方法が物語を基準に収束すると言う方法であって、一方で、これまで検討してきたような蓮實やベルールのような見方は、ある程度の負荷を必要とする。分析をどこまで行うか、あるいは、どこまでを「作家」による「ミザンセン」へと回収し、どこからを偶発的なものとして切り捨てるかの判断が個人の恣意性によらざるを得ないからだ。だからこそそのような態度には限界があるのだが、そのような認知的な負荷をかける誤認のありようを、テクストの手前にある身体を変容させる手段であるとするならば、そのような態度は価値のあるものとなるだろう。つまり、流れては消えていく映像を前にして、その都度ごとにそのような撮影や編集を合理化した揺れ動く複数の他性の意思を知覚しようとすること。そして、それらを強引にまとまりのあるものにしてしまう誤認のありようとそれに伴う身体の変容可能性こそを分析に必要なものとすること。このような認識論においてこそ、映画分析は初めて可能になる。そして、デジタメディアを用いた映画分析はそのような視聴の延長線上にある実践として捉えられるべきだ。ベルールのように、映画を極端に分解し、そこに浮かび上がってくる何かしら「韻」のパターンを感知してしまう分析者が、映画分析の実践を通じて懐疑の対象としているのはテクスト自体では、もはやない。そこで懐疑の対象となるのは、まとまっているはずのないテクストを、揺れ動く複数の他性を、なぜか一つのものへとまとめあげてしまうことのできる自身の過剰な誤認能力である。テクストに対して懐疑を行うのではなく、テクストの構造を成立させている複数の他性をその度ごとに知覚し、それを自身の身体や認知の限界と突き合わせてテクストを読むこと、それこそがセジウィックが言うように「未発達な自己に援助を与える」ような修復的読解、あるいはフェルスキが言うような「共同制作」、「アタッチメント」としてのクリティークを可能にするのだ。

謝辞

本稿は京都大学映画メディア合同研究室第3回シンポジウム(二〇二三)の口頭発表の一部を大幅に改稿し、発展させたものである。発表について貴重なコメントを下さった方々に感謝申し上げます。また、本研究はJST次世代研究者挑戦的研究プログラムJPMJSP2119の支援を受けたものである。

註

[1] 本稿では、紙幅の関係上、対象を映画に関わる言説のみに絞る。映画は文学や芸術など、批評や分析の対象となってきた他のメディウムと比して、大衆芸術としての側面を多く持っていると同時に、アカデミズムの対象となる以前から批評や分析が盛んになされてきたために、上述したような言説の相対化が起こりやすいメディウムとも言えるからだ。しかし、本稿は映画のメディウム・スペシフィシティにこだわることはせず、他のメディウムにも応用可能な批評や分析の認識論的枠組みを構築することを目指している。

[2] イヴ・K・セジウィック「パラノイア的読解と修復的読解、あるいは、とってもパラノイアなあなたのことだからこのエッセイも自分のことだと思ってるでしょ」岸まどか訳、『エクリヲ』vol.12、二〇二〇年、一五二—一九四頁。

[3] Rita Felski, *The Limits of Critique*, Chicago and London, The University of Chicago Press, 2015.

[4] セジウィック、前掲書、一九〇頁。

[5] Felski, *op. cit.*, pp.53–54.

[6] *Ibid*. p.54.

[7] *Ibid*. p.54.

[8] *Ibid*. pp.173–174.

[9] ここでは印象批評という言葉をひとまず、受容者の個人的印象に基づく批評という一般的な意味合いにおいて使用している。そのような批評は妥当性ないしは理論的基準を有していないために、現在の人文学においては基本的に忌避されるものだろう。しかし、本稿では単に印象批評を貶めることはしない。本稿が目指すのは、セジウィックやフェルスキ同様に受容者個々人が抱く感想や印象を重視しつつ、それを「未発達な自己に援助を与える」ようなものとして、なおかつ多くの人に開かれた教育可能なものとして捉えるための具体的な認識論的枠組みを築くことである。

[10] *Ibid*. p.179.

[11] 蓮實重彦『表層批評宣言』、一九八五年、筑摩書房、二六頁。

[12] 同上、四二頁(傍点ママ)。

[13] 蓮實重彦『映画の神話学』、一九九六年、筑摩書房、十七頁。

[14] 同上、十九頁。

[15] 三浦哲哉「『ハリウッド映画史講義 翳りの歴史のために』解説」、『ハリウッド映画史講義 翳りの歴史のために』、蓮實重彦著、二〇一七年、筑摩書房、二五一頁。

[16] 蓮實重彦『ショットとは何か』、二〇二二年、講談社、一六〇頁。

[17] アーロン・ジェロー「映画の批評的な受容 日本映画評論小史」洞ヶ瀬真人訳、『観客へのアプ

ローチ』藤木秀朗編、森話社、一三二頁。

[18] 蓮實重彦・三浦哲哉「蓮實重彦インタビュー——リアルタイム映画批評のすすめ vol.1」、二〇〇六年、FLOWER WILD（http://flowerwild.net/2006/11/2006-11-08_133443.php　2023/12/18アクセス確認）。

[19] Raymond Bellour, *L'Analyse du film*, Paris, Calmann-Lévy, 1995, p.36.

[20] *Ibid*, p.40.

[21] *Ibid*, p.18.

[22] *Ibid*, p.247.

[23] *Ibid*, p.246.

[24] *Ibid*, p.246.

[25] ベルールはビデオをはじめとするニューメディアの登場によって、誰もが映画を停止するという自由な身振り（gestes libres）が一般化したことで、映画の分析という行為はもはや消え、創造的な行為と繋がること、「遊戯、組み替え、逸脱、逸脱した創造」が可能になることを言祝いでいる（Raymond Bellour, *L'entre-images photo, cinéma, vidéo*, Milano, Éditions Mimésis, 2020, p.20.）。また、そうした身振りによって、映画作家の「ミザンセン」に抵抗するような形で、観客が時間を操作し物思いに耽ることが可能になるとも述べる（*Ibid*, p.80.）。このように語るベルールが自身の方法論を多くの人々に応用可能、教育可能なものとして想定していたであろうことは疑いえない。

[26] トマス・エルセサーとマルテ・ハーゲネルは、かなり単純化された図式であること、また必ずしも進歩的かつ目的論的に理論が進展するわけではないことを考慮しつつも、現代映画理論が観客の外側からその内側へと関心を寄せていったことを指摘している（Thomas Elsaesser and Malte Hagener, *Film Theory: An Introduction through the Senses*, 2nd ed, New York and London, Routledge, 2015, pp.6–7.）。触覚性を扱った多くの理論に関しては、同書Chapter 5に詳しい。

[27] 山本浩貴はテクストとの向き合い方について、フェルスキ同様にテクストの奥から表層へというパラダイムシフトを見出しつつ、そこからさらにテクストの手前側の生を扱おうとした論者として、平倉圭の名前を挙げている（山本浩貴（いぬのせなか座）『新たな距離 言語表現を酷使する（ための）レイアウト』、フィルムアート社、二〇二四、六七頁）。

[28] 平倉圭『ゴダール的方法』、インスクリプト、二〇一〇年、一六頁。

[29] 同上、一七頁。

[30] 同上、二〇頁。

[31] 同上、一七五頁。

[32] 同上、二一頁。

[33] 中村秀之「シネマの身体——三つのたとえ話」、『映像と身体——新しいアレンジメントに向けて』、立教大学映像身体学科編、せりか書房、二〇〇八年、一四八頁。

[34] 同上、一四八頁。

[35] 同上、一五一—一五二頁。

[36] 藤井仁子「シネフィリアとモダニズム——ある映画の愛し方にかんする歴史的かつ理論的な省察——」、『早稲田大学大学院文学研究科紀要』第三分冊、二〇一五年、三九頁。また、映画における作家主義に対する鋭い指摘として、同じく藤井の以下も参照されたい。藤井仁子「アレゴリーとしての作家主義——映画の新たな見方の発明とその帰趨」、『演劇映像』六二号、二〇二一年、二九—三七頁。

[37] このようにして、映画を動的かつ複数的な他性による制作物として捉えるという観点は、エリー・デューリングが「プロトタイプ」と定義したものとして映画を捉えることに近しい。デューリングは芸術作品において、オブジェとプロセス、そのどちらかのみを重視することをロマン主義的なものとして退ける。一方、「プロトタイプ」なるものは、「プロセスとある特定の関係を保って」おり、「プロセスにおける切断として現れる」ものでありながら、「作るべき作品のモデルとなるような何らかのオブジェや装置を通じて、プロジェクトにある一貫性［consistance］を、可読性を与えるもの」として定義される（エリー・デューリング「プロトタイプ 芸術作品の新たな身分」武田宙也訳、『現代思想』、vol.43–1、二〇一五年、一七七頁）。とはいえ、デューリングがこの「プロトタイプ」なる概念をあくまで、芸術家の仕事のあり方に適用される概念として構想しているのに対して、本稿ではこの概念を、観客に認識論的枠組み与えるものとして転用している。また、デューリングの映像論における観客の位置について考察したものとして以下がある。福尾匠「ドゥルーズ『シネマ』におけるイメージ概念の実践的価値」、『常盤台人間文化論叢』第六巻一号、五—三一頁。

[38] ダニエル・C・デネットは「脳が何か単一の機能

的頂点や中心をもっている」と考え、「脳のどこかに、ある決定的な最終ラインもしくは境界線があって、情報がそこに届く順序と体験のうちに情報が「呈示される」順序は互いに一致している。なぜなら、〈そこで起こること〉とひとがそれについて意識することが、とりもなおさず、そこでは互いに一致してるからだ」と主張するような意見を「カルテジアン劇場」モデルと呼称し、デカルト以来の負の遺産であるとして退ける（ダニエル・C・デネット『解明される意識』山口泰司訳、青土社、一九九八年、一三五―一三八頁）。これに対して、デネットが提出する「多元的草稿」モデルによれば、「知覚をはじめ思考や心的活動はどのようなものも、脳のなかの、感覚インプットを解釈したり、推敲したりする多重トラック方式にもとづくたがいに並行したプロセスによって、遂行されている」のであり、「このような編集プロセスは一秒間の何分の一という時間の幅で起こっており、その間には、内容の付け足し、合体、修正、重ね合わせなどが様々な形で、様々な順に生じることが可能である」。デネットによれば、「私たちが現実に体験しているのは、多くの解釈プロセス――実際には多くの編集プロセス――から生まれた、一つの帰結に過ぎない」（同上、一四〇―一四二頁）。本稿がここで試みているのは映画を観るという体験が「一つの帰結」に至るまでの「編集プロセス」を複数化して捉えることである。

[39] ジャン＝ピエール・ウダールは『ジャンヌ・ダルク裁判』を議論の俎上に上げつつ、「縫合」と題された現代映画理論に多大な影響を及ぼした論考を著している（ジャン＝ピエール・ウダール「縫合」谷昌親訳、『「新」映画理論集成２――知覚・表象・読解――』、岩本憲児・武田潔・斉藤綾子編、一九九九年、フィルムアート社、十四―二九頁）。この「縫合」なる概念は基本的には主体である観客が映画の意味内容に取り込まれていく過程を説明したものと理解されているものの、ダニエル・フェアファックスが正しく指摘するように、「ウダールからダニエル・ダヤン、スティーヴン・ヒース、カジャ・シルヴァーマン、スラヴォイ・ジジェクへと反復される度に概念のズレが起こり、本来議論されていた用語の意味は著しく棄損されている」（Daniel Fairfax, *The Red Years of Cahiers du Cinema(1968–1973): Volume 3 Aesthetics and Ontology*, Amsterdam, Amsterdam University Press, 2021, pp.666–667）。その上で、フェアファックスはウダールのテクストの後半部において、エロチシズムの問題が前景化することに着目しつつ、「縫合」を「現実界との出会いの潜在的な場」として捉える可能性を示唆している。果たして、「縫合」という概念がそのようなものとして読み替え可能かは本稿の問題設定を超えているため、別途検討する必要があるが、ここではフェアファックスの提言を念頭に置きつつ、同じ『ジャンヌ・ダルク裁判』を対象に、複数の他性的知覚が単一の他者（ウダールの言葉を借りれば「不在者」）として観客の元で収束し、見出されるまでの過程を記述していく。

[40] 分析にあたっては、以下を使用した。『ジャンヌ・ダルク裁判』、ロベール・ブレッソン監督、二〇一九、IVC。該当箇所は00:05:50~00:09:16。

[41] このような考え方は、大江健三郎の制作を「小説のつくられる内的必然性を、私そのものの内的必然性として、見出そうとする営み」として思考した山本の論考から大きな示唆を得た（山本浩貴（いぬのせなか座）、前掲書、一五四頁）。

表　18　象

書評

高松次郎作品／研究のダイナミクス

野田吉郎

大澤慶久『高松次郎――リアリティ／アクチュアリティの美学』書評

Takamatsu Jiro Works / Research Dynamics

A Review of Jiro Takamatsu: Aesthetics of Reality and Actuality by Osawa Yoshihisa

Noda Yoshiro

「リアリティ」と「アクチュアリティ」を一つの美学の名へと変貌させる「／」（斜線）の使い方には、わずかな妥協と大きな工夫が感じられる。というのも、本書の基軸に据えられているのは、両者の間の二項対立の美学でもなければ、その枠組みを解体するようなどちらかの名を冠するにふさわしい美学でもないからである。副題の「／」は、いわば分数における横線（括線）のように、上下に並んだ二つの単語を一つの美的概念として括る重要な役割を果たしているのである。

著者は、一九七三年のある対談における高松次郎の発言とその先行解釈を踏まえて、「リアリティ（真実）」を「意識もしくは自己と事物との適合」（一八頁）ないしは「事物を一つの「全体」として確保するその仕方」（一九頁）と定義する。このとき、「アクチュアリティ（事実）」は前者の定義に対して「その適合から脱すること」（二〇頁）、つまりは後者の定義に対して「事物を部分的、断片的に捉えるその仕方」（二〇頁）を意味することになる。ここでは、どちらかと言えば、アクチュアリティのダイナミクスの方に重点が置かれているが、「全体」の一部であることをやめた「部分」、「断片」をしたがってすでに一つの全体として捉えているその仕方や、「全体」をその一部として持つことになった事物をしたがってすでに一つの全体として捉えているその仕方は、むしろリアリティと呼ぶにふさわしい。その意味では、リアリティもまた、アクチュアリティと同様の意識のダイナミクスのうちにあると言える。著者が両者の関係を「相互的」、「往還的」と形容するゆえんである。

高松の芸術実践について考察している第Ⅰ部と第Ⅱ部の各章では、「単体」シリーズ（一九六九年―一九七二年）におけるリアリティの追求（第一章）、「複合体」シリーズ（一九七二年―一九九八年）におけるリアリティからアクチュアリティへの展開（第二章）、《題名》（一九七一年）におけるリアリティからアクチュアリティへの展開とリアリティの分断（第三章）、《日本語の文字》（一九七〇年）と《英語の単語》（一九七〇年）におけるリアリティへの遷移（第四章）、《THE STORY》（一九七二年）におけるア

大澤慶久『高松次郎――リアリティ／アクチュアリティの美学』水声社、2023年

クチュアリティへの志向（第五章）、「写真の写真」シリーズ（一九七二年―一九七四年）におけるリアリティとアクチュアリティとの往還（第六章）がそれぞれ問題になっており、それらの思想的背景について考察した第Ⅲ部では、第七章と第八章を通じて、高松の意識論におけるリアリティとアクチュアリティとの往還が問題になっている。すべてが本書におけるリアリティ／アクチュアリティの問題系を形成しており、「／」にはそれだけ多くの意味が込められていることが分かる。

それぞれの問題についての著者の考察をまとめると、「単体」はその文字通りの単一性（著者の言い方では「素材の自己同一性」を含む「一性」）においてリアリティ／アクチュアリティの問題系へと接続され（第一章）、以下同様に、「複合体」は部分と全体との関係の曖昧性、不確定性（それが全体という虚構から部分という現実へと視座を転換させること）において（第二章）、「単体」と「複合体」の結節点に位置づけられた《題名》は「単体」（「求心性」を有するもの）から「複合体」（「遠心性」を有するもの）への変遷、ならびにタイトルの自己指示性（作品を指示しないこと）と作品のプラン（「えのぐ」と「容器」を「一つのもの」として提示すること）において（第三章）、「この七つの文字」と記された《日本語の文字》と「THESE THREE WORDS」と記された《英語の単語》は発話者と受け手との特殊、個別的な関係（複製物を「同じもの」ではなく「これかぎりのもの」として捉えること）において（第四章）、アルファベットが羅列された《THE STORY》（一九七二年）は順列という秩序の全体性（幻想）とそこからの逸脱（読み手の個別的な状況と一致するような単語との遭遇）において（第五章）、「写真の写真」は鑑賞者による「フレーミング」とその変更（別の「フレーム」へと逸すること）の繰り返しにおいて（第六章）、高松の意識論は「永続的に自己を刷新する脱自構造のダイナミズム」（一九〇頁）において（第七章、第八章）、と続く。なお、第四章に関しては、「リアリティ」と「アクチュアリティ」の使い方に混乱が見られ、第四節のタイトルになっている「「同じもの」から「いま、ここ」のリアリティへ」は「「同じもの」のリアリティから「いま、ここ」のアクチュアリティへ」の誤りではないかと思ったのであるが、いかがであろう。

ところで、本書における「／」の使用は「リアリティ／アクチュアリティ」に限られない。それどころか、著者による柔軟な「／」の使用が本書の特徴の一つにさえなっている。試みに本文から該当部分を抜き出してみよう。「真実／幻想」、「一性／全体性」、「近代主義／理性主義」、「府中市美術館／北九州市立美術館」、「「点」／「紐」」、「転化／自己同一性」、「物体／属性」、「意味／機能」、「日常的な事物／日用品」、「平面性／三次元性」、「平面／立体」、「部分／全体」、「事物／事柄」、「盲点／無知」、「「単体」／「複合体」」、「「単体」／「自己同一性」」、「えのぐ／容器」、「オリジナル／コピー」、「発話者／受け手」、「私／発話者」、「版画／ゼロックスコピー」、「部分／断片」、「はじめから決めつけられた関係／全体性」、「秩序／全体性」、「制作／撮影」、「不在性／匿名性」、「彫刻／写真」、「フレーム／全体」、「理性／意識」、「理性論／意識論」、「主体／客体」、「理性／意識についての意識」、「個人的／主観的」、「主観的／個人的」、「即自／対自」、「知覚的対象／想像的対象」、「対自／意識」、「適合／全体性」、「個別的／プライベート」、「以前／以後」、「事物／世界」。見落としや誤認があるかもしれないが、以上である（他に、行の区切りを示したものもある）。文脈が分からなくても、対概念とそうでないものが混在していることは分かるであろう。そして、「リアリティ」と「アクチュアリティ」を一つの美的概念として括る「／」の用法が他と著しく異なっていることも。とはいえ、これだけのスラッシュが目の前に置かれると、「括る」ことから「区切る」ことへの視座の転換が必要になってくるように思われる。

節の立て方に目を向けてみよう。各章は「考察の手順」を示すことから始まり、各節はその手順の通りに、概ね「シリーズの分類」、「先行解釈の整理」、「作品の分析」、「テクストの参照」、「解釈の提示」、「リアリティ／アクチュアリティの問題系への接続」といった内容できれいに分けられている。各節における分類、整理、分析といった作業もまた、それ自体が対象の分節化であることは言うまでもない。たとえば、ある作品の先行解釈がいくつかの種類に分けられるとき、各人の解釈の全体がそのうちのどれかにぴったり当てはまるとは限らない。著者は各人の解釈を分節化した上で、それを整理しているにすぎないからである。そして、そのことを本文の中でわざわざ断ることによって、まさに「適合／全体性」の覆いを剝ぎ取ろうとする著者の姿は、考察の対象である高松次郎の姿と重なって見えてくる。

ここには確かに「高松次郎の新たな姿」（二三頁）がある。再び著者の言葉を借りれば、これまでの高松の仕事の全体像に「亀裂」が入ったということである。生前の高松も、まさか「リアリティ」と「アクチュアリティ」の矛先が直接自分に向かってくるとは思わなかったであろう。しかし、ここでふとした疑念が頭をもたげる。なぜなら、著者はリアリティ／アクチュアリティの美学を本書全体の基軸に据えているだけでなく、それが高松の活動全体の基底にあったと主張しているからである。その枠組みを本書で扱われなかったシリーズや作品にも適用し得るとなれば、それは高松次郎の新たな全体像をはじめから幻想（虚構）として浮かび上がらせることにつながらないか。リアリティ／アクチュアリティの美学を敷衍した先には、現実の高松次郎はもう存在しないという皮相なリアリストの結論が待っていないか。しかし、これは杞憂であった。著者は最後に、別のシリーズの分析に際しては別の枠組みによってそのシリーズの固有性を掬い上げなければならないと述べている。著者による丹念な検証の作業を経て浮かび上がったリアリティとアクチュアリティのダイナミクスは、当の問題系にも容赦なく「亀裂」を入れている。それによって、著者の目にはもう別の問題系と別の高松次郎の姿が映り始めているようである。

『高松次郎　言葉ともの——日本の現代美術1961–1972』
光田由里｜著
水声社、2011年

1961年から1972年、すなわち作家の初期から中期にかけての仕事を、特に「言葉」を鍵概念として描き出した高松研究の礎となる文献。「点」／「紐」、「影」シリーズ、「遠近法」や「弛み」といった所謂トリッキーなシリーズ、「単体」シリーズ及び「複合体」の初期作品などが、同時代の美術動向との交叉を見据えながら広く明快に論述されている。本書はいわば「言葉の高松」を前景化し、高松と親しい間柄にあった批評家中原佑介の作家への眼差しを著者の観点から深化させたものとも言える。

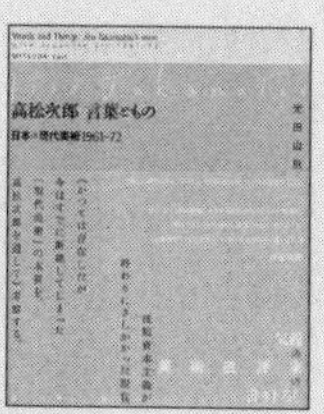

『高松次郎を読む』
真武真喜子・神山亮子ほか｜編
水声社、2014年

作家と同時代を生き、その仕事を間近から見ていた批評家や作家——石子順造、刀根康尚、針生一郎、中原佑介、宮川淳、東野芳明、寺山修司、李禹煥、川俣正ら——による高松の作家論、作品論が収められた批評選集。高松の作品やシリーズは形式的にはシンプルながらも、一方で彼が書きつけた多くの文章は容易な解釈を許さないものとなっている。高松次郎が、気鋭の批評家、作家を強く惹きつけると同時に、多様な解釈を呼び込む芸術家であるということが本書全体を通じて感取されよう。

『虚像培養芸術論——アートとテレビジョンの想像力』
松井茂｜著
フィルムアート社、2021年

東野芳明の批評を語る上では不可欠なのが「虚像」概念であり、それを踏まえて1960年代の日本の現代美術を、マスメディア、特にテレビジョンとの関係性から探究した著作である。60年代の日本の現代美術というとやや限定的に響くかもしれないが、本書の射程は広く奥深い。高松次郎とテレビの関係についての仔細な考察も展開されており、そこでは影を介したテレビ出演や、「複合体」作品の素材としてテレビを用いることで自身の理念を具現化する作家の振る舞いが描き出されている。

『部分と全体の哲学——歴史と現在』
松田毅｜編著
春秋社、2014年

高松は生涯を通じて、リアリティとアクチュアリティのみならず、部分と全体の問題に深い哲学的な関心を寄せていた。正確に言えば彼は、リアリティ／アクチュアリティについて、つねにメレオロジー的観点から思考をめぐらせていたのである。本書は「メレオロジー」を記号論理学的研究の枠に収めず、広く部分と全体の哲学として扱うものである。アリストテレスをはじめとする哲学者から掬い上げられたメレオロジーは、作家のそうした芸術哲学を理解する上で大いに参考になるだろう。

『存在と無——現象学的存在論の試みI』
ジャン＝ポール・サルトル｜著
松浪信三郎｜訳
筑摩書房、2007年

1950年代から60年代にかけての日本の〈サルトル・ブーム〉の時代にあって、高松もサルトルに傾倒していた。サルトルからの影響の例として挙げられるのは主に『想像力の問題』(1940年)であるが、これは彼の「不在性」概念との関連性においてである。一方、高松の言う「自己自身の永久革命」は、『存在と無』(1943年)で論じられる脱自構造、すなわち理念的な全体性を志向し、自己超越を永続的に追求する意識のダイナミズムに重ね合わせられる。ゆえに、本書を作家の思想的背景を明らかにする一冊として挙げたい。

自らの足元を見るために

天内大樹

印牧岳彦『ＳＳＡ——緊急事態下の建築ユートピア』書評

To See Our Own Foothold

A Review of SSA: Architectural Utopia under the Emergency by Kanemaki Takahiko

Amanai Daiki

足元を見る——他人の弱みにつけ込む以前に、私たち自身の弱みにも気付かず自壊しているのがこの社会ならば、かつて自身を問うことなく皮相的に狡猾に追いつき追い越そうとした社会、しかし今や経済、産業、学術などで水をあけられた社会のかつての姿——私たちがモデルとした社会を吟味することには、切実な動機がある。戦前では「日本／東洋趣味（後に帝冠建築）」との対立軸、戦後も軍国主義の克服という文脈において、モダニズム建築の導入という喫緊の課題が私たちにはあった。しかしその切迫性（または切迫に名を借りた盲目性）ゆえに、アメリカ国内の議論に関する私たちの検討は霞んでいたかもしれない。教科書的には、独仏を中心に社会政策の一環とされたモダニズム建築が、アメリカの「インターナショナル・スタイル」として政治的に脱色されたと言える。しかしアメリカ建築界がそうなるには、政治性を掲げて議論する段階をきちんと踏んでいたということが、私たちの認識から脱けていたのではないか。

ＳＳＡ（構造研究会）は極めて短期間の活動だが、前後の彼らをとりまく論争群は、ヨーロッパで始まった議論が、大恐慌と第二次大戦という緊急事態下のアメリカで十二分に再検討されたことを示し、その後日本で十分に展開されなかった問題群を予示している。

先に足元を確認すると、人口減を分かっていて郊外の農地はなぜ建売住宅地に転用されスプロールが止まらないのか。特に地方の中心市街地の空洞化をレッセ・フェールにしながら、バイパス道路沿いでばかり開発が進むのはなぜか。三〇年ほど前に八〇〇万人を切った東京都区部の人口は、いまや九五〇万人に達し、国全体で一億人を切るかという二〇年後にもなお九七〇万人程度を維持するというが、区部の住宅価格のみ高騰する趨勢で、特別な対策はないのか。確かに地方の一定範囲の市街地、あるいは農山漁村群を対象にすると浮上する問題に、こつこつと取り組む建築家たちの姿を私たちは認めている。取り組める問題から取り組むという姿勢は正しい。しかし資本主義のあり方も含むアメリカにもあっ

印牧岳彦『ＳＳＡ——緊急事態下の建築ユートピア』鹿島出版会、2023年

た議論を、私たちの社会は避けていまいか。

著者は、資料的限界を認めつつも一九三二年刊行の『シェルター』誌を議論の凝縮点として、アメリカにあり得た建築の可能性をマッピングする。もしかしたら本書の読後に感じるほどには、アメリカでも主流の議論ではなかったかもしれないが、SSAの中心人物は誰もが知るバックミンスター・フラー（一八九五―一九八三）であり、日本語文献で馴染みあるメンバーにはフレデリック・キースラー（一八九〇―一九六五）、クヌート・レンベルク＝ホルム（一八九五―一九七二、近年の伊原久裕による紹介では「レンバーグ＝ホルム」）がいる。とはいえ本書はビッグネームに頼らず、集団の議論を立体的に描き整理することに成功している。

本書の内容を概観せねばならない。序章では、近代運動が「資本主義と共産主義のあいだの神話的な「第三の道」」（九頁、アラン・コフーンの言）を、ファシズムと理論上無関係ながらタイミングとして並立するかたちで開こうとしたという。その行く末を見積もる上で、ナチズムとスターリニズムに逐われた近代運動の中心地＝アメリカの近代建築受容において、「美学・スタイル」「ハウジング」に加え第三の「構造／機能」といった語が強める技術ユートピア的志向、またこの志向の後年の「環境制御」論への連続といった観点から、SSAが焦点となる。

第一部「産業化・コミュニティ・美学」は一九二〇―三二年のSSA前夜を取りあげる。一章「摩天楼の都市と建築家の疎外」では、近代運動のアメリカにおける表層的な受容、例えば標準生産の構造体に「平均的人間」（五二頁）におもねるファサードを付与するだけの「紙上建築」（五一頁）を軸として、欧米各々における建設産業と建築家の位置づけを巡る議論が取りあげられる。日本では後の一九六二年に日本で篠原一男が「住宅は芸術である」として問うた、産業に圧倒される建築家の位置づけが類似の議論だろう。本章ではシカゴ・トリビューン・タワーコンペやレンダリングによる施主とのコミュニケーションなどを焦点に、大西洋両岸の立場が入り交じる。

二章「産業化とコミュニティ」では、建物の大量生産と職能の（例えば病院専門といった）細分化、建物更新頻度の増大、「粗雑な」（七五頁）「自動車時代の都市」景観（七七頁）といった問題への対処、つまり建築と近代技術の関係を問う議論が取りあげられる。産業化以降の地域コミュニティの再建に取り組む立場から、フラーらの「工場生産住宅」を、地価やインフラとの接続などの点で、道路が整わない当時における自動車の氾濫と同様、生産を混乱させると批判するルイス・マンフォード（一八九五―一九九〇）らRPAA（アメリカ地域計画協会）と、SSAに近い立場の論者とが議論する。近い立場の論者を同定し取り上げる方法論、商業雑誌・前衛雑誌などメディアの性格の着目などは、研究手法として参考になる。

三章「「インターナショナル・スタイル」を定義する」は三二年MoMA「近代建築：国際展」へと連なるヘンリー・ラッセル・ヒッチコック（一九〇三―八七）とフィリップ・ジョンソン（一九〇六―二〇〇五）の「インターナショナル・スタイル」概念をめぐり、本人たち、後のSSA、RPAAという三つ巴の反応を描く。この展覧会後の図集に掲載された山田守の東京逓信病院に対する、若き丹下健三による建築家の主体性の観点からの反発は、ヒッチコックが建築を技術に還元する文明の衰退を避け、「健康な器官として」これを美学で「再統合」するという議論（一〇四頁）と比較できる。またジョンソンは機能・構造との関係を欠いたファサードや摩天楼の装飾への評価を留保し、ニューヨーク建築連盟展と並行して「落選建築家」展を仕掛け（一〇二頁／一一二頁）、「機能主義」からの脱却として先の概念を提示した。とはいえここでは論争がすれ違う。

第二部「エマージェンシーからエマージェンスへ」はSSAの機関誌となった三二年刊行『シェルター』誌上の議論を集中して取りあげ、本書副題の「緊急事態」に直接関わる。四章「「インターナショナル・スタイル」への迎撃」は、この概念をめぐる論争を、SSA結成と『シェルター』誌創刊と結びつけて再検討する。SSAの意義は、フラーに拠れば複製可能な建築を生産する普遍的条件を実現するデザインの追求であり（一五一頁）、SSAのサイモン・ブライネス（一九〇六～二〇〇三）に拠ればそのために独特の用語に基づいた思想の共有である（一五二頁）。レンベルク＝ホルムはミース・ファン・デル・ローエの過去の文章を引くことで、目の当たりにする展示と概念を装飾の許容と見なす。また科学・産業の主導を掲げたソヴィエトを参照することで、資本主義への論及を準備する。「記念碑」に陥った巨大建築、すなわち摩天楼とソヴィエト・パレスコンペ入賞案に対し、アメリカの「道具」つまりフォード社工場（一六八頁）と同様の抗争の存在を、かの政体内に想定する。ブライネスが、これら「記念碑」の実際の性能ではなくその性能の印象を与えるという点から、「インターナショナル・スタイル」をこれと同一視すると（一七四頁）、MoMAに近い陣営から、SSAの掲げる科学性とは実現を欠いた非合理にすぎないとの批判が投げかけられる。SSAのセオドア・ラーソン（一九〇三―八八）は科学、経済といった語を批判者より包括的に捉えることで対処したが（一七七）、彼らの「道具」としての建築観は大恐慌に曝される。

五章「大恐慌と「産業共産主義」」では、三三年のニューディール政策開始まで深刻化の一途を辿った恐慌下で、SSAの社会革新構想――政治的「革命」ではなく産業化の促進が実現する「産業共産主義」を紹介する。恐慌は建設産業において、新規着工額を四分の一、民間住宅では十分の一に縮小させながら、人々を住宅から駆逐した。フラーは、不動産利益の制約を受ける建築批評は、土地に縛られない「シェルターの科学的合理化」（一九〇頁）に収斂すべきという。SSAと同じ方向性という位置づけで掲載されたダグラス・ハスクル（一八九九―一九七九）の議論も、シェルターの移動性で土地への依存を弱めることを住宅供給の要件とし、ラーソンは単純労働や抑圧からの「人類の脱出（エマージェンス）」（一九三頁）をめざす目的論的産業が自足したユニットを生産することで、壁に囲まれた都市は道路上の「都市の流れ」（一九六頁）に解消されるという。この「産業共産主義」は階級の封建的区分のない理想社会を夢見る。背景には、テクノクラシー運動、社会学者ソースティン・ヴェブレンによるビジネスと産業の区別（不動産とシェルターの区別に読み替えられた）、労働組合運動がある。テナント撤退後の摩天楼をシェルターに転用する構想は具体的な段階まで進んだ（二一三頁）。しかし「第三の道」は、「近代建築：国際展」に社会主義共和国の先鞭を見出したマイヤー・シャピロ（一九〇四―九六）らマルクス主義者には生温い。ハウジングや都市計画では「重役と労働者の関係性はなにひとつ変わらない」（二一八頁）。技術による社会進化主義は、蓄財を悪とするような「経済的慣習」の変化（二二四頁）に社会転換を期待する楽観にすぎないとするシャピロは、「道具」に見合った政治体制をめざす階級闘争への参加を彼らに求めた。これにSSAが応答しなかったのは、ルーズベルト就任で危機意識が和らぎ、団体の活動が停止したからである。

第三部「シェルターか、革命か？」は、住宅問題と、連邦政府や資本家らの対処をめぐり、SSAの議論がニューディール期にどう存続し変質したかを辿る。六章「SSAからFAECTへ」では、被雇用者の技術者を糾合する産業別組合FAECTに、ブライネスらが関与した。ブライネスは「シェルター」を掲げた職能団体（二四三頁）にも、雇用者が交じることから階級意識の高まりに伴う解体とFAECTへの合流を期待した。公共住宅供給の恒久制度化への動きを「不動産業者からの反対」（二四九頁）に屈する不十分と批判し、またRPAAに親和的な、都市からの人口分散政策には、農業未経験者の賃金低下と組合など集団的抵抗の弱体化を挙げて反対した。実現したハウジングの家賃高騰も併せ、公共事業局の存在は「単なる煙幕」（二五二頁）で連邦政策の基調は依然持ち家への誘導にあるとする。希望は労働者の連帯のみ——シドニー・ヒルの変名（これは著者の発見である）で住宅問題解決を「労働者国家」（二六〇頁）への革命に委ねるが、同じSSAからRPAAに接近したヘンリー・チャーチル（一八九三—一九六二）と論争になった。

七章「モビリティのユートピア」は、ハスクルがアメリカ独自の発展とする自動車文化（二七八頁）に関し、住宅研究者コーウィン・ウィルソンの「移動住宅」構想（二八一頁）に注目する。後年のメタボリズムを彷彿とさせる、高騰する地価からトレーラー・ハウスに再居住し、いわば移動階級を形成するという未来像は、定住による少数者支配から逃れ「地理的近接性」を超えた人間関係に基づく（三〇七頁）産業共和国形成の梃子とされた。他方、公衆衛生や移民労働者に関する危惧、マンフォードやチャーチルら安定したコミュニティへの志向と対立し、楽観的な非政治性においてブライネスと対照をなす。

八章「産業化の二つの戦線」では、産業の政治利用を危惧したレンベルク＝ホルムとラーソンが、「時間ゾーニング」の着想（三一八頁）で「構造物の寿命」を短く制御し人々の移動を促すべく（三二一頁）、不動産価値や自治体運営などの権力に奉仕する都市計画やハウジングを撤廃し、ナチズムに陥らず「政治戦線」（三二五頁）を闘うべきと主張する。二人は面ではなくネットワークとしての都市計画をめざし、経済と技術二つの戦線において力を制御する「文化戦線」（三三二頁）において人間活動と物質双方に関わる力の制御（三三二頁）つまり「環境制御」を企てる。技術／政治、技術／経済という認識から技術偏重の移動住宅は超克され、彼らは輸送システムによる住宅建設すなわちプレファブを志向し始める。彼らがかつての仲間フラーを技術一辺倒と批判したのは、自身のかつての立場への反省でもあった。

結論では、戦争末期にSSAおよびアメリカとソヴィエトが建築の産業ユートピア像を一瞬共有できたのが、冷戦と戦後復興により断絶し、「環境制御」は再び「道具」としてのみ扱われるという後日談が挙げられる。欧州から問題ごと引き継いだモダン・ムーヴメントは、自らの根拠たる〈時代精神〉を読み損ない「自己矛盾」としての「多元主義」へと自壊したというコフーンの概括に対し、「あり得たかもしれないひとつの未来」を掲げる（三五六頁）著者は、当時の議論のマッピングを通じて現代の閉塞を逃れる糸口を探っている。

フラーなりキースラーなり、個人を扱うモノグラフは生死という確実な刻み目があるのに対し、短期間とはいえ集団を形成した議論の再構成は、扱う範囲の設定、著述における目配せ、議論の順序などで（筆者のように）錯綜しがちである。著者の作業の手際の良さには圧倒されるが、それは本書の丁寧な記述、充実した註釈が示すとおり、地道な作業の膨大な蓄積に裏打ちされている。本書が扱った議論の蓄積を足元に確かめれば、SSA各メンバー、またアメリカ／近代建築、そして自分たちを再認識する上で堅固な足がかりになろう。

The Ideal of Total Environmental Control: Knud Lönberg-Holm, Buckminster Fuller, and the SSA
Suzanne Strum｜著
Routledge, 2018

SSAに関して一冊の書籍にまとまった既往研究としては、現時点でおそらく唯一のもの。著者のストルムは、SSAの一員であった建築家・雑誌編集者のクヌート・レンベルク=ホルムのキャリアをひとつの軸として、両大戦間期から第二次世界大戦後にいたるSSAとそのメンバーの活動を広く文脈化して再評価を図っている。そこでとりわけ強調されるのは、戦間期におけるテクノクラシー的な動きとの思想的な共通性である。

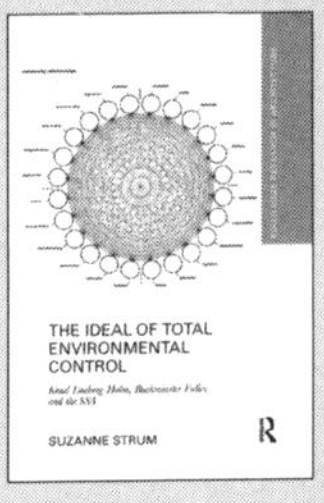

The International Style: Exhibition 15 and the Museum of Modern Art
Terence Riley｜著
Rizzoli, 1992

20世紀の近代建築の代名詞としても扱われ、SSAにとっての批判対象であった「インターナショナル・スタイル」という言葉はどこから生まれたのか。MoMA「近代建築」展（1932年）の60周年を記念した回顧展にともなって刊行されたこのドキュメントは、その経緯と詳細を知る上で役に立つ。一方で、本書の刊行をはじめとする1990年代のモダニズム再考の動きそれ自体についても、今日では歴史化の作業を進めていく必要があるだろう。

『錯乱のニューヨーク』
レム・コールハース｜著
鈴木圭介｜訳
ちくま学芸文庫、1999年

言わずと知れた建築家コールハースの主著であり、歴史を扱った著作でありながらその後の建築理論の流れにも大きな影響を与えた一冊。コールハースがその生成メカニズムをSFめいた筆致で遡及的に描き出したニューヨークの摩天楼を、SSAは（これまたSF風の描写によって）「緊急事態シェルター」へと転換してみせる。SSAの活動の背景となったニューヨークという都市のあり方を理解する上で、大きく影響を受けた著作である。

『近代建築のアポリア：転向建築論序説』
八束はじめ｜著
PARCO出版局、1986年

SSAと彼らを取り巻く人々のあいだの論争を検討するなかで考えていたのは、近代運動が内包していたさまざまな対立や矛盾、両義性といったものだが、こうした点を一貫して問題にし続けているのが八束はじめによる諸著作である。あとがきで近代建築に対する自身の「卒業論文」と述べられる本書では、フォルマリズムと生産主義、芸術の前衛と政治の前衛といった対立からなるその「アポリア（難問）」がとりわけ率直に問われている。

The Inflatable Moment: Pneumatics and Protest in '68
Marc Dessauce｜編
Princeton Architectural Press, 1999

1968年、5月革命の時代のパリで活動した前衛グループ・ユトピー（Utopie）の活動を扱った本書の編者である建築史家マルク・ドゥソースは、とくに1990年代以降におけるSSAの再評価の端緒となった論文の執筆者でもある。本書のなかで直接にSSAが登場するわけではないが、時代も場所も異なる二つのグループをつなぐものとして、移動性（mobility）の持つユートピア的な可能性の系譜を見ることができるかもしれない。

三人の女たちの一人による別の話

番場俊

菊間晴子『犠牲の森で――大江健三郎の死生観』書評

Another Story by One of the Three Women

A Review of In the Forest of Sacrifice: Ōe Kenzaburō's View of Life and Death by Kikuma Haruko

Bamba Satoshi

ずっと四国の森のなかに住んできた妹が（森のへりにといってもらいたい、というのがその口癖らしい）、自分と、後二人の人物はあなたに一面的な書き方で小説に描かれて来たことに不満を抱いている、といって来る。――わたしたちは「三人の女たち」というグループを結成して、それぞれあなたの小説への反論として書いたものを見せ合っている。これまではただそれを書き、確実な読み手を二人ずつ持つことで満足してきたが、あなたが「最後の小説」というようなことをまたぞろ言い出している以上、少なくともあなたが自分のそれを書きあげる前に、わたしたちの書いたものを読んでもらいたい。そこであなたに送ろうということになった。どうだろうか?

第十二回東京大学南原繁記念出版賞を受賞した本書、菊間晴子『犠牲の森で』は、大江健三郎がその最後の小説『晩年様式集《イン・レイト・スタイル》』（二〇一三）の前口上においたこんな設定を思い起こさせる。もちろん、『晩年様式集』の長江古義人は大江健三郎その人ではないし、近年あいついで大江健三郎論を上梓した尾崎真理子と工藤庸子が妹のアサと妻の千樫にあたり、やや遅れて刊行された菊間晴子の著書が――本書のもととなる博士論文は二〇二〇年度の提出というから、実際には他の二冊に先んじていたところもあるかもしれない――、娘の真木の手になる作家への「反論」として、「三人の女たちによる別の話」（『晩年様式集』の四つの章のタイトル）を完成させるのだなどといってみたところで下手な洒落にしかなるまい[1]。「反論」が作家に届いていたかどうかも分からないし、三人の共謀の有無も不明である。しかし、それでもこんなことをいってみたくなったのは、大江健三郎という巨大な存在に真正面から挑んだ著者菊間晴子に対する評者の心からの賛嘆の念からであり、さらに、三人の女たちの最年少者のみが見舞われた不運に同じく心からの同情を禁じ得ないからでもある。大江と同じ昭和一〇年生まれの父をもち、その次男と同い年の評者は、自分よりもはるかに若い著者が、インタビュアーとして長年にわたって作家との信頼関係を築き上げてきた尾崎と、大江の

菊間晴子『犠牲の森で――大江健三郎の死生観』東京大学出版会、2023年

ほぼ「同時代人」でありえたことの喜びを隠そうとしない工藤につづく三人目として、本書を世に送り出そうとしたときに襲われたであろう異様な緊張を想像せざるをえないのだし、それに、「二〇二三年三月一七日」という刊行の日付をもつ本書は、二人の先達の書物がさいわいにもまぬがれえた不幸にもろに見舞われてしまっている。いうまでもなく、二〇二三年三月三日の作家の死であり、「大江健三郎の死生観」という副題をもち、「大江健三郎（一九三五―）は……」という書き出しではじまる本書は、いわばその誕生と同時に、その第一行目から、作家の生と死を見誤ってしまった書物となる宿命を背負わされている。作家の没後はじめて刊行された大江健三郎論にとって、まことに運が悪かったというほかないではないか。

それとも、そんなことはないのだろうか。一人の作家をめぐるモノグラフが刊行されるのがその生前であろうと死後であろうと、そんなことは本質的な問題ではないのだろうか。そもそも、一人の作家の「全体像」（「あとがき」四六四頁）を描き出そうとする試みは、対象の流動する生を停止させ、一つのイメージに凝固させてしまうことにならざるをえない。大江が賛嘆を惜しまないミハイル・バフチンに（しかし大江が引用することのなかったテクストに）ならっていうなら、一つのイメージのうちに受肉した主人公からは、つねに、いくらかレクイエムのトーンが響いている（『美的活動における作者と主人公』）。死は書くことの避けられぬ代償なのだ。なにも特別な話ではないではないか。

それに、この「死」を代償として浮かび上がってきたのは、またなんという「全体」だろう！　菊間によれば、大江の全創作活動を二つの軸が貫いている。一つは共同体が要求する血なまぐさい供儀において生贄として殺される犠牲獣たちであり、いま一つは私たちに自己犠牲による同一化を要求してくる「総体」としての超越的存在である。前者は、処女作「奇妙な仕事」（一九五七）において撲殺され皮を剝がれた犬たちにはじまり、「空の怪物アグイー」（一九六四）において殺された赤んぼうの亡霊として出現し空に浮かんだ「カンガルーほどの大きさ」のもの、『万延元年のフットボール』（一九六七）において御霊となるために自死を選んだ鷹四を経て、『新しい人よ眼ざめよ』（一九八三）においてウィリアム・ブレイクの細密画「蚤の幽霊」に重ねられたMさん／三島由紀夫の生首に至る。ノーベル賞受賞後の「後期の仕事《レイト・ワーク》」に登場する「おかしな二人組《スウード・カップル》」の片割れの死――義兄伊丹十三の自殺をきっかけに執筆された『取り替え子《チェンジリング》』（二〇〇〇）の伊丹十三／塙吾良の死――ですら、「自らの実存と結びついた、作品構成上の論理に基づいて彼が執行する供儀そのものであった」とされる（二三六頁）。後者は、「セヴンティーン」（一九六一）の右翼少年がオルガスムとともに幻視する「純粋天皇」や、「みずから我が涙をぬぐいたまう日」（一九七一）の入院患者が一九四五年八月の蹶起において父親の死の瞬間に出現したと信じる「黄金の菊の花」といった「総体」のイメージが、次第にその植物的相貌をあらわにし、『懐かしい年への手紙』（一九八七）、『燃えあがる緑の木』三部作（一九九三―九五）において、「森」のなかに開けた聖なる場所「テン窪」に聳え立つ「大檜」として完成する展開過程である。

話はそれで終わらない。両者にはそれぞれにふさわしい結末が与えられる。前者についていえば、異物の排除によって秩序を維持しようとする共同体と、排除され、御霊となって生者たちに憑りつく犠牲獣たちの非対称の関係は、「後期の仕事《レイト・ワーク》」においてゆるやかに変化し、テープレコーダーやビデオカメラといったメディア・テクノロジーを介して、生者たちと死者たちとのあいだの魂の会話が試みられるようになる。『晩年様式集』に見られるキリスト教の語彙を引きながら菊間がいうように、大江における小説という「供犠的実践」は、「後期の仕事」において、生者たちと死者たちがともに語りあう「集まり《コンミュニオン》」の希求へと変貌を遂げたのである。後者の結末はさらに劇的だ。すでに『燃えあがる緑の木』でテン窪の聖樹に火をかけていた大江は、『宙返り』（一九九九）において黒焦げになった大檜を再び登場させ、焼身自殺する「師匠《パトロン》」とともに焼き尽くす。菊間によれば、それは、大江による「自身の文学的想像力に根強く存在していた「総体」としての超越的存在への想像力の解体の試み」だった（四二三頁）。だから、テン窪大檜が『晩年様式集』で復活しているのをみても驚くにはあたらない。それはもはや「犠牲の森」ではなく、生死を超えた無数の他者たちの声がさざめく「うつろの構造体」すぎないから。『犠牲の森』の著者は、こうして、一人の小説家の生涯における「犠牲」と「森」の想像力の誕生と死を、ともに見定めようとしているのである。

　大江の生涯を通して、ときに交差しながらも並走していた二本の線が接近し、遠からぬ作者の死を前に、信仰をもたない者たちの魂の交わりのうちに収斂する、――まことにみごとな見取図であり、著者の力量には感嘆のほかない。だが、問題はその先にある。菊間は、作者の死の前に、しかしあたかも作者の死を先取りするようにして、その全体像を示してみせた。だが、このように完結してしまった「全体」に対して、私たちはどのように応じたらよいのだろう――その死のあとでなお大江の読者たろうとしている私たちは？

　確たる見通しがあるわけではないが、本書の論述をたどりながら評者が感じたことの一つは、大江の作品をあらためてバフチンに即して読みなおしてみることの可能性である。もちろん菊間は、本書第一部における『同時代ゲーム』（一九七九）の分析で『フランソワ・ラブレーの作品と中世・ルネサンスの民衆文化』に言及してはいる。だが、そこから導かれる「理論のキャラクター化」としての「壊す人」という命題は消極的なものにとどまる。「後期の仕事」における生者たちと死者たちの「集まり《コンミュニオン》」についていえば、菊間は言及していないが、バフチンのドストエフスキー論における次のような指摘を思い起こさせる。「もしもかりにその世界が全体として志向しているようなイメージを、あえてドストエフスキー自身の世界観にそった形で求めるならば、それは互いに融合し合うことのない魂同士の交流の場としての教会、罪人も義人もともに集う教会であろう」。だがバフチンは直後にこう付け加えることを忘れていない。「しかしながら教会のイメージもまた単なるイメージにとどまるのであって、小説の構造自体については何も説明しない［2］」。問題はあくまで小説の構造であり、小説の言葉であって、作者の世界観ではないからだ。

　ならばつづけて問われなければならないのは、菊間が作家の「死生観」を主題としたことの是非ということになる。たしかにこの主題は、インタビューにおける作家自身の発言――「小説を書く作業は、その小説を書くことを通じて、自分の死生観を作り変えながら生きて行く、そういうことでもあります［3］」――をふまえたものだ。だが、作者の「死生観」を問うことは、その「小説」を問うことと同じではないし、この発言は、菊間の課題設定――「描写の背景に想定される、大江の死生観を検討していくこと」（一一三―一一四頁）――と同じことをいってはいない。「死生観」なるものは、「書くこと」の背景として、その前に存在しているのではなく、「書くこと」の結果として、その後に生じる。この倒錯は、「壊す人」というキャラクターや、「森」に宿る神性について多くの頁を費やした菊間が、書簡体小説としての『同時代ゲーム』の悪／名高い構造――メキシコの「僕」のもとに送られてきた妹の恥毛のカラー・スライドに励されながら、当の妹にあてて書きつがれる手紙――にかたくなに触れようとしないことのうちに表れている。それはそうだろう。妹の「炎のような恥毛の力」が与える「書くこと」への励しについて、いったいどんな「死生観」を云々できるというのか？

　しかし……本書に対する批判めいたことをいったんこのように書きかけた評者は、それでもやはり三人の女たちの三人目に対する賛嘆の念を抑えることができない。本書の登場によって、大江健三郎という作家に対する三人の女たちの「反論」が、とにもかくにも出揃ったのだ。もちろんそれは、これで「反論」が完結したことを意味しない。重要なことは、『晩年様式集』において、三人の女たちに励されながら声を挙げた二人の男たち（アカリとギー・ジュニア）にならって、私たちもまた私たちなりの「反論」をつづけることなのである[4]。エイヘンバウムを引きながら大江自身がいっていたように、「そうではない、その書き方ではだめだといって、それも実際に書きなおしてみること[5]」。そうではない、その書き方ではだめだといって、本書が描き出す「全体」を打ち壊し、「異化」して、「別の話」に作りかえてしまうこと。それこそが、大江が自らの創作活動を「書き直し」と定義していたことの確認からはじまる本書に励された私たちの応答でなければならない。

註

[1] 工藤庸子『大江健三郎と「晩年の仕事《レイト・ワーク》」』講談社、二〇二二年、尾崎真理子『大江健三郎の「義《ギ》」』講談社、二〇二二年。

[2] バフチン『ドストエフスキーの詩学』望月哲男・鈴木淳一訳、ちくま学芸文庫、一九九五年、五五頁。

[3] 大江健三郎・尾崎真理子（聞き手・構成）『大江健三郎　作家自身を語る』新潮文庫、二〇一三年、二八七頁。

[4] 三島由紀夫についても同じことが言えるかもしれない。趙子璇は中国における三島受容を牽引したのが女性たちであったことを指摘している（「二〇世紀末の中国文芸界における三島論争――一九九五年「三島由紀夫国際シンポジウム」を中心に」、『表現文化研究』第十九号、新潟大学大学院現代社会文化研究科）。

[5] 大江健三郎『私という小説家の作り方』新潮文庫、二〇〇一年、九六頁。

『文学ノート　付=15篇』
大江健三郎｜著
新潮社、1974年

大江が自ら著した創作論。『洪水はわが魂に及び』(1973)の発表前に本篇から削除されたという短いテクスト15篇も付されている。拙著においては、大江のキャリアをその死生観の「書き直し」のプロセスと捉えて考察したが、本書を読むと、大江という作家にとっていかに「書き直し」という作業が特別な意味を持っていたかがよくわかる。原稿用紙にすでに書きつけられた文字に向き合い、それを書き直していく作業は、彼にとって自己をつくり変えていくプロセスに他ならないとさえ明言されている。

『死者たちへの捧げもの』
安藤礼二｜著
青土社、2023年

大江健三郎、三島由紀夫、安部公房、中上健次、古井由吉、菊地信義、磯崎新をめぐる批評集。『群像』2019年10月号初出の「純粋天皇の胎水」では、大江作品のキーワードとしての「純粋天皇」そして「御霊」という概念をめぐり、彼と折口信夫との間にあった共振について、三島由紀夫を参照項としながら論じている。拙著では十分に検討することができなかった、大江と三島それぞれの「天皇」観、さらにそこに結びつく「神憑り」に対する関心の相違について詳細に分析がなされており、示唆に富む。

『現代日本のスピリチュアリティ——文学・思想にみる霊性文化』
リゼット・ゲーバルト｜著
深澤英隆、飛鳥井雅友｜訳
岩波書店、2013年

「スピリチュアル」な主題をもつ日本現代文学として、遠藤周作、古井由吉、中上健次、そして大江健三郎らの作品を取り上げ、それを同時代に興隆した「新霊性運動」の周辺に位置付けた書(原著は2001年刊行)。霊性をめぐる当時の言説の背景にあったエスノ・エソテリシズムを抉り出す著者は、大江作品にもその影響を見出し、批判的に論じている。大江と新霊性運動の関係を分析した研究は貴重であり、とくに80年代以降の大江作品に示された死生観のありかたを考察する上での重要な手がかりを与えてくれる。

Spirit matters: the transcendent in modern Japanese literature
Philip Gabriel｜著
University of Hawai'i Press, 2006

三浦綾子、曾根綾子、村上春樹、そして大江健三郎らの作品から、現代日本文学に描出される「超越的なもの」について検討した書。著者は『宙返り』(1999)の英訳者であり、本書においてもオウム真理教事件との関係に言及しながら、この作品を詳細に論じている。ノーベル賞受賞後、『燃えあがる緑の木』(1993–1995)を「最後の小説」として断筆した大江の復帰作となった『宙返り』は、国内ではいまだ研究が少ない作品の一つであるが、早い段階での英訳および研究書の発表に、国外での関心の高さが窺われる。

『晩年のスタイル』
エドワード・サイード｜著
大橋洋一｜訳
岩波書店、2007年

大江の友人でもあった文芸批評家・サイードの遺稿となった、「晩年性(Lateness)」に関する研究をまとめた書。ルートヴィヒ・ヴァン・ベートーベンをはじめとする複数の芸術家を例に挙げつつ、円熟に向かうというのではない、非和解的・反権力的な「晩年のスタイル」が、詳細に分析されている。本書を参照することで、大江がサイードの論にいかに影響を受け、そこからいかに独自の「後期の仕事(レイト・ワーク)」の指針を練り上げていったかが、明確に浮かび上がってくる。

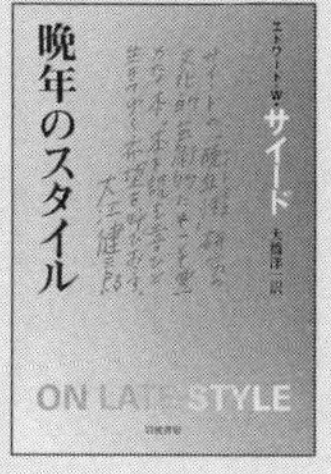

黄金期香港映画研究の最前線

三澤真美恵

雑賀広海『混乱と遊戯の香港映画——作家性、産業、境界線』書評

Frontiers in Research on the Golden Age of Hong Kong Cinema

A Review of Disorder and Play in Hong Kong Cinema: Authorship, Industry, Borderline by Saika Hiromi

Misawa Mamie

香港映画を主題とした日本語書籍はこれまでに百冊を超えるが、多くは返還前後の一九九〇年代後半から二〇〇〇年代前半、いわば黄金期を回顧する時期に刊行が集中している（本書では香港映画の興行収入が海外映画を凌駕していた一九八二年から一九九六年を核として、一九七〇年代末から一九九〇年代末までを黄金期とみなしている）。キネマ旬報社の『中華電影完全データブック』（一九九七年、同『完全保存版』は二〇一〇年）などは当時の香港映画ファンにとって必携書だった。同時に、本書の著者が指摘するように、「日本ではファン言説が膨大にある一方で、［ジャッキー・チェン作品をはじめとする黄金期香港映画が］研究対象として論じられることはこれまでほとんどなかった」（本書、三五頁。以下、特記のないかぎり頁数は本書）。この点、「香港映画の死」（十九頁）を意識せざるを得ない時代に決然と「香港映画研究の道を選んだ」（三六一頁）著者が、二〇〇〇年代以降の英語圏フィルム・スタディーズをも参照しながら考察を展開した本書は画期的であり、その意義はきわめて大きい。ジャンル研究やジェンダー研究の成果をふまえて黄金期香港映画の魅力を捉え直した本書は評者にとっても刺激的で、学ぶところが多かった。

「香港人にとって香港映画はアイデンティティを探求する場として現実と連続している」（二九頁）というのが著者の見立てであり、その連続性を分断する「境界線をめぐるテクスト生成の物語を紡ぐことで、この時代の作品だけが備えている特異性」（同前）を描き出すのが本書の肝である。香港映画を国境によって定義できない民族的中間地帯として読み解くクワイチョン・ローの議論を参照しつつ、著者が着目するのは「映画製作上の境界」すなわちキャメラの前後を切り分ける境界だ。キャメラの前後には「俳優と監督が相対する関係で存在する」（二六頁）が、監督が俳優に、俳優が監督になることで「境界線を無効にし、混乱状態を祝福する態度」（二八頁）こそが「黄金期香港映画を特徴づける」（同前）というのが、本書タイトルにも通じる著者の主張である。境界線については、地理的境界線、キャメラ前後の境界線に加えて、「父と子の世代

雑賀広海『混乱と遊戯の香港映画——作家性、産業、境界線』水声社、2023年

的な境界線」（三〇頁）も導入される。なぜなら、香港新浪潮《ニューウェーブ》には中国の儒教的伝統をもつ旧世代監督から香港人としてのアイデンティティを持つ新世代監督への世代交代という側面があり（三〇頁）、一九七〇年代の香港映画産業では監督と俳優の関係が疑似的な父子関係と見られていたからである（五一頁）。

複数の境界線を切り口として、本書が焦点をあてるのはジャッキー・チェン、ツイ・ハーク、ジョニー・トーの三人であり、序章と結論を除くと、各三章からなる三部構成である。

つまり、本書は内容・構成ともに三人の作家論と呼んで差し支えないと思うが、『混乱と遊戯の香港映画』と題されている。この点、著者自身も三人の作品だけで黄金期香港映画の「全貌を見とおせるものではない」（四五頁）と認めている。であれば、なおさら知りたいのが「なぜ、この三人なのか」という点である。仮に「この三人の類稀なる創作意欲によって生み出された豊富な作品群は、黄金期香港映画の一端をつかみとるには十分な資料となりうる」（四五頁）のだとしても、先行研究が重視してきた「ウォン・カーウァイ、スタンリー・クワン、アン・ホイといった作家」（一二五頁）を取り上げず、一九九〇年代後半からはこの三人以上に活発に「混乱と遊戯」を自作自演して見せたチャウ・シンチーを「本書が描いてきた香港映画史に抗う」（二九七頁）存在として例外視し、ジャッキー・チェンや新浪潮に先駆けて自作自演の「混乱と遊戯」を「自写のマゾヒズム」と呼ぶにふさわしい香港ローカルの広東語コメディ映画として確立した（『Mr. Boo!』シリーズで知られる）マイケル・ホイをも捨象して、あえてこの三人で黄金期香港映画を代表させた理由は何なのか。小学校入学前にジャッキー・チェン映画に目を奪われた（十三頁）著者が、この三人への偏愛を言語化した時に浮上する他の映画人との「境界線」を知りたいと思う。

また、細かいことだが、初期香港映画史に関する「一九一四年にはじめて香港で劇映画が撮影されている」（二〇頁）は「一九一三年」の誤記であろう（本書注記にもある *Early Film Culture in Hong Kong, Taiwan, and Republican China* および『香港影視業百年』を参照）。

ジャッキー・チェンを論じる第一部では、彼をブルース・リーの継承者として売り出そうとしたロー・ウェイ監督との「擬似的な父子関係」に着目して、その関係を離脱し境界線を転倒させた笑いが「一九七〇年代末に起きた香港映画の転換」（七一頁）につながったという見取り図を描く。「ハードボディ」論や「自写のマゾヒズム」論などを参照し、ブルース・リー作品とも比較した上で、俳優として物語世界に生きる形象としてのジャッキーと、監督として現実世界に生きる肉体としてのジャッキーという二つの身体を析出する過程は多角的で手が込んでいる。

第二部はツイ・ハーク論だが、香港新浪潮が登場してくる背景として香港映画批評史に着眼しているのが新鮮だ。著者はもっぱら『大特写』と『電影双周刊』の二誌を参照しており、「香港新浪潮誕生の下地」（二一一頁）となる作家主義批評を導入した雑誌『中國學生周報』の内容には踏み込んでいない。だが、『中國學生周報』の影響力は大きく（羅卡主編『六〇風尚中國學生周報影評十年』香港電影評論學會、二〇一二年）、一九五六年には内容やレイアウトまで同雑誌を意識した左派系の対抗雑誌『青年樂園』も創刊されている（羅卡「冷戰時代中國學生周報的文化角色與新電影文化的衍生」李培德・黃愛玲編『冷戰與香港電影』香港電影資料館、二〇〇九年）。著者が鋭く着眼した新浪潮と左右の批評史との関係は今後さらに掘り下げていける余地がありそうだ。

「父と子の世代的な境界線」に関わって、ジャッキー・チェンとジョニー・トーについては「監督と俳優という擬似的な師弟関係」「物語における父子関係」が論じられているのに対して、ツイ・ハークについては同様の分析が見当たらない。だが、ツイは武俠映画の巨匠キン・フー本人に「わたしのことについては、わたしよりも詳しい」(キン・フー、山田宏一、宇田川幸洋『武俠電影作法』草思社、一九九七年、三〇三頁)と言わしめるほど彼の作品を敬愛していた。にもかかわらず、自らが製作した『スウォーズ・マン』(一九九〇年)ではキン・フー監督を降板させるという「父殺し」的な振る舞いをしている。ツイに関してのみ、あえて「師弟関係」「父子関係」を論じることを避けたのはなぜだろう。

ジョニー・トーを論じた第三部は、本書における白眉といってよい。トーのほぼ忘れられた作品である武俠映画『謎めいた事件』(一九八〇年)を風景に着目しつつ論じる前提として、香港の左派系製作会社が文革後に中国ロケで武俠映画を次々に製作したという興味深い事実を紹介している。トー作品における父子関係についても「トーの映画がそれまでの香港映画と異なるのは、父親の父権的秩序(監督の特権性)が崩壊したあとを描いているからだ」(二五一頁)という結論を導く分析には説得力がある。「香港ノワール」ジャンル研究を整理するなかで、『野バラの恋』(一九六〇年)の監督ウォン・ティンラムとの師弟関係に言及している点も、トー作品のスタイルを考えるうえで示唆に富んでいる。

他方で、トーの武俠映画を「右派に属するキン・フーの武俠映画」と比較するために「トーがおこなったキン・フー批判」(二一〇頁)を梃子としているが、根拠が二〇九—二一〇頁で引用したインタビュー記事のみだとすれば、「批判」と呼ぶにはやや弱いのではないか。二一六頁に引用されている両作のスチル写真を虚心に見るかぎり、むしろ『俠女』(一九七〇年、キン・フー監督)の画面設計への強い憧憬が感じられる。また、トーの「形式主義的アクション」(二八二頁)を象徴する『ヒーロー・ネバー・ダイ』(一九九八年)のクライマックス場面について、著者は「場がスモークで満たされ視界が不明瞭になる」ことで動的身体を浮遊させる空間の「抽象性」が増すと指摘する(二八三頁)。だとすれば、ここでも「わたしがよくスモークを使うのは」第一に色彩を減らすため、第二に空白をつくるため、第三に逆光を使うためだ、というキン・フーの言(キン・フーほか前掲書、一七〇頁)が想起されはしまいか。

『謎めいた事件』が一九二〇年代以来の「超人的な身体運動」(「キン・フー以降」ではない)武俠アクション映画における「超人的な身体運動」(二二二頁)と差別化を図ったとすれば、それはキン・フー批判というよりはむしろ、左派系の製作会社が中国ロケを敢行するにあたっての政治的な配慮、すなわち新中国成立後は「超人的な身体運動」を描く武俠映画が「仮想的方式を通じて動乱世界を救う」がゆえに「個人の夢想を満足させる叙事」として避けられていたという事情(贾磊磊「武舞神话——中国武侠电影纵谈」杨远婴編『中国电影专业史研究 电影文化巻』中国电影出版社、二〇〇六年、二五三頁)——同作が中国ロケを敢行するわずか数年前までの文革期には常態だったイデオロギーによる映画表現の制約——に配慮したからだ、という可能性はないだろうか。

以上、対話の糸口として、華語圏映画史を研究する立場から、評者が感じた疑問や感想を率直に提示したが、本書はまぎれもなく黄金期香港映画研究の最前線に立っている。

二〇二〇年の国安法施行以降、ますます表現の自由が奪われるなかで、香港映画は生き延びることができるのか。この問いに対する著者の答えも本書を締めくくる一文から知ることができる。

Hong Kong Cinema: The Extra Dimensions
Stephen Teo｜著
British Film Institute, 1998

香港映画史の初期から1997年の返還直前まで、およそ90年間の歴史をまとめた一冊。通史的記述にとどまらず、主要監督の作家論、ブルース・リーとジャッキー・チェンの俳優論、父子の主題や幽霊映画のジャンル論など、さまざまなトピックとともに論じられている。その後の香港映画研究に多大な影響を与え、もはやこの分野では必読書とも言える。著者はこれ以外にもウォン・カーウァイ論、ジョニー・トー論、武侠映画論など重要な著作を上梓している。

Planet Hong Kong: Popular Cinema and the Art of Entertainment, 2nd ed.
David Bordwell｜著
Irvington Way Institute Press, 2011

映画研究において権威的存在であるデイヴィッド・ボードウェルによる渾身の香港映画論。正直な印象を書けば、研究書というよりは研究者によるファンブック。ボードウェルらしい、一コマ一コマを緻密に分析する手法によって、香港映画産業がいかに独自の芸術を築いたのか（とくにハリウッド映画の技法から逸脱しているか）が明らかにされていく。初版は2000年だが、ジョニー・トー論などを加筆した第二版がボードウェルのHPからダウンロードできる。

Hong Kong: Culture and the Politics of Disappearance
Ackbar Abbas｜著
University of Minnesota Press, 1997

映画だけではなく、建築や詩なども含めた総合的な香港文化論となる一冊。返還直前期に書かれたテクストは主題としてだけでなく文体からも、消失していく文化にたいする郷愁が滲みでる。本書の映画論に見られる反映論的読解には批判もあるが、著者が提示する「既失感（déjà disparu）」というワードはその後の研究で幾度も引用され、その影響力は計り知れない。中国化が進んでいく現在はなおさら、アッバスの議論はアクチュアリティを持つ。

Extraterritoriality : Locating Hong Kong Cinema and Media
Victor Fan｜著
Edinburgh University Press, 2019

1960年代以降の香港映画史を領土外性（extraterritoriality）の概念から論じた著作。本書の特徴は、商業映画だけではなく独立系の実験映画やドキュメンタリー映画まで射程にいれている点である。著者はそれらを領土外性の概念で結びつける。香港人のアイデンティティはたしかに危機的状況にあるが、だからこそ彼らは映像メディアを通じて香港を問い続ける。著者は最後に記す。「私は香港人である」と言う人が一人でもいる限り、香港映画は存在する、と。

『電影風雲』
四方田犬彦｜著
白水社、1993年

香港、中国、台湾、韓国など東アジアの映画を包括的に作家論として活写した一冊。フィルムガイドとしても利用できる情報量が詰めこまれている。現在でも日本では知られていない作家も扱われており、日本語で書かれたタン・シューシュエン論などはいまだに本書だけではないだろうか。また、個々の作家論はもちろんのこと、冒頭にある「アジア映画論序説」は、日本人としてアジア映画について書く際の姿勢が論じられており必読の内容である。

「日琉同祖論」という謎との格闘へ

新城郁夫

崎濱紗奈『伊波普猷の政治と哲学　日琉同祖論再読』書評

Tackling the Conundrum of the Japanese-Ryukyuan Common Ancestry Theory

A Review of Politics and Philosophy of Ifa Fuyū by Sakihama Sana

Shinjo Ikuo

崎濱紗奈氏の『伊波普猷の政治と哲学』（法政大学出版局刊）は研究方法とその検証において、意欲的な一冊となっている。学問領域としての沖縄学を立ち上げ、沖縄近現代あるいは日本近現代の歴史や思想や文学や言語学を考えるうえで、今に至るまで巨大な参照の源となっている伊波普猷を論じて、大胆にして画期的な問いが開示されている。

歴史学や言語学あるいは文学から生物学や進化論や精神分析にいたるまで、広大な領域に及ぶ伊波の学問を、一つの「哲学体系」として読み込み考察を進める崎濱氏は、伊波の「日琉同祖論」に、百年にもわたる研究史の流れとは異なる読み――著者の言葉を引くならば「脱構築的」方法――による介入を果たそうとする。今現在にいるまで、日本に対する沖縄側から発せられた同化論の典型として時に肯定的に時に批判的に論及される伊波の「日琉同祖論」を、同化論あるいは異化論の認識枠組みとしてみるのでは全くなく、また「アイデンティティ」や「ルーツ」に基づく自己固有的な論として読むということもない。その枠組を批判しつつ、「日琉同祖論」に、誤読をも引き出すような触発に満ちた企みを見ていく。この点、崎濱氏の読解は、思弁的であるばかりでなく論争的な展開を見せている。

崎濱氏は、次のように指摘する。「「戦略的同化主義」として擁護するにせよ、「同化主義」として批判するにせよ、これまでの伊波普猷読解は、あらかじめ二つの主体「沖縄」「日本」を前提とし、その枠内においてのみ伊波を読解している。ここで見落とされているのは、伊波普猷の「日琉同祖論」は、大日本帝国によって規定された「日本」と「沖縄」という関係性を書き換える試みであったのみならず、「日本」「沖縄」という主体そのものを根底から覆すような――つまり脱構築するような――契機を含んでいた、ということである。「日琉同祖」とは、冨山一郎が言うように、「日本」でも「琉球」（沖縄）でもない、第三の地平の創出を目指すものであった」（同書、六九―七〇頁）。この指摘は、強い説得力を持つ。

崎濱紗奈『伊波普猷の政治と哲学　日琉同祖論再読』法政大学出版局、2022年

たしかに、沖縄学を立ち上げ、その後の沖縄に関するあらゆる言説に影響を与え続けている伊波普猷は、祀り上げられるにせよ指弾されるにしろ、各論者の思想を映し出すための反射鏡のように論じられてきた。ほとんどの論及において、論者が巻き込まれている時代状況や党派性あるいは民族主義についての立ち位置の影響を被ることは避けがたく、各論者自身の思惑の投影を逃れることはなかった。その傾向はむしろ強まっている。

つまり、伊波普猷研究において、彼の思想が論じられれば論じられるほど、論者それぞれの政治「的」立場が前景化し、ポジション・トーク的粗雑さのみ際立つという徴候が示されてきたということである。盛んに論じられることを通して、伊波のテクストは不在化されてきた。特に、論争の軸となりがちな「日琉同祖論」をめぐっては、それが顕著である。本書が開示しようとするのは、他ならぬ「日琉同祖論」こそが、「同化論」の構造に亀裂を招きいれていく点であり、この亀裂への注目を通して、沖縄と日本とに相渉る「同祖」概念そのものへの脱構築的契機をみていこうとするのである。

この脱構築的読解を導くモチーフとして「蘇鉄地獄」と呼ばれる沖縄社会の経済的窮状への直面を通して、伊波の思想に変化がもたらされている点に、崎濱氏は着目する。特に一九二〇年代以降に書かれるテクストのなかに見出される「海部」(伊波が、「琉球人」の祖と位置づけようとする「アマミキヨ」)と「稲」、この二つのモチーフに潜在する破壊力を検証していく。この点についての論理の運びは、錯綜していると見えるが、それも「ちぐはぐな印象を与える」(同書二八二頁)伊波のテクストの多義性を掬い取ろうとする姿勢ゆえといっていいだろう。崎濱氏の論述によるならば、伊波の日琉同祖論は次のように展開している。日本の古代「国家」成立過程で天皇(家)を統一の核とするための神話化がすすめられ、このなかで「天孫」による異族「征服」が、先住のアイヌをはじめとする他「人種」への排除と同化的包摂としてなされる。このとき追われるようにして「南漸」した古代人(原琉球人=原日本人)が、海部=アマミキヨである、と。

稲を携えて南から「北上」してきたのが日本人の祖先であるとする柳田国男と差異が際立つ伊波の立論については、既に膨大な研究がある。そのなかで本書が異彩を放つのは、「海部」=アマミキヨによる「稲」の意味付けが、「天孫」による「征服」の前後で、背反的な亀裂を生じさせているという指摘である。そのうえで、この亀裂のなかに、伊波の天皇制批判と国家イデオロギー批判がこめられているとするのが、崎濱氏の読みである。

崎濱氏は次のように書く。「「政治」は原始共産制を崩壊させ、支配する者と支配される者とに社会を分化し、搾取を発生させる。天皇とは、このような搾取の頂点に君臨する王に他ならない。伊波はこれを「天孫」的世界と考えた。反対に、このような分化が起こる前には、人は平等で、調和に満ちた世界に生きていた。「海部」の共同体である。伊波は、この「海部」的共同体こそが、「日本」の、そして「沖縄」の共通の故郷であると考えた。すなわち、〈原日本〉=〈原沖縄〉としての「海部」的共同体である」(七六頁)。この指摘は、次にそのまま繋がっていく。「「アマミキヨ」に「稲」を授け、豊穣を齎す恵の神である「祖先神」としての「ニライ・カナイ」は、「稲」を「民」=奴隷から徴収することを欲する「征服者」によってその権威を奪取された。なぜなら、「ニライ・カナイ」の神の「霊威」は、「稲」を徴収する権力に正当性を与えるものとして見出されたからであった」(二六〇—二六一頁)。

短絡を恐れずに氏の論述を整理するならば、次のようになるだろう。——「まきよ」と伊波の呼ぶ原始共同体において「稲」は祖先神との供食において感受されたのに対し、「侵入者」(＝天孫)による征服後、この天孫の神話を自らの王統正当化へと流用接続させたのが、第一・第二尚氏による「琉球国」統一であった。その王統儀礼において「稲」は祭政一致の「政治」性を付与されてしまい、奴隷制を含む諸制度を構成するものとして新たに位置づけなおされた——。本書では、前者を「良い稲」とし、後者を「悪い稲」と位置づけていくのである。

この指摘で重要なのは、遠来神がいる「ニライ・カナイ」へと捧げもの＝租税として「稲」を位置づける神話が、第二尚氏以後の琉球建国神話の政治性なかで機能したという点である。「稲」を祖先神の供食した「海部」の時代こそが本来あるべき無支配平等の世界であったにもかかわらず、天孫の征服によりそれは支配を条件づける「政治」へと書き換えられたというのが伊波の「日琉同祖論」に他ならない、本書を貫くのはこの読みである。そのさい崎濱氏は、伊波は前者を「良い稲」そして後者を「悪い稲」と書き分けていると指摘し、そこから天孫神話と天皇制への批判を読んでいくのである。そのうえで、「日琉同祖論」展開に、初期と後期の別をみて、後者による前者の内在的批判の運動を見出していこうとするところに、本書の特徴が示されることになる。「蘇鉄地獄」と呼ばれる一九一〇—二〇年代の沖縄社会の極度の疲弊を経て変化する伊波により、「後期日琉同祖論」においては、同祖性を維持しながらもそこに人種的民族的な同一性へと収斂されない亀裂が書かれていくが、そこにこそ、「沖縄人」という「主体」の政治が開かれるという。

この点、崎濱氏が、「後期日琉同祖論」に見出すのが、「まきよ」(血縁による原始共同性)である。〈原日本〉＝〈沖縄〉という「来るべき国家」(二二四頁)あるいは「最終審級」(二七一頁)としての「まきよ」が伊波の言説に浮上し、そこで「天孫」と「海部」との闘争対立が「止揚」されると崎濱氏は指摘する。これを伊波の「政治神学」(カール・シュミット)と位置づけてもいる。

ただ、こうした論理の全てについて、私が理解できているわけではなく、了解できたわけでもない。「天孫」中心主義(天皇制)への批判を伊波のテクストに読みこんでいこうとする崎濱氏の大胆な読解には惹かれるし、そう読めればとも思う。だが、伊波のテクストの多義性あるいは矛盾がそれを許していないように感じるのも、また確かなのである。

たとえば、崎濱氏は、〈原日本〉＝〈原沖縄〉という「来るべき国家」として「まきよ」を位置付ける伊波の論理が、「あらゆる対立を包摂する原理として「場所」や「絶対無」を定義した西田幾多郎の哲学に通じる」(二八三頁)と指摘し、西田の「世界新秩序の原理」(一九四三年)の文章を引いている。鋭く説得力ある指摘だと思う。ただ、もし伊波＝西田の「場」の哲学が接合するのであれば、「日琉同祖論」が、帝国新秩序という「来るべき帝国」を補完する可能性もないではないのではないか。このとき「秩序」や「同化」あるいは「征服」は合理性を担い、来るべき「政治」的暴力を理論化することもありえるかもしれない。

そうした危うさと伊波の同祖論が無縁と言い切れないと思うのは、たとえば崎濱氏が繰り返し読解していく「古琉球の政治」(一九二二年)のなかの次のような言葉に立ち止まらざるをえないからである。伊波は書いている——「琉球の歴史は大日本の歴史の縮図であることに気づかれたであらう。実に大和民族の特長は統一性の強いことにある。その一支族なる琉球種族が、琉球群島に移植されても、やはり同一の個性を発揮している。(中略)私は日本人が大国民になることが出来たのは、専らその統一性にあると思ふ。そしてその統一性が――若々しい元気を有するものでなければ、統一する力は強くないが――沢山の種族の血液を吸収し、幾多の新思想を吸収したために、健全な国民となることが出来たのであらう」。続けて次のようにも書いている。「異種族を統一融合するの必要上、国民は道徳的に大々的進歩を遂げる様に余儀なくされる。もしこの新時代に応ずるだけの進歩した道徳を有することが出来なければ、其の国家は往々にして瓦解を免れないのである。私は尚真王が彼の眼前に突き出された新時代を見て、直ちに旧道徳を棄てて、新道徳を採り、そして琉球民族の生活を持続していつたことを多とするのである」。

「異族の血液」の同化吸収による「融合」的支配あるいは「征服」につき、「進歩を遂げるよう余儀なくされている」と書く伊波。その伊波の論理の危うさは、たとえば、本書の一章で崎濱氏も踏まえている日鮮同祖論や喜田貞吉の「複合民族論」との共通性があり、植民地支配の正当化との関連も看過されない点であるだろう。また、伊波が立論の拠り所としているバジル・ホール・チェンバレンの比較言語学に基づく同祖論は日琉の言語比較において開示され、「日本人種交替説」あるいは「日本人起源」論争などと共鳴している。先史における大陸や南からの侵入により、アイヌをはじめとする先住者の排除と同化包摂が起きたとする学説は、国学派や国文学者達からの攻撃といったスキャンダルに見舞われながらも、伊波と関わりの深い鳥居龍蔵ら人類学者や生物学者たちをふくめ、着実に蓄積されていったという文脈もある。そして、日本書記・古事記を史実として読み、「天孫」中心的な天皇への帰一から日本人種の固有性を定位する言論に対しては、津田左右吉らによる批判というコンテクストも存在していた。つまり崎濱氏が、伊波の「後期日琉同祖論」の可能性として位置付けるアマミキヨ祖先説の「記紀神話への挑戦」は、必ずしも伊波に特権的に見出される「哲学」的営為とも言い切れない点もあると思われるのである。

おそらく、こうした点について崎濱氏が踏まえていないことはないはずであり、要所要所で、「日琉同祖論」の置かれた同時代学説の付置は言及されている。惜しむらくは、そうした同時代言説と伊波のテクストとの格闘が有機的に接続されるならば、さらに説得的な論理展開となったと思える点である。「不和」「不一致」に「政治」の根源的な力を見出すジャック・ランシエールに依拠しつつ、日琉同祖論のいわば亀裂のもつ「政治」の可能性を探ろうとする試みが、時として、崎濱氏が的確に言うところの伊波の言説の「ちぐはぐ」さを、一定の枠に収めようとして力技になってはいまいかとの思いも残ったことも付記しておきたい。

物言いめいた勝手な印象を並べてしまったが、それでも、本書が伊波の「日琉同祖論」研究を新たな段階に押し上げた点について疑う余地はない。特に、本書の最後で示唆される「戦争」を、伊波の言論においてどう位置付けるかという点、それから「アメリカ」という予期せぬ「他者」の到来が、日琉同祖論の閉塞を破る力として予見的に書かれている点は、非常に興味深かった。崎濱氏によるこの論点の検証と思索が、今後さらに展開されていくのを期待したい。

ブックガイド――崎濱紗奈『伊波普猷の政治と哲学――日琉同祖論再読』　作成＝崎濱紗奈

『暴力の予感――伊波普猷における危機の問題』
冨山一郎｜著
岩波書店、2002年

思想家のテクストを単に内在的に読解するのではなく、歴史・社会・文化・政治等ありとあらゆる領域の交錯する場として捉える学問的姿勢を教わった一冊。膨大な史資料の森に分け入り緻密な分析を行う一方で、伊波普猷、あるいは沖縄近現代思想そのものを「沖縄」という限定的な地域に閉じ込めるのではなく、諸理論を駆使しながら近代／帝国主義／植民地主義／資本主義といったダイナミックな文脈の中に位置付ける。

『生きた労働への闘い――沖縄共同体の限界を問う』
ウェンディ・マツムラ｜著
増渕あさ子・古波藏契・森亜紀子｜訳
法政大学出版局、2023年

小農や職工といった近代沖縄を生きた小規模生産者たちが、生の在り方を自ら決定する方法を手放さないための多様な闘争から沖縄近代史を織り直す斬新な試み。沖縄を語る定型――「最初から結末が決まっているような単一の物語を語る傾向」（邦訳書13頁）――を痛烈に批判し、近代沖縄史における多層性／多重性／複数性／偶発性を丁寧に開いて見せる。邦訳書掲載の著者による序文、冨山一郎氏の解説、森亜紀子氏の訳者あとがきも必読。

『到来する沖縄――沖縄表象批判論』
新城郁夫｜著
インパクト出版会、2007年

初めて本書に触れた際に強烈な印象を覚えたのは、「「沖縄の自画像」の生産・流通・消費のサイクルが、今や、沖縄を生きる私たちの日常の四囲に張り巡らされている」状況＝「「自画像」ゲームの呪縛」（9頁）に対する異和を語っているから、という理由だけではない。異和と同時に、「沖縄の自画像」を語ることをめぐる政治性がはっきりと指摘され、戸惑いながらも「自らの「自画像」を静かに見失」（10頁）うことを宣言する新城氏のテクストは、私が「政治」と「主体」について思考する際、常に立ち返る参照項だ。

『近代による超克――戦間期日本の歴史・文化・共同体』上・下
ハリー・ハルトゥーニアン｜著
梅森直之｜訳
岩波書店、2007年

本書は、丸山眞男に代表されるような、前近代的＝封建的な発想から抜けきれていなかったことに戦前日本の超国家主義の理由を見出そうとする姿勢とは異なり、一連の諸問題はむしろ、日本が高度に近代的であったからこそ生じたものであるとする解釈を表明する。沖縄という場を出発点に、帝国主義／植民地主義／資本主義について深く思考し、近代批判の立場を明確に示した思想家として伊波普猷を捉え直す際に、深く影響を受けた一冊。

『不和あるいは了解なき了解――政治の哲学は可能か』
ジャック・ランシエール｜著
松葉祥一｜訳
インスクリプト、2005年

「政治」と「主体」という拙著の主題を論じる上で、深く影響を受けた一冊。「政治哲学」を「アルシ・ポリティーク」「パラ・ポリティーク」「メタ・ポリティーク」の三つに類型化し、これらを「政治」とは異なるものとして厳密に腑分けする。「政治」を存在論的に生成するもの――つねに・すでに存在し得るもの――としてではなく、それを表出させようとする「主体」と不離不可分なものとして、すなわちまれなものとして定義する。

「〈抽象的な音〉の冒険」の中に描き出される作曲家の音楽的思考の軌跡

向井大策

高橋智子『モートン・フェルドマン——〈抽象的な音〉の冒険』書評

The Trajectory of the Composer's Thinking as an Abstract Sonic Adventure

A Review of Morton Feldman: An Abstract Sonic Adventure by Takahashi Tomoko

Mukai Daisaku

フェルドマンは、一九五〇年代、ニューヨーク・スクールの芸術家たちが立ち上げた芸術の刷新の只中に身を置き、図形楽譜と呼ばれる新たな記譜法を考案するとともに、現代音楽の世界に不確定性という潮流を生み出した作曲家のひとりとして知られている。その音楽はまた、極度の静寂や、延々と続くかと思えるような独特の時間感覚を特徴とし、ケージとミニマリズムの作曲家たちの間にあって独自の地位を確立している。本書はこのユニークな作曲家について日本語で書かれた初めてのモノグラフである。

著者の高橋智子はアメリカ実験音楽の研究を専門とする音楽学者で、博士論文「モートン・フェルドマン論——間性 inbetween-ness という美学」で学位を取得後、実験音楽の系譜にある音楽家たちを中心に、様々な媒体で執筆活動や翻訳を行っている。本書の版元である水声社もまた、ジョン・ケージ『サイレンス』（柿沼敏江訳）、マイケル・ナイマン『実験音楽——ケージとその後』（椎名亮輔訳）、ケネス・シルヴァーマン『ジョン・ケージ伝——新たな挑戦の軌跡』（柿沼敏江訳）など、これまでアメリカ実験音楽に関する重要な著作を手掛けてきた。

フェルドマンの音楽の特質とは何なのか。「はじめに」で著者が問いかけるように、それを説明するのは難しい。この点において、フェルドマンの音楽に対する著者のアプローチは非常に誠実なものである。彼の音楽を既存のイメージで切り取るのではなく、残されたスコアと著作を丹念に読み解き、両者の関わりの中に作曲家の思考を再構築するということ。本書では、第一章から第四章まで十年ごとに創作期を区切り、年代順に彼の主要作品が取り上げられていく。同時に、抽象的で時に難解な彼の文章を紐解き、その音楽思想の展開が詳しく検討される。

本書の第一章ではまず、図形楽譜による作曲が始まる一九五〇年代の創作が取り上げられ、図形楽譜の誕生とその背景、そしてその実践の中で彼がどのような課題に直面したかが論じられる。図形楽譜による最初の作品である《プロジェクション》シリーズの成立事情、その記譜法と

高橋智子『モートン・フェルドマン——〈抽象的な音〉の冒険』水声社、2022年

作曲者の意図が解説された後、彼がポロックをはじめとする抽象表現主義の美術家たちへの共感から、「直接的で、即時的で、身体的な音の世界」を志向するようになる過程と、彼にとって師と呼べる存在でもあったふたりの作曲家、ヴォルペとヴァレーズが彼に与えた影響という視点から、図形楽譜による創作に至る背景が解き明かされていく。

また、一九五〇年代を取り扱うこの章のもうひとつの重要なトピックは、彼の盟友だったケージとの関係である。ここでは、不確定性の音楽においてどこまで自由が許容されるのかをめぐる両者の理解の違いに焦点が当てられる。全ての音を許容するケージの博愛的な態度に対して、フェルドマンはそうではなかった。両者の言葉を対比させながら、彼が「つくること」と「受け入れること」の間で葛藤していたと著者は指摘する。その上で、ホルツアプフェルの先行研究を参照しながら、図形楽譜を五線譜化して《インターセクション》第三番の演奏に臨んだチュードアを例に、作曲者が目指した「完全に抽象的な音の冒険」の実態が検証される。チュードアの演奏は作曲者の思い描く「完全に抽象的な音の冒険」に肉薄するものだったが、周到な準備により「抽象を具象化する」ものでもあった。この矛盾からフェルドマンの図形楽譜の構想がはらんでいた困難さがあぶり出される。

こうした困難さの帰結として図形楽譜による作曲が一時中断する一九五三年以降の過渡期を経て、一九六〇年代に彼の音楽的思考は新たな段階を迎える。続く第二章では、一九六〇年代の彼が「音それ自体」への思索を深める中で、五線譜に符頭のみの音符が記される「自由な持続の記譜法」へと辿り着く過程が描き出される。ここで取り上げられるのは、「垂直な思考」と「芸術の不安」という彼のふたつのエッセイである。これらのエッセイを読み解きながら、著者は、彼が「音それ自体」をめぐる思考とそれを取り扱うための方法論を精緻化させていったことを明らかにする。

この時期の彼にとって特に重要だったのが、エッセイのタイトルでもある「垂直の思考」という概念である。この概念について理解をうながすために、著者は、「垂直な時間」について論じたジョナサン・クレーマーによる音楽の時間論を参照する。この章の議論をまとめれば、「音それ自体」の探究は、音の水平な連続体としての慣習的な音楽ではなく、「「今この時」がそのつど繰り返される垂直な時間」の獲得へとフェルドマンを向かわせ、それが「自由な持続の記譜法」という新たな記譜法に結実したということになるだろうか。さらにこの章では、「音それ自体」への関心が「聴覚的な平面」の刷新の必要性を彼に認識させ、その結果、音の減衰にもっぱら焦点を当てる音楽の着想（「聴覚の境界に達した音楽」）へと作曲家を導いたことが論じられる。著者はまた、「自由な持続の記譜法」が採用された《持続》第一番と《デ・クーニング》の二作品の分析を通して、この記譜法が、それぞれの作品において、作曲における時間構成の新たな局面を切り拓いていることを明らかにする。著者の丹念な楽曲分析は、フェルドマンの静謐な音楽が表面上の寡黙さに反して、構成においては非常に複雑なものでもあることを教えてくれる。

通常の五線譜に回帰し、作品自体にも演奏時間の長さや反復性といった特徴が際立ってくる一九七〇年代の創作を取り扱う第三章では、人間フェルドマンに関する話題も増えていく。彼の音楽がもっぱら抽象的な思考だけによるものだったのではなく、人間的な感情にもとづくものでもあったということが、第三章の重要なトピックのひとつである。この章ではまず、作風が転機を迎えた契機として音楽活動や生活環境の変化（教授職への就任、ヨーロッパでの活躍や作品委嘱の増加、ニューヨークからバッファ

ロー への転居）に言及される。《プレス夫人は先週九十歳で亡くなった》に見られるように、それまでの「抽象的な音の冒険」とは相反するような自伝的で物語性をもつ音楽が創作されたことから、著者は一九七〇年からの二年間を彼の創作史の中でも「特殊で例外的な時期」と位置付ける。

ただし、この時期の彼にとって「音それ自体」の探究は決して終わっていたわけではない。著者は彼のエッセイ「カテゴリーの間」を取り上げて、作曲者の「聴覚的な平面」への関心が、視覚芸術、とりわけ親友だったロスコの絵画との比較を通じて深められていったことを示す。また、「音楽における表面」の探究が作曲における新たな時間性──作曲家に意のままにコントロールされるものではない「手付かずの時間」──の獲得と関わるということを彼が認識するようになる過程を、エッセイのテクストに即して詳らかにしていく。

図版や譜例も含め三〇ページ近くを費やして《ロスコ・チャペル》が取り上げられる第三章の後半部分は、本書の中でも特に読み応えがある箇所である。ドビニーの先行研究をもとに作品の成立過程が解き明かされる部分では、楽曲最後に旋律として明かされる画家の音楽的嗜好、チャペルに飾られる壁画の制作現場を間近で見ていた作曲者が作品を構想していく過程、さらに自殺した画家への哀悼のために書かれた音楽の背後にある作曲者のユダヤ人としてのアイデンティティなど、作品の個人的な側面が深く掘り下げられていく。著者はまた、チャペルにおける壁画の配置と楽曲構成を詳細に検討し、作曲者がロスコの壁画の動と静の関係性を音により再現することを試みたことで、《ロスコ・チャペル》が「線的、物語的なレトリック、不協和音と協和音、垂直と線的な時間という対照的な要素」が組み合わされた、フェルドマンとしては例外的な作品となっていることを明らかにする。これらの対照的な要素は「ロスコの縁」のように滲み混ざり合いながら、「音楽の中に現れては消えていく」。この章で引用される作曲者自身の言葉を借りれば、「あらゆる芸術の抽象概念と、「人間」とはなんたるかを特徴付ける感情的な欲望との間に引かれた薄い線を歩く」ような音楽であるとも言える。

最長で六時間に及ぶものすらある「晩年の長大な音楽」を取り扱う第四章では、再び音楽の時間性をめぐる作曲家の思考の展開が論じられる。「なぜ曲が長くなったのか」──小見出しに掲げられたシンプルな問いの答えは、「聴衆、批評家、そして演奏家からも逃れたい」と心情を吐露することもあった作曲者の聴衆との「捻れた関係」に帰着する。長大な音楽を書くことは聴衆への挑戦でもあり、同時に彼らに「素材が持つ変化や変容の可能性」にひたすら耳を傾け続けるという新たな聴取体験をもたらすことを意図したものでもあった。

また、もうひとつのファクターとして論じられるのが、中東の絨毯との出会いである。パターンの中に微かな差異やずれが偏在する中東の絨毯から、彼が「歪んだシンメトリー」という創作概念を打ち出したことを踏まえ、この章ではまず、中東の絨毯のアブラッシュの技法から着想を得た《なぜパターン？》が分析される。この作品では整然と記譜されたスコアに反して、単純なパターンを反復する三つのパートが同期せず、演奏時間における部分の総和が全体とは一致しない。つまり、晩年のフェルドマンの音楽においては時間の長さだけでなく、そこで体験される時間の質こそが問題なのだ。著者は「記憶のイメージ」について語るフェルドマンの言葉を踏まえながら、「記譜のイメージ」と「鳴り響きのイメージ」との間の距離を縮める必要すらなくなった晩年のフェルドマンの独自の境地について論じていく。この章ではまた、前章のロスコと並んで、彼にとって重要な友人だった画家フィリップ・ガストンをめぐる作品も取り上げられる。演奏時間にして四時間に及ぶ《フィリップ・ガストンのために》もまた、画家の急死をきっかけに書かれた作品である。この作品でもアブラッシュから着想を得た反復の手法が用いられ、ずれを含んだ反復の間に挿入される沈黙や音形パターン（CAGEのような音名象徴も含む）の繊細な変化を伴う反復を通して、「記憶のイメージ」を揺さぶるような聴取体験がもたらされることが論じられる。

以上のように、本書において著者は、人間フェルドマンの一面を含め、近年の研究成果も援用しながら、作曲家研究の基本に忠実に緻密な検証作業を積み重ね、フェルドマンの音楽的思考の軌跡を鮮やかに描き出している。「カテゴリーの間」を志向した彼の音楽を理解するために、著者は芸術家同士の交流の紹介に留まらず、様々な先行研究を踏まえながら、視覚芸術や現代文学との関わりを作品や思想の次元にまで踏み込んで明らかにする。また、著者も認めるように、彼の残した文章は時に分かりにくく、議論も抽象的になりがちである。しかし、著者はそこでも歩みを早めることなく、対象の著述を噛み砕きながら、彼の思索の道程に辛抱強く付き合う。個々の音楽作品の分析では、特殊な記譜法の解説に留まらず、その意図やそこから生じる特殊な音響や時間の仕組みまで丁寧に読者に開示する。著者は本書を「フェルドマン入門」のつもりで書いたと控えめに述べるが、このように多様な側面をもつ作曲家の創作と思考の軌跡を一貫したパースペクティヴのもとに描き出すのは並大抵の仕事ではないと言えるだろう。

第四章の最後に、フェルドマンが最晩年に取り組んだベケットとの共作について紹介された後、「終わりに」では、「音楽は芸術の形式なのか？」という彼自身の問いを通して、その死まで妥協することなく「問い続けることに芸術の本質を見出そうとした」作曲家の姿を浮かび上がらせる。著者のフェルドマンへの関心は、単なる歴史上の作曲家に対する興味に留まるものではない。「あとがき」でも明かされるように、フェルドマンの音楽に向き合う著者のこうした誠実な姿勢は、現代社会において「今」という時間を生きる人間として、彼の音楽をどう聴くのか、そこに何を見出すのかという著者自身の問題意識とも深く関わっている。そして、その問いかけは同時に、本書を読む私たちにも向けられるものだろう。「音楽を知的な存在として尊重すること」——本書で紹介されるフェルドマンの残したこの言葉のもつ意味は、芸術としての音楽について考える私たちにとって今なお薄れるものではない。その意味で、作曲家フェルドマンの全貌を明らかにする本書は、アメリカ実験音楽のみならず、現代の音楽や芸術全般に関心をもつ多くの読者にとって必読の一冊だと言える。

Give My Regards to Eighth Street: Collected Writings of Morton Feldman
B. H. Friedman｜編
Exact Change, 2000

拙著で数多く引用したフェルドマンの著作集。生い立ち、師事した音楽家、図形楽譜に対する苛立ち、ジョン・ケージらと共に過ごした1950年代、ライバルだったピエール・ブーレーズへの辛辣な批判など話題は多岐にわたる。なかでも、「モダニズムの後に（After Modernism）」をはじめとする彼独自の絵画論は、学術的信憑性はさておき、一ディレッタントから見た抽象表現主義にまつわる評論として興味深い。

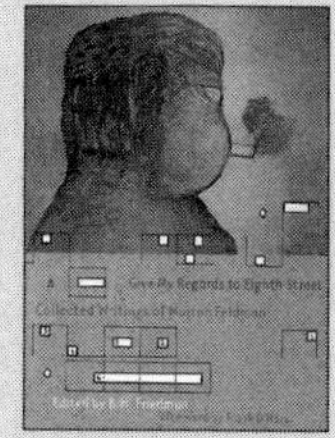

Morton Feldman Says: Selected Interviews and Lectures 1964–1987
Chris Villars｜編
Hyphen Press, 2006

ゆっくりとしたテンポと微弱な音量の密やかな音楽を書いたフェルドマンだが、ここに収められたインタヴューや講義を詳らかに見てみると、普段の彼はとても饒舌だったようだ。自作を語るために設けられた講義の場でも、彼は敬愛するベケットの戯曲や親交のあった画家たちを熱く語っている。そして、突然、自作の話に戻る。この語りのスタイルは、行く当てもなく繰り言のように反復される彼の後期作品の様相とぴったり重なっている。

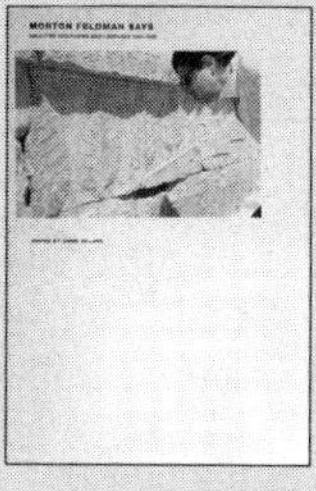

The Culture of Spontaneity: Improvisation and the Arts in Postwar America
Daniel Belgrad｜著
The University of Chicago Press, 1998

第二次世界大戦後のアメリカ前衛芸術の台頭を「自発性」から読み解く論考である。ここでとりあげられているジェスチャー・ペインティング、ビート文学、ビバップ、モダンダンスといった領域は、自発的な即興とその身振りを創造性の拠り所としている。偶然性や不確定性の音楽ももちろん自発性の美学を端緒とするはずだが、なぜフェルドマンは自身の図形楽譜が即興演奏と混同されることをあんなにも危惧したのだろうか。

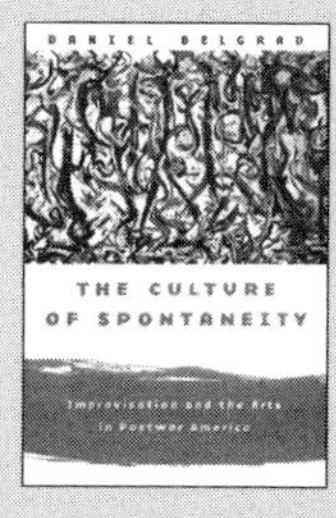

『余白の芸術』
李禹煥｜著
みすず書房、2000年

拙著の執筆からしばらく経った頃、2023年に亡くなったある音楽家について書いていた時にこの本を手に取った。李禹煥は芸術から日常の些事まで鋭く洞察する。「作品は、合一と隔たりを同時に持った矛盾律の構造でなければならない。」（p. 346）という李の言葉と、「楽曲」の体裁を保持しつつも素材の可能性を追求したフェルドマンの「音それ自体」とが、領域、時代、媒体を超えて響き合っているような気がしてならない。

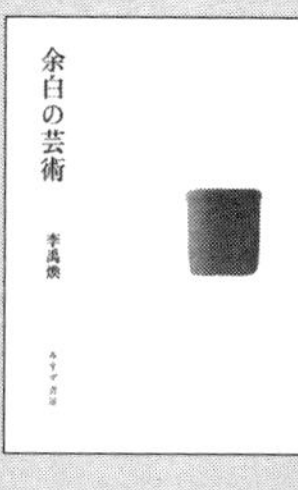

『分布〈ヘルメスⅣ〉』
ミッシェル・セール｜著
豊田彰｜訳
法政大学出版局、1990年（原著1977年）

調性や音列などの理論的な足がかりを持たない音、音響、楽曲を分析して言語化しようとする時、その音楽の何を、どのように記述できるだろうか。これは音楽研究に常に付きまとう困難であり、普遍的な課題でもある。詩的な表現と体言止めが多用されたセールの文体に面食らってしまうが、本書は現象、存在、時間、空間といった漠とした事柄について、抽象と具象の両面から記述する可能性を示唆してくれる。

隠れ家としての書物の「その後の生」

海老根剛

田邉恵子『一冊の、ささやかな、本　ヴァルター・ベンヤミン『一九〇〇年ごろのベルリンの幼年時代』研究』書評

A Book as a Refuge and Its Afterlife

A Review of "*a tiny book in fact*": *On Walter Benjamin's Berlin Childhood around 1900* by Tanabe Keiko

Ebine Takeshi

田邉恵子『一冊の、ささやかな、本　ヴァルター・ベンヤミン『一九〇〇年ごろのベルリンの幼年時代』研究』みすず書房、2023年

二〇〇八年より刊行が始まったヴァルター・ベンヤミンの新しい全集『作品と遺稿——批判版全集』（全二一巻、以下新全集版と略す）は、いまのところ十巻が刊行されたにすぎないものの、すでにベンヤミン研究に一定のインパクトを与えている。この新全集版の特色は、特定の著作あるいは主題に関して現存するすべての資料——生前に印刷された原稿、異稿、草稿、習作、メモなど——を同等の価値を持つものとして扱い、一巻に集約して収録している点にある。新全集版に収められた資料の多くは、旧全集版でも編者注解などのかたちで掲載されていたものであり、初公開の資料というわけではない。しかし、それらの資料が読みやすく整理され、著者による追記や削除をも再現する版組で収録されたことで、作品成立過程の追跡が格段に容易になったのである。こうした新全集版の編集方針は、著者の生前には出版されず、いくつもの異稿が残されている著作に関しては、とりわけ効果的である。たとえば、新全集版の第一九巻に収録された「歴史の概念について」の各バージョンを入念に読み比べると、革命論から蜂起論への思考の枠組みのシフトを読み取ることができる。新全集版は、ベンヤミンの思想の「ワーク・イン・プログレス」的なありようを鮮やかに描き出してくれる。

『一九〇〇年ごろのベルリンの幼年時代』（以下、『幼年時代』と略す）もまた生前には未刊に終った作品であり、複雑な成立過程を経て今日まで伝わり、複数のタイプ稿と多数の草稿・習作が残されている。したがって、作品の成立過程を可視化する新全集版の編集方針が生産的に作用する著作のひとつだと言えるだろう。じっさい『一冊の、ささやかな、本』と題された田邉恵子の著書もまた、新全集版の資料を縦横に駆使することで『幼年時代』の成立過程に注意深い眼差しを注いでいる。だが本書の最大の特色はそこにはない。田邉の『幼年時代』研究のユニークな点は、言語的構築物としての「作品」と物質的実在としての「書物」を厳密に区別したうえで、『幼年時代』を「作品」としてではなく「書物」として論じようとする点にある。そのタイトルが明示するとおり、本書は作

品論ではなく書物論なのである。本研究の魅力も難点もこの点に由来する。

本書の冒頭で田邉は、みずからの探求の目的がベンヤミンの「真意」の解明にあることを繰り返し強調している。たとえば、「「一冊の、ささやかな、本」としての『幼年時代』に込められたベンヤミンの真意を新たに探求することが筆者の狙いである」(三二頁)といった具合である。「テクストに記された一字一句を愚直に、しかしながらそれゆえに新たに〈読む〉」(十一頁)という精読の方法論によって作者の真意(意図)を解明するという発言は、二〇世紀後期の批評理論を通過した読者を戸惑わせずにはおかない。このいささか復古的かつ矛盾を孕んだアプローチが正当なものとみなされ得るとすれば、それは本書が作品論としてではなく書物論として読まれる場合だけである。

本書の考察の基点をなすのは、『幼年時代』が「作品」としては完成していながら「書物」として未完成にとどまった(ついに実現することがなかった)という事実である。この「作品」と「書物」を別つ裂け目には、一九三三年から第二次世界大戦にいたるヨーロッパの現実を支配した諸力が荒れ狂っている。そうした諸力によって『幼年時代』は書物として存在することを阻止されたのであり、ついにはその著者の生存もまた脅かされたのだった。『幼年時代』を「書物」として論じることは、「一冊の、ささやかな、本」としてそれが存在することを許さなかった現実の諸力との関係において『幼年時代』のテクストを読むということにほかならない。もちろん、それら諸力はテクスト外の歴史的現実に由来する。しかしだからといって、テクストにとって完全に外在的なわけではない。というのも、それらの力はベンヤミンがパリ・タイプ稿(一九三八年成立)で行った改稿作業を規定しただけでなく、書物の構想そのものにも決定的な影響を与えたからである。その意味で、ベンヤミンによる『幼年時代』の改稿は現実の諸力と対峙する営みでもあった。こうした観点から田邉は、新全集版に収録されたテクストを精読し、改稿の過程で生じた変化のうちに、歴史の現実と向き合うベンヤミンの「身ぶり」(挙措)――本書のキーワードである――を読み取ろうとする。ベンヤミンの「真意」は、一連の身ぶりを通してのみ、私たちに伝えられるのである。

では本書の内容を簡潔に確認していこう。本来であれば、各章の議論をバランスよく紹介すべきであるが、紙幅の都合上、ここでは上述した本書のコンセプトに関わる部分に注目してまとめてみたい。

本書の問題設定――すでに言及した「真意」の解明――と先行研究を概説し、『幼年時代』の成立過程を跡づける序論(第一章・第二章)で特に目を引くのは、パリ・タイプ稿を『幼年時代』の完成形とする主張である。著者はそれ以後の加筆修正や新たな断章の執筆がないことから、同タイプ稿を「〈全三〇篇の一冊の書物〉としての最終的な形式」(六三―六四頁)とみなしているが、これは必ずしもベンヤミン研究者に広く受け入れられている見解ではない。しかしこの主張は、ベンヤミンが執筆当初(一九三二年)からパリ脱出直前(一九四〇年)まで『幼年時代』を一貫して「書物」として構想していたという指摘とともに、本書のコンセプトの根幹をなす。

続く第一部(第三章―第五章)では、ベンヤミンが『幼年時代』で採用した回想の方法が論じられる。パリ・タイプ稿における改稿のさいに、ベンヤミンが故郷への郷愁を抑制する方法を模索し、自伝的要素を徹底して削除したことはよく知られているが、著者は過去のイメージの構成における意識的操作に特に注目することで、プルーストの試みとの違いも強調している。『幼年時代』における過去のイメージは、子どもの視点と大人の視点を重ね合わせることで成立するが、そのさい語り手は自己と対象（かつての自分）との同一性を解体するような仕方でイメージの構築に介入するのである。この操作によって『幼年時代』を特徴づける「匿名的形象」（九八頁）としての「わたし」が成立する。またこうした回想は、都市空間の細部への知覚を鋭敏化する遊歩の実践と密接な関係にあるだけでなく、子どもの不器用さと結びついた注意深さをも必要とする。著者によれば、「せむしの小人」とは、回想者である「わたし」に向かって、そうした注意深さを取り戻し、それを行使するように乞う存在である。

『幼年時代』における子どもは回想の対象であるだけでなく、その方法でもある。第二部（第六章―第八章）で著者が考察するのは、そうした二重性を帯びた子どものモチーフである。ベンヤミンが回想する子どもは、啓蒙主義やロマン派の子ども観とは一線を画し、「経験の貧困」で提示された「新しい野蛮人」の特徴を分け持っている。子どもは大人たちの世界で打ち捨てられた屑からみずからの小さな事物世界を作り出し、密かに世界を組み替えてみせる。そうした子どもの能力は歴史に対しても行使される。子どもの眼差しと想像は、大きな物語（勝者の歴史）をそれに対抗する小さな物語へと読み替えるのである。著者はこうした能力を持つ子どもの姿を「歴史の天使」と関連づけ、「不器用で野蛮だからこそ創造の力を有する子ども」とは、歴史の天使が「望みながらもなしえなかった仕事を担う形象である」と示唆している（傍点原文、二四三頁）。

ここで本書の構想の鍵となる議論として、第八章第五節にある「雲の故郷」をめぐる考察に注目したい。本章で著者はベンヤミンが後期言語論で論じた模倣の能力を取り上げ、非感性的類似を感知する子どもの能力が『幼年時代』のいくつかの断章でどのように主題化されているのかを分析している。著者が特に注目する「雲の故郷」とは、『子どもの本を覗く』で「遊びに耽る子ども」の居場所を言い表す表現である。著者によれば、ここで子どもたちの故郷が雲と結びつけられるのは、ベンヤミンの思考において「雲」が大人には捉えがたい子どもの秘密を包み込む媒質として位置づけられているからである。「早いうちからわたしは、そもそもは雲である言葉に自分自身を包み込むすべを学んでいた」という断章「ムンメレーレン」の一節はそのことを示唆している（二九四頁）。子どもたちはみずからの身体を雲に包み込ませて姿を隠すことで「雲の故郷」に到達する。それだけではない。『幼年時代』を改稿するベンヤミン自身もまたこの身ぶりを反復しているのだ、と著者は主張する。パリ・タイプ稿にみられる自伝的エピソードと固有名詞の削除は「作者自身がおのれの身を〈隠す〉」身ぶりであり、ベンヤミンはそこで「自らがテクストに描写した子どもの〈雲に包み込まれる〉という動作を追体験している」（二九八頁）のである。こうした観点から著者は、「ムンメレーレン」のベルリン・タイプ稿（一九三三年成立）にある、自分の描く絵の中に姿を消す中国の画家のエピソードを「作者としての自分自身を消去することによって逆説的に（中略）あの「雲の故郷」へと帰っていく」ベンヤミンの姿を示すものと解釈する。この画家のエピソードがパリ・タイプ稿で削除されたことも、著者の解釈を補強する。というのも、その削除の身ぶりは「かの地〔雲の故郷〕の保護の試み」にほかならないからである（三〇四頁）。

この第五節を詳しく取り上げたのは、テクストの精読と（作者の）身ぶりの読み取りを結びつける本書のアプローチがそこに集約的に見いだされるだけでなく、そこで剔出される「姿を消し去ることで保護する」という身ぶりが、『幼年時代』が書物であることの意味を問う第三部（第九章・第十章）の議論の中核をも形成しているからである。

第三部で著者は書簡の言葉を手がかりにして、ベンヤミンにとってノートは「宿」であり、書物は「家」であったと指摘し、さらに断章「ロッジア」の検討にもとづいて、『幼年時代』という「書物」は居住可能性を奪われた人々にとっての「隠れ家」として構想されたのだと主張する。改稿過程に見いだされる自伝的要素の削除とは、著者みずからが「書物の内部に隠れるための挙措」（三三九頁）であった。こう述べて著者は結論する。「『幼年時代』は、作者ベンヤミンがみずからの痕跡を徹底して消去することで、「もはやまともに住むことができない者」＝「国を追われた何千ものドイツ人たち」にたいして、「隠れ家」すなわち、まだ誰の手にも触れられていない空白の場所を一種の希望として示すための作品である」（三四一頁）。

最終章で著者は、アドルノの書物論の洞察をアドルノによる『幼年時代』の編集に適用する。アドルノによれば、書物の生命とは読者によって傷つけられることにあり、それを受け入れるときにのみ真正の美と復活が可能になる。アドルノはベンヤミン自身の構想とは異なる編集によって作品を傷つけたが、それによって『幼年時代』という書物に「その後の生」を与え、その変容と新生を可能にしたのである。

「作品」に描かれる子どもの身ぶりが「書物」を目ざす著者の作業のなかでパフォーマティヴに反復されるという構造に注目することで、本書は従来の研究が見落としてきた『幼年時代』の成立過程の一側面に光を当てる。すなわち、ベンヤミンによる自伝的要素の削除は故郷と幼年時代からの別離の合図であるだけでなく、それらを保護する身ぶりでもあったのだ。この洞察によって著者は、歴史の現実と向き合ったベンヤミンが『幼年時代』という書物に託したものを鮮やかに浮かび上がらせている。

しかし他方で、書物論のコンセプトを追求した結果、いくつかの断章の（作品論的）読解が犠牲を蒙ったことも否定できない。たとえば、著者は第八章および第九章で「ムンメレーレン」、「色彩」、「隠れ家」といった断章を取り上げ、そこに「隠れること」というモチーフを読み取っていくが、じっさいにそこで主題化されているのは「変身すること」（Verwandlung）なのである。つまり著者は「変身」のモチーフを「擬装」（Verstellung）と解釈し、擬装から身を隠す身ぶりを導出することで「隠れ家」としての書物という主張につなげていくのである。しかし、もし子どもの模倣の能力に大人が失くしてしまった何らかのポテンシャルがあるとするなら、それはそれが偽装ではなく変身を可能にする能力だからだろう（偽装と変身の差異についてはカネッティの『群集と権力』を参照のこと）。

最後に一言だけつけ加えると、本書で展開された著者の思考と対話しながら新全集版で『幼年時代』のテクストを読み直すことは、とても豊かな読書体験をもたらしてくれた。この楽しみを多くの人びとと分かち合うためにも、著者による新全集版『幼年時代』の翻訳を心待ちにしている。

『新訳・評注　歴史の概念について』
ヴァルター・ベンヤミン｜著
鹿島徹｜訳・標注
未來社、2015年（原著1939–40年）

新全集版を典拠にベンヤミンをいかに読むべきか、あるいは、読まれうるか、その指針が示された作品。大学院に入ったばかりの頃、鹿島先生のゼミで『歴史の概念について』の複数稿をくらべながら読んだ。まだ研究のいろはもおぼつかなかったが、それでも細かな字句や表現の違いによって露わになる、ヴァージョンごとのいわば顔つきに心踊らされた。地道に、細かく読む作業を突き詰めてはじめて、テクストはさまざまな表情を見せてくれる。テクストの知らなかった表情に出会いたい、という素朴ながらも根本的な動機をこれからも忘れずにいたい。

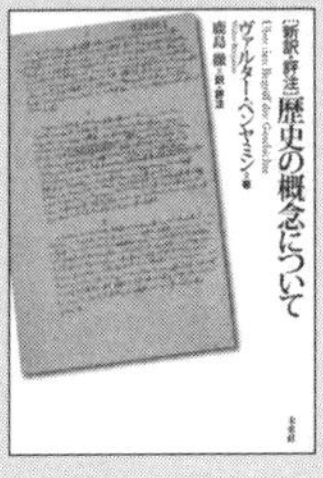

『書斎の自画像』
ジョルジョ・アガンベン｜著
岡田温司｜訳
月曜社、2019年（原著2017年）

若きアガンベンにとって、プロヴァンスのル・トールのゼミナールで謦咳に接したハイデガーは、鋭い眼光と凄烈な精神をあわせもつ師にして、「一種の秘教の護符」だった。のちに彼の死によって、アガンベンに「詩との決別」がもたらされたという。ベンヤミンは『ベルリン年代記』で、ヘルダーリンやゲオルゲを範とする「青春の言語」との決別を書いたが、アガンベンはそれをなぞるかのように圧倒的な師との出会いと別離を描く。ベンヤミン的筆致でハイデガーを回想する——そんな方法が試みられているように思われてならない。

『私にはいなかった祖父母の歴史——ある調査』
イヴァン・ジャブロンカ｜著
田所光男｜訳
名古屋大学出版会、2017年（原著2012年）

歴史家が「わたし」という主語を使うこと、そして過去に「もし」と問いかけることは、客観的科学としての歴史学ではタブーとされてきた。しかし、歴史を物語として語り直してはじめて切り開かれる過去の位相は、確かにある。ベンヤミンの回想方法は、言語では言い表せないイメージを発見し、それにもっとも近い言葉を与えようとするものだった。過去を語ることは歴史学の専売特許ではなく、さまざまな領域のゆるやかな結びつきによって可能となるということを、時には優しさすら感じられるジャブロンカの語りから改めて考えさせられる。

『私のティーアガルテン行』
平出隆｜著
紀伊國屋書店、2018年

門司から新宿、そしてベルリンへ——手探りに、そしておぼつかない足取りで世界へと踏み出すこの北九州の少年の姿には、百年以上前にティーアガルテンを散歩した少年が映し込まれている。やがて彼は手仕事的な造本の技術を武器に、散文と詩の二項対立を乗り越え、言語と形象を架橋する戦いに参入することとなる。楚々としていながらも強靱な身体を持つ、動物としての書物。「一冊の、ささやかな、本」を夢見つつも、それが叶わなかったかつての少年の名代なんて言ったら、あるいは怒られてしまうだろうか。

Bauen Wohnen Denken
（Bauen Wohnen Denken. Vorträge und Aufsätze所収）
Martin Heidegger｜著
Verlag Günther Neske, 1954（Klett-Cotta, 2022）

もし、ベンヤミンとハイデガーが、たとえばリッケルトの講義の後なんかに、立ち話をするような間柄だったとしたら——こんな想像をしたことがあるのは、わたしだけではないだろう。もちろんそれぞれの筆は逆方向へ向かうわけだけれども、彼らが抱く関心は時に驚くほど似ている。「住むこと」もそのひとつだ。家にいるとはどういうことか、故郷喪失は克服し得るか、そんな問いを前にしたときの話の噛み合わせの悪さを予想しつつも、しかしそれ以上に、相手の言葉に悔しまぎれにでも頷き合う、そんな一瞬を夢想してしまう。

洲浜から日本の文化を捉え直す

島村幸忠

原瑠璃彦『洲浜論』書評

Reconsidering Japanese Culture Focusing on *Suhama*

A Review of *On Suhama* by Hara Rurihiko

Shimamura Yukitada

原瑠璃彦『洲浜論』
作品社、2023年

　本書は、「洲浜」の表象の文化史を描き出すことで、その歴史的な意義を詳らかにすることを目的としている。そもそも「洲浜」とは「洲が曲線を描きながら出入りする海辺」（七頁）のことだが、その表象は、和歌や物語文学をはじめとして、絵画、庭園、さらに歌舞伎や能のような諸芸能にいたる、さまざまな分野の創作物に登場するか、あるいは少なからぬ影響を及ぼしてきた。これだけ広範な分野に関わるので、「洲浜」の表象は自然と日本文化論における重要なテーマとなっていても不思議でないように思われるが、これまでのところは十分な研究が行われてこなかったようである。

　しかし、そのような研究状況も本書の刊行によって一変したのではないだろうか。というのも、本書では、著者の該博な知識に支えられ、分野横断的アプローチの必要性など、「洲浜」の表象を研究するうえで避けて通れない困難を乗り越え、あらゆる分野における「洲浜」の表象が網羅的に扱われているからである。それだけでなく、その起源にまで遡ることで「洲浜」の表象の本来的な意味を回復させ、その新たな解釈を提示している。以上は主に本書の第一部「平安時代における洲浜の成立とその意義」において行われていることだが、続く第二部「中近世における洲浜の展開」では、「洲浜」の表象、特に「洲浜台」が衰退し、姿を消していった後にまで論は及ぶ。

　本書が得た研究上の成果や意義は、その内容をたどっていけばおのずと明らかになるが、その前に多くの紙幅が割かれ考察されている「洲浜台」に触れておく必要があるだろう。「洲浜台」とは、「洲浜のかたちをかたどった台であり、その上に和歌的表象のミニチュアが置かれる箱庭のようなもの」（二二頁）のことである。著者が「洲浜台」に注目しているのは、それが日本文化の基盤をなす平安時代の和歌文学の展開と深く関わっている、と考えているからであろう。

　加えて、「洲浜台」は「洲浜」の表象＝再現前である、という当たり前の事実も確認しておく必要がある。というのも、意外なことに、「洲浜」の表象あるいは「洲浜台」は「海」ではなく、しばしば「標山《しめやま》」や「蓬莱山」といった「山」をその起源として持つと考えられてきた節があるからだ。例えば、折口信夫が『日本藝能史六講』（一九四四年）において、「平安朝の日記類には、洲浜といふものが、饗宴に出て来ます。書いてないといふことは必ずしも事実がないといふことばかりではありません。かへつて有りすぎる平凡の事実だから書かれなかつた、といふ場合のあることも、注意しなければならぬと存じます。だからといつて勿論、書かれてゐないことを、強ひて有るといふのではありません。そこで洲浜・島台を置くといふことは、つまり神の降臨せられる処を指定する標《しるし》の山《やま》だといふことです」［1］と述べている。著者は、この種の理解を垂直信仰に基づくものであるとし、「洲浜」の表象および「洲浜台」について考察する際は、むしろ常世思想や水平信仰の方が有効であるとみている（ただし、著者は前者を排してはいない。そして、垂直信仰に基づく理解を批判するのに著者が取り出してきた常世思想もまた折口を想起させる言葉であるのも面白い。詳細は本書の第三章を参照のこと）。そして、この主張が本研究を先行研究から画しており、その独自性を担保しているように思われる。まずはこの点を押さえておき、以下では、各章で論じられている内容をかいつまんでみていくことにする。

　第一章「和歌のためのミニチュアの器」では、まず、「洲浜台」の登場する和歌の分析を通してその役割が提示される。著者によれば、「洲浜台」は、長寿を祝う算賀、勝負事で敗者が勝者に贈る負態《まけわざ》、旅立ちを祝す餞別、として和歌とともに贈与されるものであったという。また、「洲浜台」の用途はそれらだけにとどまらず、晴儀の歌合の場の中心に置かれ、「和歌を視覚的・立体的に演出する〔舞台〕装置として」（四五頁。〔〕は引用者）重要な役割を果たしていた。具体的には、台上に詠まれた和歌にちなむ風景がかたどられたり、和歌に登場するモティーフのミニチュアが飾られていたりしていたのだという。このことを裏付けるために、本章では、特に平安朝歌合のひとつの頂点をなす「天徳内裏歌合」（九六〇年）が詳しく取りあげられている。

　以上により「洲浜台」の用途は理解された。しかし、そもそもなぜ歌合の場に「洲浜台」が要請され、なぜその使用が定着したのかが不明なままである。これらの点を明らめるには、「和歌を視覚的・立体的に演出する」意図を知る必要があるだろう。そこで、続く第二章「天皇に捧げられる小さな舞台」では「洲浜台」の機能が問われることとなる。第一章において確認された通り、「洲浜台」上には風景が再現される。ただし、その風景というのは、実際的なものでも、写実的なものでもなく、都のなかで和歌が詠まれるうちに文化的に作られていった観念的なもの、すなわち「作られた小自然」（片桐洋一の言葉）としてのそれである。そして、それが天皇（や貴人）の前に示されるとき、それは政治権力的な意味を帯びることとなるだろう。つまり、天皇の食事に支配の及ぶ各地の産物が盛られていたのと同じように、「洲浜台」に作られた風景は天皇に擬似的な国見を可能とさせるというのである。このことは、同じく視覚的な媒体である絵屏風や障子絵が同様の機能を有していたことからも想像に難くないだろう。

　第三章「洲浜に込められた古代の記憶」では、「洲浜台」の本来的な意味が問われる。この問に対する答えを得ることで、歌合の場などに「洲浜台」が求められていた理由がより明確なものとなるだろう。ところで、先行研究では「洲浜台」の前身は、神仙思想の文脈から蓬莱山、仏教的な文脈から須弥山、大嘗会の文脈から標山などであるとされてきた。しかし、本稿でもすでに述べておいた通り、これらの解釈はすべて

「山」として「洲浜」の表象を理解しようとするもので、「洲浜」がそもそもは「海」辺のものであることを等閑視しているように思える。では、「海」辺のものとしての「洲浜」には、どのような意味を求めることができるのだろうか。その答えはいくつか考えられる。まず、常世思想の文脈からは聖地として見做し得る。次に、玉依型聖婚神話の文脈からは婚礼の場と見做し得るだろう。これらの古代の記憶が「洲浜台」の持つ祝賀的な要素をなしているのではないか。

第四章「藤原頼通と洲浜」では、「洲浜」の表象と浄土思想が結びついていく過程が論じられる。第一章で取り上げられていた歌合は十世紀までのもので、本章での考察されているのは十一世紀以降のものである。筆者によれば、前者に属する歌合では和歌と「洲浜台」は相補的な関係を保っていた。しかし、後者においては和歌と「洲浜台」との関係性は希薄で、「洲浜台」は単なる装飾になってしまっているという。それは、この時代において和歌が視覚情報を必要とせず、言葉のみで成立するようになったことと並行関係にある（このすぐ後に「歌枕」という概念も登場する）。形骸化した「洲浜台」は「歌絵」の台頭とともに必要とされなくなったのだろうか。そのようななか、自身の主催する歌合において積極的に「洲浜台」を用いたのが藤原頼通であった。頼道と「洲浜」の関係は歌合においてだけでなく、頼道の建てた平等院にも確認することができる（その前進の高陽院においても）。そこでは「「海」の向こうの極楽浄土が、洲浜で囲まれた島として構成されている」（二七九頁）のだ。ここに「洲浜」の表象と浄土思想との結びつきが確認される。そして、「洲浜」による浄土表象は以降の仏教画にしばしば確認されるモティーフとなる。

第五章「日本文化に息づく洲浜」では、中世から近世以後の絵画、工芸、装飾経、庭、風流作り物や島台などの創作物のなかに見出される「洲浜（台）」の名残が探られる。風流作り物と島台については、そこに見られる「山」（垂直信仰）が強調されることで「洲浜台」から受け継がれた「海」（水平信仰）の要素が影を潜めていったのではないか、といった指摘がなされる（本論では「海幸山幸神話」と絡めて説明される）。しかし、その際、思い起こされるのは「洲浜台」がさまざまなミニチュアの受容体であったということであろう。そこは異なるモティーフの共存を可能とし、また生成を促す「場」（または「座」）であった。そうであるがゆえに、「州浜」はさまざまなジャンルの創作物のなかに取り入れられるか、あるいは、それぞれのなかでひそかに息づくこととなったのではないか。

以上、本書の内容をかいつまんで紹介してきた。もちろん、ここで言及できたのはそのほんの一部に過ぎない。また、本書には以上の五つの章の他に「八十嶋祭と『源氏物語』に描かれた洲浜」と「洲浜の音」と題する二つの補論が収録されている。それぞれにおいて非常に興味深い考察が展開されていることも付言しておく。

最後に、著者が何年もかけて収集してきた「洲浜」の表象に関する膨大な資料は、本書における考証だけに役立つものでは決してない。「洲浜」研究に限らず、あらゆる分野の日本文化研究に大きく寄与するはずである。

註

［1］折口信夫『日本藝能史六講』（講談社学術文庫、一九九一年）二四―五頁。

『俵屋宗達筆松島図屏風――座敷からつづく海』
（絵は語る9）
太田昌子｜著
平凡社、1995年

氏は冒頭で、日本美術の各所でたびたび描かれる海についての検討は、中国伝来の主題分類法による「山水」――それは滝や湖の風景を指す――という「物差し」によって長らくおろそかにされて来たと論じている。そうした批判的意識のもと、俵屋宗達筆《松島図屏風》を中心に置き、洲浜と荒磯《ありそ》という両極的な海辺の表象の一対の系譜を博捜し、洲浜は「大陸からの影響にも先立つ日本の本源的なイメージであった」と述べている。本書なくして『洲浜論』はあり得ない。

『風流の図像誌《イコノグラフィー》』
郡司正勝｜著
三省堂、1987年

本書が掲げる「風流《ふりゅう》」は、装飾を凝らした作り物を指す。その濫觴が平安朝歌合の洲浜台である。これらの作り物は使い捨てという一回性を持つため研究は困難であったが、氏は豊富な図像資料を用いながら、多様な風流作り物の歴史の展開を追っている。と同時に、作り物の「つくり」や「立てる」といった重要な概念についても、刺激的な論を提示している。辻惟雄氏らによる美術史からの風流作り物の研究よりもわずかに早い点も特筆すべきである。

『見立ての手法――日本的空間の読解』
磯崎新｜著
鹿島出版会、1990年

なお古びない日本的空間論の最高峰。論考「世界観模型としての庭――「うみ」のメタフォア」では、日本庭園における海の表象の問題が的確に整理されている。そこで提示される、白砂、海の表象が多様な思想的出自のものの混在を可能にするという論は、『洲浜論』結論部の根底をなしている。なお、磯崎新、藤森照信『磯崎新と藤森照信の「にわ」建築談義』（六耀社、2017年）は本書の続篇としての性格を有し、白砂の系譜について示唆に富む議論が交わされている。

『王権の海』
千田稔｜著
角川書店、1998年（角川選書298）

洲浜の表象と王権の問題は『洲浜論』の重要トピックである。その問題の一環として、補論一では天皇の即位儀礼・八十嶋祭《やそしままつり》を扱っている。国生み神話において最初に生まれたとされ、また「胞衣《えな》」ともされた淡路島。その島を天皇が「見る」ことにこの祭祀の原形があった。洲浜台を淡路島のミニチュアと捉えることもあながち無理ではない。「淡路島は王権の「母体」そのものであった」とする氏の論は、こうした問題を考えるにあたって幾通りもの思考を誘発してくれる。

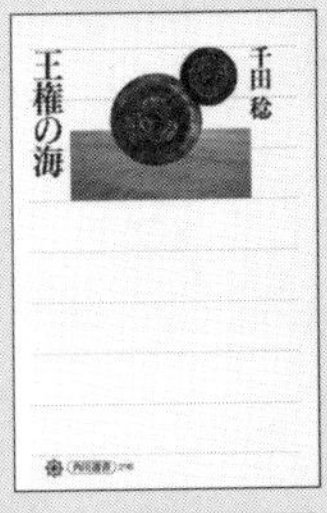

『歌が権力の象徴になるとき――屏風歌・障子歌の世界』
渡邉裕美子｜著
角川学芸出版、2011年（角川叢書50）

和歌は単に風情を楽しむための詩歌ではない。国々の土地の風景を詠んだ和歌はその土地の記憶・地霊が圧縮されたものであり、それを天皇に献じることは服従儀礼にもなった。平安時代になると、こうした和歌と権力のシステムに屏風絵や障子絵といった「作られた小自然」（片桐洋一）、「二次的自然」（ハルオ・シラネ）が加わる。本書はこのシステムを明快に論じており、その構図に則ることで、洲浜台が内裏歌合において天皇と関わって果たしていた機能が露わになる。

「差異の多様性」と「混淆」を手に、デジタル一元化に抗うこと

常石史子

福島可奈子『混淆する戦前の映像文化　幻燈・玩具映画・小型映画』書評

Resisting Digital Homogenization, Armed with Diversity and Unorganization

A Review of Unorganized Visual Cultures before World War II: Magic Lantern, Toy Film, Cine Film by Fukushima Kanako

Tsuneishi Fumiko

幻燈、玩具映画、小型映画。本書はこれら三種の「非劇場型映像文化」の諸相を、その日本への伝来と国内での独自の発展を中心に、豊富な資料の分析を軸として丹念にたどるものである。映像文化史家・図像学者の松本夏樹氏の夙に名高いコレクションのうち、約五千点におよぶ戦前の映像機器・フィルムとその関連資料を、網羅的に調査・分析してきた著者の、質実なアーカイヴィング活動の結実である。実際に膨大な実物資料に触れ、その構造や動作についてあれこれと試行錯誤し、操作してみた者にのみ可能な、物の質感と重みと複雑さに満ちた書物だ。

第Ⅰ部は明治期の教育ツールとして幻燈が果たした役割を、国家神道と儒教による修身教育、キリスト教による高等教育、仏教による初等教育との関連において論じている。考察は宗教団体主導による幻燈の制作とその独自の流通形態の分析にとどまらず、その前提として、これら宗教の明治期以降の浸透と教育との関係に見取り図を示すという困難な作業にも果敢に踏み込んでいる。第Ⅱ部では主要な視聴覚メディアが幻燈から活動写真へと移る十九世紀末から二〇世紀初頭にかけての家庭用の視覚装置、光学玩具が扱われる。中でも大阪の花街に店を構えてこうした玩具を扱っていた商店の分析を通じて、花街文化と近代産業の関連までが見通され、東京における幻燈・活動写真の浸透とは異なるメディア文化が大阪に存在したことが、商店の具体的な販売品目などに基づいて考察される。第Ⅲ部では、商業映画の標準的なフォーマットである三五ミリよりも小さなフィルム、すなわち小型映画が主題となり、フランス製の九ミリ半映画「パテ・ベビー」の普及やその一六ミリ映画とのシェア争いが論じられる。

本書が理論的骨子とするメディア考古学（ジークフリート・ツィーリンスキー）は、「従来の体系的・目的論的な進歩史観から逸脱するゆえに淘汰され、歴史から消えてしまったメディア・フォーマットを発掘し、その特徴を技術的・文化史的な観点から個別的・定性的かつ実証的に分析していく方法」であると定義される。そして今般猛烈な勢いで進行する

福島可奈子『混淆する戦前の映像文化　幻燈・玩具映画・小型映画』思文閣出版、2022年

デジタル技術による「強力な標準化と統一化」に抗い、「抑圧され、無視され、忘れ去られたメディアの歴史」にこそ価値を見出す、「抵抗の実践」としての性格が繰り返し強調される。そのために採用されるのが、ツィーリンスキーが注目するメディアの「差異の多様性」である。共通点や類似点を探るよりも、ひとつひとつの差異を肯定することに力点が置かれ、定量的でなく定性的な議論が目指される。それは「科学技術の直線的発展概念」にとらわれず、個別具体的な事象を評価する姿勢でもある。

たとえば幻燈と活動写真の関係性も、幻燈から活動写真へという単線的な推移としては描かれない。幻燈と活動写真の間にあった過渡期の事例として参照されるのは、幻燈と活動写真の兼用映写機、とりわけフィルムを幻燈のように水平走行させて動画を得る方式の機器の実物資料だ。幻燈の人気が下火になり、徐々に活動写真の人気が高まったとはいっても、両者は単純に後者が前者を上書きしたのではない固有の存在であり、後者が前者に包含される局面さえあったということが、説得力をもって示される。幻燈がいったん活動写真に「宣伝・教化」の役割を奪われたのち、戦中に新たな相貌をもって再び回帰してくることもまた指摘されており、それは進化論的史観によっては看過されがちな、いったん過ぎ去ったかに見えてしばしば再び回帰する「螺旋状」のメディアの変容を示す重要な事例となっている。

さらに本書が重要な戦略とするのが、書名にもある「混淆性」である。「既存の進歩史観的価値観」に拠ることなく、西洋由来の技術や文化が日本独自の土俗的な要素と混じり合う状況を極力ありのままに捉えようとするものである。それは「日本独自の西洋技術の模倣（ミメーシス）から生じる異形性」とも言い換えられる。したがって本書は分析のためにさまざまな対立項を示しはするが、そうしたものの共存、並置を厭わない。たとえば、光学機器がもっていた主要な目的として、「教育」と「娯楽」の二項対立がたびたび登場する。幻燈が幻燈画そのものよりも説明を主とすることから「教育」を主目的とし、活動写真は興味の対象が映像そのものであることから「娯楽」を主目的とする、との原則が示されはする。だが、幻燈を主とする上映会において活動写真も上映される事例がすぐさま示され、「教育」と「娯楽」が必ずしも対立する価値として機能しない「混淆性」こそが炙り出されるのである。

著者が松本氏との多年にわたる共同作業を経て、驚嘆すべき同コレクションの様相をこのような形で明らかにされたことに対して、筆者のうちにはまずもって畏敬と感謝の思いが沸き起こる。著者と同じく実物資料のアーカイヴィングに携わってきた者として、本書で慎重な吟味の末に記述される「周辺的映像文化」の諸相のどのような細部からも、そのかけがえのなさを痛切に汲みとってしまう。著者が繰り返し強調する、あらゆる固有のメディアがデジタル技術によって一元化されてしまうことに対する危機感も、あまりにも深く共有している。そういった意味で、著者が本書で採用する方法論が十分な有効性を持ち得ているのかどうかを判定する任には、評者は不適任かもしれない。したがって評者自身の問題意識に引きつけ過ぎた的外れな観測かもしれないが、本書の方法論は、著者が一貫して行っているような個別的、実証的な研究を既存の学術的フォーマットに合致させるために、慎重に考え抜かれた戦略的であるように思われる。こうした研究は著者も認めるように「周縁的」な事象を扱うものであるためか、同じ映像分野であってもより王道的な作家論や作品論に比べ、「事例報告」「ケーススタディ」にとどまるのではないかとの批判を受けやすい。現に評者は著者の研究報告の質疑応答において、そうしたコメントを見聞きしたことがある。「研究報告」「研究論文」として評価されるためには、普遍性を備えた一個の文脈を提示し、扱う事象の位置付けを明確に評価・認定することが求められるが、眼前にある個別具体的な事例にそうした手続きを当てはめようとすれば、ただちにその事例の別の側面が、あるいはその反証となるような別の事例が視界に入ってしまうのが、膨大な事物のアーカイヴを前にした者の常だ。分類・分析作業が、その一点一点の資料の特異性を削ぎ落とすことになりはしないかというジレンマは、個々の事例の細部に踏み込めば踏み込むほどいや増しに深まる。そうした反証をあえて無視して整然とした文脈を構築してしまいたい誘惑に抗い、同一性ではなく固有性こそを掬い上げるために、なおかつ学術的フォーマットにそぐわないとの批判に対してあらかじめ防御線を張るために、著者が手に取ったのが「差異の多様性」と「混沌性」なのだろう。

過去には当たり前のように存在し、少なからぬ人びとの記憶に留められていたものであっても、次世代の装置に取って代わられたという推移から、子供相手の玩具としての性格から、あるいは技術的・商業的に失敗に終わったという結果から、積極的に記録に残されることのなかった無数の映像装置たち。本書で評者が刮目させられた数多の点のうちに、商業映画の上映用のフィルムが切り売りされ、二次利用された形態として、玩具映写機用に切り分けて売られた小ロールのみならず、さらに齣単位に切り刻まれた「齣フィルム」にまで詳細な調査と考察が及んでいることがあった。アルバムとしてまとめられたものは評者も「みそのコレクション」（国立映画アーカイブ蔵）で、あるいはヨーロッパのフィルムアーカイヴで幾度か目にしたことがあるが、本書ではさらにフリップブック状のもの、回転式のアルバム状のものなど、多様な享受の仕方と固有の流通形態が存在したことが示される。これらの事象は「従来の映画史研究で軽視もしくは見落とされてきた周辺的映像文化」の最たるものであろうし、個別的な「差異の多様性」の肯定そのものだ。それらを本書は意識的に学術的なフォーマットで記録することで、過去にそうした装置を開発し、流通させ、享受した人びとの創造性や想像力を、現在考えうるもっとも確実な形で歴史に刻み、継承するのだ。そしてそれは、学術という場に対する信頼の表現でもある。

松本コレクションはまだまだ汲み尽くせぬ豊かなアーカイヴであるようで、二〇二〇年の博士論文提出、そしてそれを元にした本書の刊行後も、当学会や日本映像学会ほかさまざまな場で著者の精力的な研究発表や論文発表は継続されている。著者の粘り強い活動の継続にあらためて敬意を表するとともに、学術の場がこうした研究を正当に評価する場であってほしいと願う。

ブックガイド——福島可奈子『混淆する戦前の映像文化　幻燈・玩具映画・小型映画』

作成=福島可奈子

Grammophone Film Typewriter
Friedrich Kittler｜著
Brinkmann & Bose Verlag, Berlin, 1986

「われわれのおかれている情況を決定しているものはメディアである」という、メディア漬けの現代人への警句とも取れる言葉からはじまる本書は、蓄音機、映画、タイプライターという19世紀後半のメディアテクノロジーが、それらの発明者である人間の主体性をいかに解体し、その意識を数学的に操作しうるものに変容させたかを、フーコーの考古学的手法やラカンの精神分析等を踏まえたディスクール分析によって解き明かす。1980年代半ばにメディアのデジタル一元化への傾向を見抜き、それへと至るシステムの回路を示した先見的メディア論。

Archäologie der Medien – Zur Tiefenzeit des technischen Hörens und Sehens
Siegfried Zielinski｜著
Rowohlt Taschenbuch Verlag, Reinbek bei Hamburg, 2002

それまでメディアの変遷を発達として捉えがちだったメディア史研究に、アナーキー考古学という斬新な視点を与えた衝撃的名著。文明の歴史は神の計画に従うものではないとする考えから発展史観を排し、地質学的なDeep Timeの概念によって縦横無尽に過去のメディアのVariantologyを発掘していく。神学、ヘルメス学、天文学、物理学、人類学、観相学、音楽、電子工学など多様な分野で一時活用された、あるいはアイデアだけで実用化しなかった知られざる変則的メディアやマシンを非直線的な歴史として辿る、イデア的な珍品蒐集の書。

『幻燈の世紀——映画前夜の視覚文化史』
岩本憲児｜著
森話社、2002年

「視覚の世紀」ともいわれる近代の数世紀において、幻燈などの視覚装置が果たした文化的役割とは何だったのか。それ以前には十分に比較検討されていなかった西洋幻燈と写し絵の技術的類似と差異、西洋幻燈が明治時代の教育・文化普及に大きな役割を果たしたことなど、同時代の膨大な史料を渉猟しつつ、初めて本格的な通史として実証的に論じた、幻燈文化研究のスタンダード。また、幻燈から映画へという発達史観では見落とされがちな、暗闇に骸骨や幽霊を出現させる視覚装置の「影」の文化が重視されている。

『日本映画の誕生』
岩本憲児｜編
森話社、2011年

日本映画史の知られざる側面を掘り起こした「日本映画史叢書」の最終巻である本書は、いまや映画研究に不可欠な領域の研究者14名によって初期日本映画の諸相が多様に語られる。とりわけ松本夏樹の論考「映画渡来前後の家庭用映像機器——幻燈・アニメーション・玩具映画」は、筆者が「非劇場型」の映像文化史研究をおこなう上での指標となった。本論の細部を掘り下げ、その後も松本が発掘する新史料が随時加わることで、筆者はより精緻な実証研究をおこなうことができた。

De Méliès à la 3D : La machine cinéma
Laurent Mannoni｜著
Cinémathèque française, Lineart, Paris, 2016

2016年10月から翌年1月にシネマテーク・フランセーズで開催された企画展のカタログ。1799年にロベルトソンが特許を取得した可動式幻燈機Fantascopeからはじまり、2010年開発のデジタルカメラAlexaまで写真付きの解説が掲載されている。パーフォレーションのないフィルムを水平に走らせながら投影できるドイツ製の玩具幻燈機や、工場現像後の裁断前のパテ・ベビーフィルムなど貴重な史料写真も多い。本書の最終頁は「デジタルへの抵抗」と題されており、シネアストたちのデジタルの長期保存の脆弱さへの強い危機感がうかがえる。

それが「真」になる前の「写真」について

田中祐理子

槙野佳奈子『科学普及活動家ルイ・フィギエ――万人のための科学、夢想としての科学』書評

Photography Before It Became *the* "Truth"

A Review of Louis Figuier, Science Popularizer: Science for All, Science as Dreams by Makino Kanako

Tanaka Yuriko

槙野氏が本書に記述してくれている歴史的場面がもつ意味を充分に汲み尽くすことは、この拙い「書評」では到底及ばないものだろう。そのうえで、私は本書から大きく三種の歴史を読み、またそれらが同時にうごめく空間がこのように活写されたことに、驚嘆したということを以下述べてみたい。

その三種の歴史とはひとまず、一：「〈写真とは何か〉が定まる歴史＝〈写真史〉なるものの出現という場面」、二：「〈科学とは何か〉が定まる歴史＝〈科学〉と〈非科学〉の（おそらくは不可逆的な）分離の場面」、そして三：「それらの歴史過程と並走しながら進行したフィギエの生と思考」と表してみることができる。ただし、右で「定まる」と記したプロセスは厳密には「定まりゆく」進行の状態を保つものであり、「定まった」完成形は歴史上のどの場にも存在しない――と少なくとも私は科学史を記述するときに「論証」したいとつねづね願っているのだが、これは必ずしも優勢な歴史認識といえるものではないだろう。しかし本書で私たちが読むフィギエとは、まさしく「写真技術」や「科学」を「定める」仕事をなす人でありながら、同時にその「定められた」何かはすぐさま流れる歴史のなかでその形を崩すかのようでもあるのだ。

もともと化学者だったルイ・フィギエは、一八五一年の『近代の主要な科学的発見の詳説と歴史』を皮切りに、フランスの一般読者に最新の科学技術を紹介する作家として広く成功を収めた。「フィギエにとって科学普及活動の根幹をなすものは、学問としての科学と人々の日常との間に存在する境界線を常に見直し、引き直されたその境界線を広く人々に知らしめていくことであった」（本書一六七頁）。そして一八三九年に発表された「ダゲレオタイプ」に端を発する写真技術は、彼の作家としてのキャリアの初期における主要な題材となった。

科学的真理の歴史を貫く力動の原理を、ガストン・バシュラールは幾多の「禁じられた道」の形成によって説明した。正しく教育される科学的精神とは「禁じられた道」の向こう側を認識の圏外とすることで自ら

槙野佳奈子『科学普及活動家ルイ・フィギエ――万人のための科学、夢想としての科学』水声社、2023年

を形成するが、それはある「一つの目的」に適う「一つの歴史の書き方」でしかない。一本の境界線が引かれるごとにそこに定められ、そうして一度は必ず生まれたはずの形象は、たとえそれを見ることが「真正」に対する異形に属するものとして「禁じられた」後でも、すぐ簡単に世界から消え去ることができるわけではないだろう。しかもフィギエはそのような境界線を、「科学」が「近代性」とともにその可能的形象を百花繚乱の体で撒き散らしたあの「パリ、十九世紀の首都」において「常に見直し」、「人々に知らしめ」ることに取り組んだというのである。あまりに速く多く変容する「科学」や「近代」を前にして、やがてフィギエの企て自体がどこか異様な形象をとるしかなくなるとしても、それも必然だったのかもしれない。けれどそこには同時に、今日の私たちの多くの眼にはすでに失われてしまったあらゆる姿の「定められた／真正なる境界線」が、まさに写しとられている可能性があるのではないか。別の言い方をするなら、つまりフィギエの生と思考には、分化の中途にある「科学的精神」が、科学の精神分析や考古学を試みる者たちにとっての貴重な史料として確かに出現しているのではないか。

そのような関心から読むと、本書の第一部「黎明期の写真と駆け出しの科学普及活動家」が私たちに提示するのは、ちょうどダストンとギャリソンが「科学的自己」の形成を論じるために確認した「十九世紀における主観性と客観性の二極化」の現場（邦訳『客観性』瀬戸口・岡澤・坂本・有賀訳、名古屋大学出版会、二〇二一年、特に二七―三〇頁）とも一致する。それはつまり「外の世界」と「私が見る」の二項がいかにして「像」において結合させられるべきであるのか、その「正しさ」がまだ誰によっても充分に定められていない場面である。そこで、パリを「首都」とする空間の「人々」の新しい体験が生じる。この体験の一方には、主には「オリエント」に代表される、物理的移動の成果として供給される情報としての「見たこともない」かつ「初めて見る」光景があり、他方には、そのような光景をパリのような都市空間において一個の視界として提供する、パノラマやディオラマといった施設とこれを構成する機械装置がある（なお、パノラマをパリに持ち込もうとしたのは蒸気船の実用化で知られるアメリカ人発明家フルトンだと本書で初めて知ったが、実際の移動にも、その移動の産物としての世界像の変化にも「技術的装置」がつねに関与していたことを確認させられるようで、とても興味深い）。

フィギエが「写真史」の起点にその名を据えることに貢献したダゲレオタイプの開発者ダゲールはディオラマにおいて、パノラマでの「画布による風景」の提示技術を、装置と技法の両面から発展させたという。ダゲールの工夫が、上述した『客観性』の文言を借りるなら「主観性という対立物を抑制する」かのように進行している点も面白い。人気のパノラマで「重視されているのは、単に現地の光景を正確に写し取るだけでなく、画家が現地で「見たこと、感じたこと」を作品という形で表現し、それを鑑賞者が追体験することである」（本書二七頁）のに対し、やがてディオラマでは「観客の身体的な動作は必要なく、風景を「眺める」という行為は単に眼だけを動かす行為に変化する」（同三四頁）というのである。いずれの装置においても、人々に「光景」を与えている実体は、あくまでも描かれた人工物たる「画布」にほかならない。だが、その「光景を見る」体験から念入りに「人為」の要素が除去されていくのは、そしてそれが何らかの付加的な「効果」の価値を持ったのは、どういうことなのか。この「画布」の周囲で展開した「物」と「人為」の関係に関わる調整と変容のプロセスは、そこに登場する新技術である「写真」に決定的影響を与えるものとなったように思われる（なお、おそらく同様のプロセスが、「科学的自己の歴史」においては「無意志への意志」に向かって進行したことが、『客観性』でも論じられている)。

「画布」と「写真」の間にあるべき距離をめぐって、本書の第一部から第二部にまたがって、フィギエは揺れを示すこととなる。そしてこのフィギエの揺れは、たとえ彼がフランスでいち早く「写真史」を書き、それによってこそ「科学普及活動家」の足固めに成功した人間だとしても、「写真史」のそれ以降の成行きを決定するものとはならないという事実も、本書を読み進めていくと知ることができる。

第二部「本格化する写真の普及——フィギエとその他の著述家」が論じるのは、写真技術が登場した後、物としての写真画像、つまりより多くの人々が様々な形状で手に持つことができるようになる画像=紙片をめぐる体験と、その意味づけの歴史といえるだろう。ウージェーヌ・ディスデリが開発した名刺判写真による、名もない個人たちによる文字通り個人的なポートレートが人気を博す様子や、世界に一枚しか存在せず、その前に立てない限り鑑賞できない名画が写真技術によって写し取られ、より広く多くの人々に見られるものとなっていく場面で、フィギエはまさしくボードレールそしてベンヤミンの「一八五九年のパリ」の登場人物となる。ボードレールが「諸科学と諸芸術の下女」であるべき存在と断じた写真技術をはじめ、これ以降、「近代性」の世界に生まれ続ける媒介装置の一群は、「「真実」(vrai)と「現実」(réalité)」(本書一一二頁)と「画像」や「体験」とをむすぶ線をも、また幾度も「引き直」すことになってゆくだろう。

この線が、自らがあるべき位置に迷いまだ揺れ動くさなか、「[…]写真は、例えば真実の姿を生み出すことはないし、現実の粗野な刻印しか生み出さない」という一八五六年の発話(本書一一二頁)には、その十五年後、「写真は、霊が実在しあなた方の周囲に存在しているという否定しがたい証拠を示すために役立てられる手段」(同一五三頁)といった発話が対置される。この二者の間には、太陽光によって「光景」をとらえるはずであり、かつ太陽光に曝されることによってその画像そのものが褪せてしまう紙製の陽画が、いったい「写真とは何(でありうる)か」という問いそのものとして、存在している。

「つまり当時の写真技術は、撮影時にカメラの前に特定の事物が存在していたという事実を、印画上に焼き付けた明白な「証拠」として、不特定多数の鑑賞者の前に半永久的に突きつけ続ける、といった能力をまだ充分には有していなかったといえる。もちろん、その画像がたとえ印画紙上で消えてしまったとしても、特定のカメラによって「撮影」されたという事実自体は消えることはない。しかし、その事物が本当にカメラの前に一定時間、存在していたのか否かを作品に問いかけようとする鑑賞者の前では、当時の陽画はきわめて無力であった」(本書一四四頁)。「「撮影」されたという事実」と、「特定の事物が存在していたという事実の証拠」としての価値の間に、「写真/photographie」という物質的画像が挟まっている。おそらく、ここでは「写真」という日本語がphotographieとは異なり、それ自体ですでに過剰に負っている語義についても、注意しておくことが必要となるだろう(そのためには、Maki Fukuoka, *The Premise of Fidelity: Science, Visuality, and Representing the Real in Nineteenth-Century Japan*, Stanford University Press, 2012. をここで思い出すこととしたい)。「真を写す」ことは、ある時期においては、確かに細心の人為と意志をもって、人間の手によって描かれていたもの(たとえば植物画)でありえたことを思い起こすことができる。その一方では、一八三九年に登場した技術が光と物質の接触・変化を操って生み出す画像が、どれほどに「真を写す」ものであるか誰も確言できない時間があったことを、ここで想像してみることができるだろう。本書第二部・第三章「消えゆく画像への抵抗——写真の技術改良と心霊写真の流行に至るまで」で詳述されている、消えてしまう陽画と霊をめぐってテオフィル・ゴーティエとエドゥアール・ビュゲが示す見事な対照は、そもそもこの時点では人間にとって、世界や自然の「真実」も「事実」も、まだ「定められ」も「禁じられ」てもいない広がりに対して開かれていた（かもしれない）ことを、私たちに思考させてくれる。そして「真を写す」ことは、いうまでもなく、「真」の定義をいかにして人間は得ることができるのかという問いと直結している。

だからこそ、第三部「科学の周縁へのフィギエのまなざし」に描かれているフィギエの「科学／非科学」、「驚異／超自然」に対する、どこか「正当な写真史＝科学技術史」から外れていくかのような道程は、科学史的にもきわめて興味深い史料たりえると考えてみたいのである。槇野氏は、フィギエにとっての「科学」とその「驚異」とは、次のようなものだったと論じている。

> （一八六七—七〇年に刊行された代表作）『科学の驚異』というタイトルの通り、フィギエは科学を「驚異」（merveille）に例えているのだが、これは写真技術に代表されるように、さまざまな形で具体的に出現した新生の発明品が人々の科学への高揚感を沸き立たせ、人々の感情を刺激するさまを、「驚異」として説明したものであった。しかし科学技術が生活に馴染んでいくと、こうした高揚感はしだいに薄れていく。つまり科学普及活動家としてのフィギエは、新奇な発明品を「普及」させることには情熱を抱くが、それが人々の生活の中に馴染んでしまうと、かつてのような執着にも似た関心は、もはや抱けなくなってしまうのだ。（一三八頁）

試みに、この魅力的なフィギエ像を、ジョルジュ・カンギレムによるバシュラール像と並べてみよう。「もし科学史がある諸説の諸版の異同を調査するということならば、バシュラールは科学史家ではない。もし科学史が、困難で、障害に遭遇し、何度も試みられ、修正されるような知の構築を知覚可能にし、同時に理解可能にするのであれば、バシュラールのエピステモロジーは常に現実態にある科学史である」（ギヨーム・ルブラン『カンギレム『正常と病理』を読む』坂本尚志訳、以文社、二〇二三年、一三六頁）。本書に描かれたフィギエもまた、その「現実態の科学史」を私たちに読ませてくれる存在である。写真とは何でありえた（る）か、科学とは何でありえた（る）か。すでに形成されてしまった精神、構築されてしまった知を越えた向こう側にある可能性を、本書が記述する歴史は私たちに思考させてくれるものだと思う。

『ボードレール　他五篇』
ヴァルター・ベンヤミン｜著
野村修｜編訳
岩波文庫、1994年

本書は「複製技術の時代における芸術作品」や「ボードレールにおける第二帝政期のパリ」をはじめとする、ベンヤミンのパリ亡命後の主要な論考を収めた一冊である。この岩波文庫版の日本語訳は、図書館や書店で比較的入手しやすいものと思われる。写真や映画、さらには現代における最新の複製技術と芸術との関係について考察する際に、今なおベンヤミンの論考は重要な価値を有している。

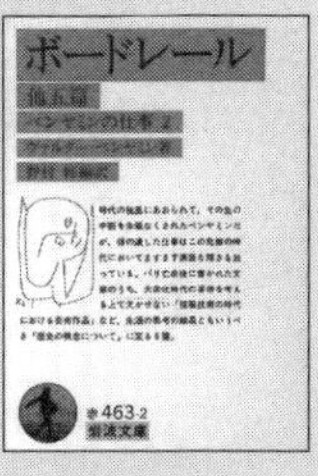

『パサージュ論　第1巻』
ヴァルター・ベンヤミン｜著
今村仁司・三島憲一｜訳
岩波現代文庫、2003年

『パサージュ論』として知られるベンヤミンの膨大な資料集の日本語訳は、岩波現代文庫からは全5巻で刊行されている。本書はその第1巻にあたり、図書館等でも入手しやすい版であると思われる。この第1巻には「覚え書および資料」の一部と、「パリ——19世紀の首都」のドイツ語草稿とフランス語草稿の両方が収録されている。これらの草稿は『パサージュ論』の全体を把握する際に重要な資料となっている。

『ボードレール批評〈2〉』
シャルル・ボードレール｜著
阿部良雄｜訳
筑摩書房、1999年

ボードレールの批評を研究対象とする場合は、ガリマール社の《プレイヤード版》のフランス語の原書の参照が求められるだろうが、フランス文学を専門としない読者には、文庫版で入手可能な、こちらの翻訳が手に取りやすいと思われる。本書にはボードレールの美術批評である「1859年のサロン」や「現代生活の画家」などが収録されている。モデルニテ（現代性）に関する考察や、写真へのボードレールの見解を知るうえで貴重な一冊である。

La Naissance de l'idée de photographie
François Brunet｜著
Presses universitaires de France, 2000

著者フランソワ・ブリュネは、写真史やイメージの歴史、さらにはアメリカ文化史について多くの業績を発表し、パリ第7大学で教鞭をとっていた歴史家であるが、2018年に58歳の若さで亡くなり、国内外の研究者が大きな衝撃を受けた。本書は写真の誕生を単なる技術の誕生としてではなく、一つの観念の誕生として捉えることで、1839年の写真の登場から19世紀末に至るまでの技術論、哲学、美学といった複数の領域にまたがる問題系に鋭く切り込んでいく一冊である。

Les Voix d'outre-tombe
Guillaume Cuchet｜著
Seuil, 2012

著者ギヨーム・キュシェはパリ第1大学で教鞭をとる歴史家で、フランス近現代史、とりわけ19–20世紀のフランスにおける宗教や信仰をテーマに多くの著作を発表している。本書は19世紀後半のヨーロッパで見られたアメリカ由来の降霊術や心霊主義について、主にフランスでの流行の諸相を考察したものである。降霊術や心霊主義の全体性を概観しながら個別の事例にも丁寧に踏み込む本書は、研究者のみならず一般読者も興味深く読み進められる。

中上健次と（再）開発

高村峰生

渡邊英理『中上健次論』書評

Nakagami Kenji and (Re)development

A Review of Against (Re)development – Kenji Nakagami's Vision of Literature by Watanabe Eri

Takamura Mineo

日本文学者イヴ・ジマーマンは、一九八六年、コロンビア大学に半年間の客員教授としてニューヨークを訪れていた中上健次の「ゼミ」に大学院生として参加し、その後、同年夏に熊野を訪れたという。中上が早逝した翌年の一九九三年八月、彼女は「熊野大学セミナー」のシンポジウムにおいて次のように語っている。

> 一九八六年の夏、私は中上さんの戯曲『かなかぬち』の野外公演を見るため、初めて熊野に来ました。中上さんに会うとすぐに路地の話になり、政府が八〇年代に昔からあった路地を潰して今のようになったと言って、「昔のままの路地もまだ少しは残ってるよ、見せてあげる」と言いながら車に乗せてくれ、二人で無くなった路地を探しに行きました。しかし、路地はもうどこにもありません。その結果、中上さんは文学的な空間として路地を再生させていくしかないと思ったそうです。（柄谷行人・渡部直己編『中上健次と熊野』太田出版、二〇〇〇年、一八〇―一八一頁）

ここでの中上の言動は、一九八〇年代において新宮市の（再）開発が進行中の出来事であったことを示している。だが、それだけではない。一九八三年の『地の果て、至上の時』における一節、「町の地図が大きく塗り替えられているのを車で走って見て充分すぎるほど分った」という、刑務所から出所して三年ぶりに見る町の変貌ぶりに驚く秋幸の視点を、著者中上が反復しているように見えるのだ。「路地」という差別の歴史の降り積もった空間には、新宮、ことに駅近くの春日という（再）開発の対象となった場所と、中上が小説において描き出す、土のにおいから記紀神話までを含みこむ土地の両者が判別しがたく絡み合っている。

渡邊英理の『中上健次論』は、中上の「路地文学」を「（再）開発」という観点から分析した重厚な研究書である。二〇一二年に東京大学に提出された博士論文がもとになっているが、それ以後に雑誌媒体に発表

渡邊英理『中上健次論』インスクリプト、2022年

されたものや、書き下ろしの二章を含んでおり、百ページ近い豊富な註には最新の研究成果が反映されている。本論は九章より成っており、そのうち第二章から第七章までの三分の二に当たる分量が、中上作品の中でも比較的研究がされてこなかった一九八四年発刊の短編集『熊野集』の考察にあてられており、少なくとも当作品の研究として決定的な重要性を持っている。また、哲学、社会学、民族学、英米文学研究、歴史学などの知を自由に導入することで、絞り込まれた対象を広い知のネットワークに開いている。これまで男性による批評が支配的だった中上研究の世界に女性の視点を導入していることも特筆すべき点であり、第四章、第八章などで展開されるフェミニスト的読解において、中上の描くクィア家族の可能性とその（男性中心主義的な）限界を読み込んでいる。

十四篇の作品よりなる『熊野集』は、大小十四篇よりなる異種混淆的なテクストである。その古層には『古事記』、『古今著聞集』、『今昔物語』や説教節、謡曲といった古典的なテクストや芸能があり、説話物語を模した「不死」、「勝浦」、「鬼の話」、「月と不死」、「偸盗の桜」のような小品へと結実するかと思えば、作家自身を思わせる「私」が登場し、現在と過去を往還する「桜川」、「蝶鳥」、「海神」、「石橋」、「妖霊星」、「熊の背中に乗って」、「鴉」のような作品もある。そのようにして、神話的な世界と現代の世界を横断し、動物たち、霊たちが躍動する場と差別の歴史の積み重なる路地、さらには開発の進む新宮市を接続しているのである。

理論的、歴史的なアプローチが豊かに展開される本書であるが、評者にとってもっとも印象深かったのは、『熊野集』の短編に多くの字数をかけてなされるテクストの繊細な読解であった。以下、本書の中核を成す『熊野集』論の中から、第四章、第五章、第七章について議論を要約して、紹介したい。

第四章の「石橋」論は、中上が『熊野集』に先立つ『紀州――木の国・根の国物語』において、紀伊半島で行われていた同和対策事業を「都市近代化の波によって被差別部落が打ち壊される」として批判していたことを参照している。渡邊は和歌山県や新宮市が「敗戦後の住宅施策をめぐる復興／開発において、和歌山県や新宮市は、被差別部落と一般地区のいずれを見ても「先進自治体」であったと言える」と述べ、中上が作家としてその地歩を固めた時期と彼の出身地である新宮市の日和山、春日地区の開発が重なっていることを指摘している。議論は中上作品におけるインセストの主題とそれが醸成する「規範的な近代家族のそれとは異なるクィア家族の親族関係」へと移り、それを短編「石橋」における「私は化粧をした。姉がぶたれた。」というぶっきらぼうな記述と結び付けて考察する。この「夢のような事」と中上が書きつける出来事の背景にあるのは、「女親（母）」の再婚に伴って路地から義父の家のある市内の「野田」という地域に移り住んだ「私」が、「路地の若衆」のあいだでは普通のことであった化粧が路地の外では「倒錯」とみなされるという事実を知ることである。渡邊は「私」の化粧を姉弟による「母への復讐」と読みこむ――「姉は路地の文化実践である化粧を、母の息子である「私」にほどこす」。このようにして渡邊は、一見無関係である（再）開発と男子の化粧を結びつける。この章は、「石橋」という作品を、「秘、すれば花」を掲げる世阿弥の美学が内包する「「賎」を「秘す」行為の遂行性」を批判し、「路地的な「転倒」の運動性を刻み続ける」ものと結論づけている。

第五章の「海神」論は、この短編を市とスーパーマーケットによる路地開発に接した中上の「公共性」論として読む。渡邊は「海神」のテクストを構成する「多種多様な言葉の引用とその変奏」を指摘し、吉増剛造のテクストへの言及に触れてその多声的な言語空間を明るみに出しつつ、この作品の「「主旋律」は、喪の作業《モーニング》に」あると述べる。「海神」は実際に、解体が進む路地の裏山にハンセン病の女と住み、開発の直前に暴行を受けて死ぬ人物、完治《かんじ》への哀悼となっており、作品の現在において小説家の「私」たる「ケンジ」はカメラを回しながら、亡くなった完治の話を町の人に聞いて回る。「海神」にはレヴィ＝ストロースによるカナダの先住インディアンの『アスディワル武勲詩』を分析した論文への言及があるが、渡邊は、同論文に描かれた「人が魚になる変身譚」の反響を「海神」における「私」の死んだ鮒との同一化に聞き取っている。ここで「部落民」はインディアンと重ね合わせられるとともに、土地からの疎外という共通項をもって「ユダヤ人」とも対比される（中上は作品の内外で、部落を「ゲットー」と呼んでいた）。渡邊はまた「部落民」が『古事記』を通じて「海幸山幸」の「兄・海幸」とも結びついていることも指摘する。中上は、天皇家の直系とされる「弟・山幸」によって追われた「兄・海幸」に、覇権争いに敗れた熊野の被差別部落の「起源」を見出しているのだ。ここにさらに大逆事件の歴史が重なる。新宮は、大逆事件の首謀者の一人であり人々に尊敬された医師であった大石誠之助を輩出しているが、その甥にあたる玉置醒は路地を「部落民」の手から取り上げた。渡邊は慎重に、「「路地」に居住する住人のすべてが土地の所有権を持たなかったという訳では」ないと指摘しつつも、「「海神」は、大石・玉置をあえて路地の随一の（元）土地所有者…と設定する虚構《フィクション》において、路地の（再）開発の問題性を掘り下げようとしたのだ」と述べている。こうした搾取の歴史を経た物語の現在において、市は私企業と共に人々の借地権をも奪い、「住民・人民の「公共」を排除」している。

渡邊は病む女と山に暮らす完治を「治癒する者」と捉え、そこに「公共性の破壊」への抵抗を読み込むとともに、それを現代の政治的実践に照らし、熊本で東日本大震災と原発災害の避難民たちを受け入れた坂口恭平の「層生活《レイヤーライフ》」との類似を指摘している。

大江健三郎の『万延元年のフットボール』との比較から、路地と資本主義的なスーパーマーケットの存在の関係性を「海神」「石橋」「花郎」において考察した第六章を経て、第七章は『熊野集』における最長の作品、「葺き籠り」を論じている。渡邊は、同作が「道路とスーパーマーケット」を通じて「交通と交換の問題」を追究しているという。舞台となる三重県尾呂志の金堀という「山間の部落」では、「ヒコソ」という神話的な人物が医術や薬学の知識を流布した共同体の創始者として祀り上げられている。中上はこの「ヒコソ」を大和／天皇の物語に対置する。主人公の菊雄は、金堀を故郷とする友人の木川に彼の両親を殺して現金を強奪する計画を教唆され、多くの男性労働者が出稼ぎに行って不在のあいだに金堀にやって来る。渡邊は、菊雄と木川を神武と（神武を導いた）八咫烏、あるいは「侵入者と媒介者の対」と読み取っている。菊雄は金堀でヒコソを神仏のようにあがめる女である「タマノの娘」と寝るが、これは神話的には「「外来王」と「土地の女」との婚姻」と解釈できる。渡邊は、「葺き籠り」は神＝ヒコソと菊雄という男性二人が「女性を他者化し交換する」物語であると同時に、タマノとその娘という二人の女が「菊雄と交わる権利を争う」物語でもあり、後者の図式において男＝神・天皇が「客体化」されるという。渡邊はこのように作品のうちにフェミニズム的な転覆の要素を見出すとともに、こうした人間の交換を物の交換の二つの事例と対比してみせる。一つは、菊雄が当初の目的であった現金強奪の代わりにステレオセットの盗品を「市の電気問屋で待ち受けていた男」に密売して現金を得ることである。もう一つは、金堀の老婆たちが地域に生える薬草を、行商が持ってくるスーパーマーケットの疵物と交換することだ。こうした事例は、「電気問屋」や「スーパーマーケット」のような近代的市場原理が働いている陰に法的根拠の曖昧な交換が行われていることを示し、法や共同体の内外と、それを結ぶ媒介者の機能を描き出している。しかし、金堀において媒介者に交換を依頼する者は結局のところ、金銭的な損害を被ることになる。老婆たちは薬草の値段について行商人たちの言い値に従うよりほかないし、菊雄の得た金は最初の計画の現金六億とは比べ物にならない少額であった。さらに、菊雄の移動手段であるトラックは盗まれてしまう。神武天皇とも重ねられる菊雄が犯罪者の地位に転落する様子を描く作品は、「権力者と犯罪者、権力者と被差別者、両者を隔てる境界の無根拠性や恣意性を強調する」のである。

このように議論を要約してみると、中上がいかに現代と神話的世界を織り合わせながら物語を構築しているかが分かる。そのなかで、一点だけ補足をしておきたいのは中上における天皇の問題である。

本書の第五章や第七章には、中上の作品が「天皇＝大和＝中央」を「熊野＝周縁」の力によって相対化しているという議論がなされ、それは間違いのないところである。しかしながら、中上は生前、江藤淳や吉本隆明などとの対談の中で天皇への信奉を公言し、作品の内外で路地と天皇という両極をさかんに重ね合わせていた。たとえば、一九八五年のエコール・ノルマルでの講演「三島由紀夫をめぐって」において、中上は「「天皇」に対して愛を告白することは、同時にこれはその、国境外の話ですから、これは「部落」に対する愛を告白することと全く同じことだと理解していただいていいと思うんです」と述べている。中上はこの講演以外でも自分に近い特性を持つ作家として三島にしばしば言及し、その晩年の天皇観に共感を示している。また、『千年の愉楽』中の一篇を「天人五衰」と題していたし、『紀州』において三島を「「特殊部落」民」と呼び、『風流夢譚』の深沢七郎に「右翼を見」ていた。中上において、「天皇」と「部落」は対立するだけではなく重なってもいたのだ。このような中上の特異な天皇観はこれまでも指摘されてきたが、容易に解決不能な「ねじれ」であるだけでなく、中上作品を理解するうえでやはり素通りできない側面なのではないか。

当然ながら、この指摘は本書の重要性を減ずるものではない。一九八〇年代の中上健次の謎と差別観をさらに追究するためのノートである。

中心と周縁、路地と都市、古代と近代、クィアと「正常」、女と男、治癒と破壊、法の外と内などのさまざまな対立と攪乱を中上健次の作品に読み込む本書は、議論自体も複層的であるが、とくに神話・歴史的なコンテクストや理論の導入、ならびに神話的読解に成功している。様々な分野の研究を豊富に掬い上げた「(再)開発」という視点は、中上作品における進行形の現実世界との接触面を、『熊野集』というこれまで周縁化されてきたテクストを中心に切り出していると言えるだろう。

ブックガイド——渡邊英理『中上健次論』

作成＝渡邊英理

『ゾミア——脱国家の世界史』

ジェームズ・C・スコット｜著
佐藤仁｜監訳
池田一人・今村真央・久保忠行・田崎郁子・内藤大輔・中井仙丈｜訳
みすず書房、2013年

アメリカの人類学者ジェームズ・C・スコットは、インドシナ半島奥地の丘陵地帯をゾミアと名づけ、「国家への編入を回避し、自分たちの社会の内部から国家が生まれてこないように」してきた社会として描いた。すなわち、ピエール・クラストルが言うところの「国家に抗する社会」である。スコットの世界史的な記述は、アメリカ大陸の逃亡奴隷によるマルーン共同体、北アメリカのセミノール、ロシアのコサック、ヨーロッパの「ジプシー」／ロマにも、脱国家的な構えを見出していく。そのリストの並びに、中上健次の路地（被差別部落）を付け加えることができるだろう。

『キャリバンと魔女——資本主義に抗する女性の身体』

シルヴィア・フェデリーチ｜著
小田原琳・後藤あゆみ｜訳
以文社、2017年

資本主義体制は、工場などでの生産労働を中心化し、再生産《ケア》労働の価値を切り下げ、非労働化し女性化した。本書でフェデリーチは、そう看破する。結果、女性が持っていた再生産に関わる知は、魔術や呪術の如き、いかがわしい知へ貶められる。資本主義の本源的蓄積は、性差別／性別分業とともに植民地主義／国際分業に依存しているとも本書は指摘する。キャリバンと魔女とは、これら資本主義体制下で搾取を被る植民地と女性を指す。中上の『千年の愉楽』は、路地こと被差別部落のキャリバンと魔女の物語としても読まれうる。

『アンティゴネーの主張——問い直される親族関係』

ジュディス・バトラー｜著
竹村和子｜訳
青土社、2002年

父を殺し母と交わった息子オイディプス。アンティゴネーとは、その実母と息子との近親婚／姦で生まれた娘であり、父がそのまま兄でもあり、娘がそのまま妹であるようなクィア家族の物語だ。国家の「敵」となって死んだ兄の禁じられた埋葬を死を賭して行うアンティゴネーの「兄妹愛」も近親婚／姦を暗示する。本書に竹村和子は、バトラーの「アンティゴネーは生きることができるだろうか」という問いを感受した。中上もまた、同様の問いに導かれ、クィア家族の生存可能性を文学的理論的に追究したと思われる。

『苦海浄土』

石牟礼道子｜著
全三部、藤原書店、2016年

胎児性水俣病患者・杢太郎の爺さまは、鴨緑江節を口ずさむ。チッソの歴史は曾木水力発電所から始まり、その電力使用がチッソ水俣工場の建設につながった。戦前のチッソは、植民地朝鮮に進出し鴨緑江ダムを建設する。当時のチッソの収益の多くは植民地朝鮮からもたらされ、戦後のチッソ水俣工場を主導したのは「朝鮮帰還組」だったとも言う。水俣病は、この「裏返された植民地的構造」（町村敬志・吉見俊哉）で生み出された。中上の『地の果て 至上の時』のヨシ兄も鴨緑江節を歌う。開発への問いが、石牟礼と中上を結ぶ。

『独立国家のつくりかた』

坂口恭平｜著
講談社現代新書、2012年

世界を多層化し、別の層で別の世界を創造／想像する世界認識＝生活実践が、坂口の「層生活（レイヤーライフ）」である。「層生活」の発想の原点は、福岡県糟屋郡の新宮という街で過ごした子供時代の「遊び」であり、自家発電のブルーテントハウスに暮らす「homeless」状態の人がまるで「子供」の「遊び」のように都市全体をひとつ屋根の家として暮らす世界認識＝生活実践であった。工事や開発によってではなく、歩き方を変え、視点を変え、思考を変えることで世界を「拡げる」実践は、中上の思想文学と通いあっている。

第14回表象文化論学会賞

表象文化論学会では、表象文化論の分野における独創的で優れた研究および作品等に対して、毎年、学会賞、奨励賞、特別賞を贈呈している。学会賞は発表時49歳以下の学会員による単行本、奨励賞は発表時39歳以下の学会員による単行本、または年齢に関わらず当該学会員による最初の単行本、特別賞は学会員による学会への特別な貢献に対して授与される。

第14回表象文化論学会賞は、2022年に刊行された会員の単行本を対象に選定され、2023年5月に以下のような結果となった。受賞者の言葉および選考委員のコメントは、すでにウェブ上のニューズレター『REPRE』49号（https://www.repre.org/repre/vol49/topics/01/）に掲載されている。

なお、学会賞を受賞した渡邊英理氏の著作、奨励賞を受賞した久保豊氏の著作については、それぞれ髙村峰生氏による書評が本号『表象18』に、角尾宣信氏による書評が前号『表象17』に掲載されているので、あわせて参照されたい。

学会賞

渡邊英理
『中上健次論』
（インスクリプト）

奨励賞

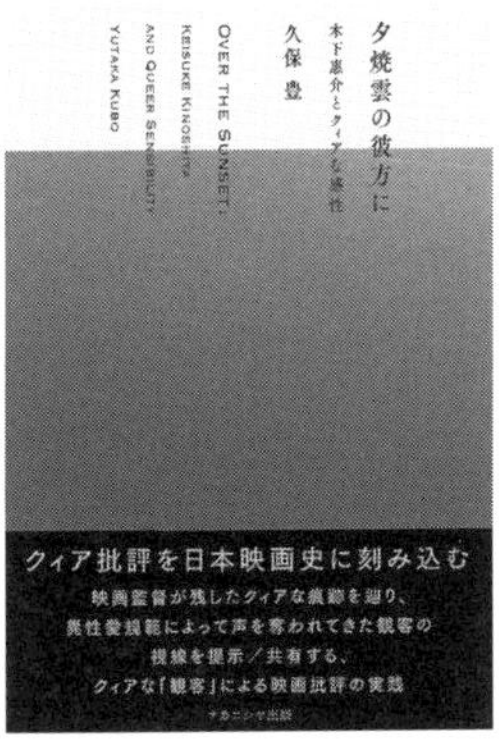

久保豊
『夕焼雲の彼方に
木下惠介とクィアな感性』
（ナカニシヤ出版）

特別賞

該当なし

選考委員（五十音順）
阿部賢一／佐藤元状／平芳裕子／宮﨑裕助

表 19 象

投稿論文応募要項

〈『表象18』データ〉投稿論文数：14　掲載論文数：3　採択率：約21％

1. 応募資格

応募時点で表象文化論学会会員（正会員または学生会員）であること。

2. 応募内容

広い意味で表象文化論に関係するもの。ただし、未発表のものに限ります。

3. 応募方法

3-1. 投稿資格

● 投稿論文の受理には、当該年度の年会費が納入済であることが条件となります。

3-2. 文書の形式

●原稿の分量は、2万字以内とする（文献表・註を含む。要旨の部分は除く）。

●原稿の1ページ目には、論文の題名（日本語題および英語題）、英語による要旨（200語程度）、論文の分量を示す字数を明記し、これを表紙とすること。ただし、著者氏名を伏せて審査するため、氏名は記さないでください。

●論文の本文は、原稿の2ページ目以降に記載すること。

●投稿の段階では、論文中に個人特定可能な情報（「拙論、拙著」表記、科研費番号など）を記載しないこと。

●原稿のほかに、題名、氏名（和文表記と欧文表記の二通り）、所属機関名（該当者のみ）、および連絡先（住所・電話番号・メールアドレス）を明記した別紙を1部作成し、原稿と共に提出すること。

●表記については学会ホームページ掲載の「表記ガイドライン」に従ってください。

3-3. 提出の仕方

●投稿論文は所定の受付期間内（下記4.参照）に、次の要領にしたがってEメールで提出すること。

●原稿と別紙のファイルは、下記編集委員会のメールアドレス宛に添付ファイルで送付すること。原稿データは、Microsoft Wordファイル（拡張子.docないし.docx）、およびPDFファイルの両方を添付すること。また、ファイル容量が大きくなる場合（3MB以上）は、各種のファイル転送サービス等を利用すること。メール本文には応募者の氏名・論文題名・連絡先、メールのSubject（件名）には「『表象』投稿論文」とご記入ください。

4. 投稿受付期間

――2024年8月22日（木）～2024年9月5日（木）

※日本時間24:00〆切

5. 応募宛先

表象文化論学会・編集委員会

E-Mail：repre_edit@repre.org

※投稿メール送信後3日以内に編集委員会より受領確認の返信がなかった場合は、添付ファイルなしのメールで確認を促すこと。確認メール送信の際は、repre_edit@repre.orgとedit_chief@repre.org（編集委員長アドレス）の双方に同報すること。

6. 審査

本学会の編集委員会が査読報告に基づいて掲載の可否を審査します。審査結果は、2023年11月中旬（予定）に応募者宛てに通知します。審査の結果、採用された論文については、問題点を応募者に指摘し、書き直しを求める場合があります。また、不採用になったものについては、その結果と理由を通知します。

お問い合わせ

表象文化論学会事務局・編集委員会

E-Mail：repre_edit@repre.org
https://www.repre.org/

※投稿規定および入会に関する最新情報については、上記ウェブサイトをご確認ください。

執筆者紹介

天内大樹（あまない・だいき）
一九八〇年生。建築思想史／美学芸術学、デザイン史／デザイン論。青山学院大学総合文化政策学部准教授。共著書に『分離派建築会』（京都大学学術出版会、二〇二〇）、『カラー版図説デザインの歴史』（学芸出版社、二〇二二）など。

飯田麻結（いいだ・まゆ）
東京大学教養学部附属教養教育高度化機構D&I部門特任講師。ロンドン大学ゴールドスミス校メディア・コミュニケーション・カルチュラルスタディーズ学部（MCCS）、PhD。論文に「情動の「感染」とボディ・ポリティクス」（『「情動」論への招待』、勁草書房、二〇二四）、訳書にサラ・アーメッド『フェミニスト・キルジョイ――フェミニズムを生きるということ』（人文書院、二〇二二）など。

海老根剛（えびね・たけし）
一九七一年生。ドイツ文化研究、表象文化論。大阪公立大学文学研究科教授。近刊に『人形浄瑠璃の「近代」が始まったころ　観客からのアプローチ』（和泉書院、二〇二四年六月刊行予定）、訳書に、イヴォンヌ・シュピールマン『ヴィデオ――再帰的メディアの美学』（三元社、二〇一一）など。

大澤慶久（おおさわ・よしひさ）
一九八一年生。美学、近現代美術史。東京藝術大学教育研究助手、関東学院大学・実践女子大学非常勤講師。著書に『高松次郎　リアリティ／アクチュアリティの美学』（水声社、二〇二三）、共著に『Mono-ha and Attitudes』（Gallery Shilla、二〇二三）。主な論文に「クレメント・グリーンバーグにおけるカント美学――芸術家の独創性に関する一試論」（『美史研ジャーナル』一八号、二〇二三年）、「ローレンス・ウィナーの初期言語作品とその物質性についての一考察――『ステイトメンツ』を中心に」（『論叢』二〇号、二〇二四）など。

門林岳史（かどばやし・たけし）
一九七四年生。メディアの哲学・映像理論。関西大学文学部映像文化専修教授。著書に『ホワッチャドゥーイン、マーシャル・マクルーハン？　感性論的メディア論』（NTT出版、二〇〇九）、共編著に『クリティカル・ワード　メディア論』（増田展大と共編、フィルムアート社、二〇二一）など。

印牧岳彦（かねまき・たかひこ）
一九九〇年生。西洋近代建築史。神奈川大学建築学部特別助教。著書に『SSA緊急事態下の建築ユートピア』（鹿島出版会、二〇二三）、共訳書にハリー・F. マルグレイヴ『EXPERIENCE 生命科学が変える建築のデザイン』（鹿島出版会、二〇二四）など。

菊間晴子（きくま・はるこ）
一九九一年生。日本近現代文学、表象文化論。東京大学大学院人文社会系研究科助教。著書に『犠牲の森で　大江健三郎の死生観』（東京大学出版会、二〇二三）。論文に「「後期の仕事（レイト・ワーク）」にあった「希望」　大江健三郎の小説作品における死者とのコミュニケーションに着目して」（『日本近代文学』第九六集、二〇一七）など。

雑賀広海（さいか・ひろみ）
一九九〇年生。映画研究。京都芸術大学・神戸学院大学非常勤講師。著書に『混乱と遊戯の香港映画――作家性、産業、境界線』（水声社、二〇二三）。

崎濱紗奈（さきはま・さな）
一九八八年生。東京大学東アジア藝文書院特任助教。沖縄・日本近現代思想史、ポストコロニアル研究。著書に『伊波普猷の政治と哲学 日琉同祖論再読』（法政大学出版局、二〇二二）、論文に「「東アジア」において理論を希求するということ――沖縄の「復帰」をめぐる考察を出発点として」（『日本學論集』第四四号、二〇二二）、"Inventing 'Independence': A Short Intellectual History of Post-war Okinawa" (Kiyonobu Date and Jean-François Laniel (eds.), *A New Approach to Global Studies from the Perspective of Small Nations*, London Routledge, 2023) など。

島村幸忠（しまむら・ゆきただ）
美学、日本文化論。大阪経済大学国際共創学部講師。著書に『頼山陽と煎茶　近世後期の文人の趣味とその精神性に関する試論』（笠間書院、二〇二二）、『古地図で辿る都の今昔　江戸時代京都名所事典』（笠間書院、二〇二三）。

新城郁夫（しんじょう・いくお）
一九六七年生。沖縄文学・思想研究、ポストコロニアル批評。琉球大学人文社会学部教授。著書に『沖縄を聞く』（みすず書房、二〇一〇）、『沖縄の傷という回路』（岩波書店、二〇一四）、『沖縄に連なる』（岩波書店、二〇一八）など。

銭清弘（せん・きよひろ）
一九九五年生。美学、芸術哲学。相模女子大学非常勤講師。論文に「An Institutional Theory of Art Categories」（*Debates in Aesthetics*、二〇二二）、「制度は意図に取って代われるのか」（『フィルカル』、二〇二二）など。

高橋智子（たかはし・ともこ）
一九七八年生。博士（音楽学）。アメリカ実験音楽、音楽美学。東京藝術大学音楽学部特任助教等を経て、現在は介護施設で働きながら独立研究者・音楽ライターとして活動。著書に『モートン・フェルドマン〈抽象的な音〉の冒険』（水声社、二〇二二）。ミニマル音楽に関する単著を準備中。

高村峰生（たかむら・みねお）
一九七八年生。比較文学、アメリカ文学。関西学院大学国際学部教授。著書に『触れることのモダニティ――ロレンス、スティーグリッツ、ベンヤミン、メルロ=ポンティ』（以文社、二〇一七）など。

田中祐理子（たなか・ゆりこ）
一九七三年生。科学認識論・医学史。神戸大学国際文化学研究科教授。著書に、『科学と表象　「病原体」の歴史』（名古屋大学出版会、二〇一三）、『病む、生きる、身体の歴史　近代病理学の哲学』（青土社、二〇一九）など。

田邉恵子（たなべ・けいこ）
一九八八年生。ドイツ文学・思想。新潟大学人文学部准教授。著書に『一冊の、ささやかな、本』（みすず書房、二〇二三）。論文に「「灯りに照らされた洞窟」――ベンヤミンと〈月光〉のイメージ」（『形象』六号、二〇二四）。

常石史子（つねいし・ふみこ）
一九七三年生。表象文化論、映画・メディア研究。獨協大学外国語学部ドイツ語学科准教授。論文に "Preservation and Resignation: A Study on Survival," (N. Erdogan and E. Kayaalp (eds.), *Exploring Past Images in a Digital Age: Reinventing the Archive*, Amsterdam, Amsterdam University Press, 2023)、「トーンビルダー（音＝画）――ドイツ語圏における初期「無声」映画の一形態」（『映像学』第一一二号、二〇二四）など。

鶴田裕貴（つるた・ゆうき）
一九九二年生。アメリカコミックス史、マンガ研究。東京大学総合文化研究科超域文化科学専攻表象文化論コース博士課程在籍。東京工芸大学非常勤講師。論文に「キャラクターに働かされる――イエロー・キッドの生命」（『マンガ研究』三〇号、二〇二四）など。

難波阿丹（なんば・あんに）
聖徳大学聖徳ラーニングデザインセンター・情報教育センター（兼任）准教授。東京大学大学院情報学環・学際情報学府博士課程修了、博士（学際情報学）。主な論文に「拡張する表皮――複数化するスクリーンから透明なインターフェイスへ」（『現代思想』二〇一五年五月）、「ユニクロのAir-Rhythm――インターフェイシング〈相互調整〉と触覚的価値の再創出」（『vanitas 005』二〇一八年三月）。共著書に『ソーシャルメディア・スタディーズ』（北樹出版、二〇二一）、共編著に『「情動」論への招待』（勁草書房、二〇二四）。

野田吉郎（のだ・よしろう）
一九八一年生。美術批評論、表象文化論。共立女子大学、明治学院大学非常勤講師。論文に「ミシェル・タピエの「アンフォルメル」概念について――『別の芸術』を中心に」（『表象13』、二〇一九）、「アンフォルメルなものの具体的提示」（『国立国際美術館ニュース』第二四七号、二〇二二）など。

橋本一径（はしもと・かずみち）
一九七四年生。東京大学大学院総合文化研究科博士課程修了。早稲田大学文学学術院教授。思想史、表象文化論。著書に『指紋論　心霊主義から生体認証まで』（青土社、二〇一〇）、編書に『〈他者〉としてのカニバリズム』（水声社、二〇一九）、訳書にJ＝N・ミサ他編『ドーピングの哲学』（新曜社、二〇一七）、アラン・シュピオ『フィラデルフィアの精神』（勁草書房、二〇一九）など。

原瑠璃彦（はら・るりひこ）
一九八八年生。日本庭園、能・狂言。静岡大学人文社会科学部・地域創造学環准教授。著書に『洲浜論』（作品社、二〇二三）、『日本庭園をめぐる——デジタル・アーカイヴの可能性』（ハヤカワ新書、二〇二三）。

番場俊（ばんば・さとし）
一九六九年生。ロシア文学・表象文化論。新潟大学人文社会科学系教授。著書に『ドストエフスキーと小説の問い』（水声社、二〇一二）、『〈顔の世紀〉の果てに——ドストエフスキー『白痴』を読み直す』（現代書館、二〇一九）など。

平芳裕子（ひらよし・ひろこ）
一九七二年生。ファッションスタディーズ。神戸大学大学院人間発達環境学研究科准教授。著書に『まなざしの装置——ファッションと近代アメリカ』（青土社、二〇一八）。論文に「鷲田清一以降の「ファッション学」」（『現代思想』二〇二三年五月臨時増刊号）など。

福島可奈子（ふくしま・かなこ）。
メディア考古学・映像文化史。早稲田大学・武蔵野美術大学・神戸学院大学非常勤講師。著書に『混淆する戦前の映像文化——幻燈・玩具映画・小型映画』（思文閣出版、二〇二二）。

槙野佳奈子（まきの・かなこ）
一九八五年生。十九世紀フランス文学・思想史。宇都宮大学国際学部准教授。著書に『科学普及活動家ルイ・フィギエ——万人のための科学、夢想としての科学』（水声社、二〇二三）、訳書にレジス・メサック『「探偵小説」の考古学』（共訳、国書刊行会、二〇二二）。

正清健介（まさきよ・けんすけ）
一九八四年生。映画研究。日本学術振興会特別研究員PD。論文に「ジャック・タチ映画の音響表現の特異性——台詞の優位性に対する〈挑戦〉」（杉野健太郎編『映画学叢書　映画史の論点——映画の〈内〉と〈外〉をめぐって』ミネルヴァ書房、二〇二三）、「映画における声の使用について——エリック・ロメールの小論「トーキーのために」を手がかりに」（『a＋a美学研究14』、二〇二三）、「〈会社〉の映画作家——今、東京で再見する小津映画」（『NFAJニューズレター22』、二〇二三）、「小津安二郎『お早よう』におけるオナラの音」（『表象10』、二〇一六）。

三浦光彦（みうら・みつひこ）
一九九八年生。映画・映像研究。北海道大学大学院文学院博士後期課程。論文に「「不可視の語り手」と作家——ロベール・ブレッソン『田舎司祭の日記』（一九五一）における語りと演技」（『映像学』第一〇九号、二〇二三）、「断片のネットワーク——ロベール・ブレッソン『少女ムシェット』（一九六七）におけるイメージとナラティブの論理」（『映像学』第一一一号、二〇二四）。

三澤真美恵（みさわ・まみえ）
台湾史、華語圏映画史。日本大学文理学部中国語中国文化学科教授。著書に『「帝国」と「祖国」のはざま——植民地期台湾映画人の交渉と越境』（岩波書店、二〇一〇）。編著に『植民地期台湾の映画——発見されたプロパガンダ・フィルムの研究』東京大学出版会、出版協力：国立台湾歴史博物館、二〇一七）など。

水野勝仁（みずの・まさのり）
一九七七年生。インターフェイス、メディアアート研究。甲南女子大学文学部メディア表現学科准教授。論文に「「「認知者」としての作品——エキソニモのUN-DEAD-LINK展を事例に」（『映像学』第一〇七号、二〇二二）など。

向井大策（むかい・だいさく）
一九七七年生。二〇世紀以降の音楽史、公共音楽学。沖縄県立芸術大学音楽学部准教授。著書に『表現と知を編み直す01：土地に歌を返すこと』（総合地球環境学研究所、二〇二四、呉屋淳子との共編著）など。

村山正碩（むらやま・まさひろ）
一九九五年生。美学、芸術哲学。一橋大学大学院社会学研究科博士課程在籍。論文に「意図を明確化するとはどういうことか——作者の意図の現象学」（『Contemporary and Applied Philosophy』、二〇二三）など。現在の研究課題は「自己理解としての自己表現——R・G・コリングウッド『芸術の原理』に基づく自己表現の理論」。

渡邊英理（わたなべ・えり）
日本語文学、批評。大阪大学大学院人文学研究科教授。著書に『中上健次論』（インスクリプト、二〇二二）、『クリティカル・ワード　文学理論』（フィルムアート社、二〇二〇、三原芳秋・鵜戸聡と共編著）、論文に「大江健三郎と中上健次」（『ユリイカ』二〇二三年七月臨時増刊号）など。

渡邊恵太（わたなべ・けいた）
一九八一年生。明治大学総合数理学部先端メディアサイエンス学科准教授。慶應義塾大学政策・メディア研究科博士課程修了。シードルインタラクションデザイン株式会社代表取締役社長。知覚や身体性を活かしたインターフェイスデザインやネットを前提としたインタラクション手法を研究。著書に『融けるデザイン　ハード×ソフト×ネットの時代の新たな設計論』（BNN、二〇一五）など。

編集後記

一八号目を刊行するに至った『表象』は、何らかの「改革」を必要とする時期に差し掛かっているのだろうか。編集の役目を引き継いで実感するのはむしろ、「変わる」ことよりも「同じ」であることの難しさである。同じ方向にボートを漕いできたつもりが、漕ぎ手が代わるたびにいつの間にか少しずつ航路にずれが生じてしまうのにも似ている。潮に流されて取り返しがつかなくなる前に、方位磁石の再確認が必要だろう。

編集方針のような理念的な次元の話以前に、刊行時期のずれが最大の懸案のひとつであり、とりわけ先号ではそれが八月にまでずれ込んでしまい、多くの関係諸氏にご心配とご迷惑をおかけしてしまった。本号の刊行は七月上旬の表象文化論学会大会の開催前までには何とか押し戻せそうであるが、本来は三月までに刊行がなされるのが理想である。編集体制が大きく変わる次号以降も、引継ぎを徹底して刊行時期の正常化を改めて心がけたい。

内容面では、学会誌という性質上、投稿論文が本誌の柱であることに変わりはない。会員の博士論文の書籍化を書評において積極的に取り上げる方針も、維持されるべきであろう。特集については、大会等のシンポジウムの採録を基本としつつ、そこに雑誌としての独自色を加える努力を続けていきたい。本号では、それ自体が充実していたオンライン研究フォーラム二〇二三でのシンポジウムの採録に加えて、その内容を補完する三本の翻訳論文を掲載できたことが、多少の独自性になったと期待している。

編集委員会の側に起因するずれやぶれにもかかわらず、本誌が何らかの同一性を保つことができているとすれば、それは書店で販売される書籍としての物理的な形態に依拠するところが大きいだろう。発売元の月曜社と、表紙等のデザインをお願いしているラボラトリーズの皆様に、この場を借りてお礼を申し上げる。（橋本）

Abstract | pp. 108-122

The Two Phases of Happy Hooligan as Seen Through Japanese Character Studies

Tsuruta Yuki

This study uses frameworks transposed from Japanese comics studies to examine the transformation of the eponymous protagonist of Happy Hooligan, an early American newspaper comic. The essay pays particular attention to issues of character design and highlights problems and possibilities arising from the treatment of stereotypical characters in Japanese writing on comics. Previous research on Happy Hooligan (1900-1932) has focused on how the protagonist of this series has been depicted as a stereotypical poor Irish immigrant. Ōtsuka Eiji and Miyamoto Hirohito, for example, argue that stereotypes in comics are depicted via the predictable and unchanging design of characters. In this case, largely due to the name "Happy Hooligan," the alliteration of the name, combined with its suggestion of carefree simplicity, draws on ethnic stereotype to characterize the main character. Going against the grain of this research, this essay focuses on overlooked early episodes of the comic (1900-1901) to suggest a substantially different representation of the main character and explains a transformation in "Happy's" characterization from a morally problematic character in early episodes to a sympathetic character in the episodes that follow.

Abstract | pp. 123-140

Cupid's Voices

Presences of the Off-Screen Voice in Eric Rohmer's Films

Masakiyo Kensuke

This essay explores how Rohmer used the off-screen voice recorded directly as something that "has a sense of presence" in relation to character dynamics in the diegetic world of film. Specifically, it aims to shed new light on one end of the usage of dialogue voices in Rohmer's films.

Rohmer began to adopt direct sound recording in earnest with his 1969 film *My Night at Maud's*. Directly recorded off-screen voices that characterize the dialogue scenes of the film use echoes and noises to create the sense that the dialogue is taking place right then and there. In subsequent films throughout the 1970s and 80s, off-screen voices continue to be used in Rohmer's dialogue scenes, functioning as a device to convey this sense of the "realistic" present.

However, in the latter half of the 1980s, in *The Green Ray* and *Boyfriends and Girlfriends*, off-screen voices shift from this role of ambient reality-through-fidelity and operate differently in decisive scenes of accidental meeting. In both films, a heroine who suffers from loneliness happens to reconnect with a female friend who gives her the opportunity to get a boyfriend. All of the accidental meeting scenes that turn the heroine's fate around are introduced by overlaying the shots of the heroine with the off-screen voices of her female friends calling out her name. This mise-en-scène creates the impression that the heroine is now being "called" by her anonymous "voice being (acousmêtre)," resulting in an audiovisual agency that shapes the turning points of the narrative.

Abstract | pp. 141-156

Othered Perceptions and the Power of Misrecognition

The (Un)analyzability of Cinema

Miura Mitsuhiko

Since the advent of Structuralism in the 1960s, particularly in the modern Anglophone and Francophone world, scholars such as Eve Kosofsky Sedgwick and Rita Felski have pointed to the historical limits of “critique” and have called for a revision of the epistemological framework that supports the very idea of critique. Such proponents of "postcritique" condemn the tradition of skepticism that has been the norm in the art of criticism. They call, rather, for a shift to a form of critique that does not distance itself from the text but rather actively immerses itself in it. At the same time, immersion in the text runs the risk of reducing the work of criticism to the level of impressions. This paper first presents a conceptual inventory of attempts to transcend the limitations of traditional modes of film criticism, then offers an epistemological model that facilitates new forms of criticism. Such a model would allow for the viewer’s engagement by challenging the excessive power of recognition that leads them to consider texts that are actually discrete in nature as coherent representations.

表象 18

責任編集　表象文化論学会
https://repre.org/

2024年6月20日初版発行

ISBN 978-4-86503-190-4
Printed in Japan

発行　表象文化論学会
〒153-8902　東京都目黒区駒場3-8-1
東京大学大学院　総合文化研究科　表象文化論研究室内
repre@repre.org
https://repre.org/

発売　有限会社月曜社
〒182-0006　東京都調布市西つつじヶ丘4-47-3
電話 03-3935-0515　FAX 042-481-2561
http://getsuyosha.jp/

造本　加藤賢策（LABORATORIES）

印刷製本　株式会社シナノパブリッシングプレス

乱丁・落丁本は発売元がお取替えいたします